D1777946

UCIECZKA
Robert Muchamore

Tłumaczenie Bartłomiej Ulatowski

EGMONT

Tytuł oryginalny serii: *Cherub*
Tytuł oryginału: *Maximum Security*

Copyright © 2004 Robert Muchamore
First published in Great Britain 2004
by Hodder Children's Books

www.cherubcampus.com

© for the Polish edition by Egmont Polska Sp. z o.o.,
Warszawa 2007

Redakcja: *Agnieszka Trzeszkowska*
Korekta: *Anna Sidorek*
Projekt typograficzny i łamanie: *Mariusz Brusiewicz*

Wydanie pierwsze (w oprawie prostej), Warszawa 2010
Wydawnictwo Egmont Polska Sp. z o.o.
ul. Dzielna 60, 01-029 Warszawa
tel. 22 838 41 00

www.egmont.pl/ksiazki

ISBN 978-83-237-7442-6

Druk: Zakład Graficzny COLONEL, Kraków

CZYM JEST CHERUB?

CHERUB to komórka brytyjskiego wywiadu zatrudniająca agentów w wieku od dziesięciu do siedemnastu lat. Wszyscy agenci są sierotami zabranymi z domów dziecka i wyszkolonymi na profesjonalnych szpiegów. Mieszkają w tajnym kampusie ukrytym wśród angielskich wzgórz.

DLACZEGO DZIECI?

Bo nikt nie podejrzewa dzieci o udział w tajnych operacjach wywiadu, co oznacza, że uchodzi im na sucho znacznie więcej niż dorosłym.

KIM SĄ BOHATEROWIE?

W kampusie CHERUBA mieszka około trzystu dzieci. Głównym bohaterem naszej opowieści jest dwunastoletni JAMES ADAMS, ceniony agent CHERUBA mający na koncie już dwie udane misje, ale często wpadający w kłopoty. Młodsza siostra Jamesa LAURA ADAMS kończy szkolenie podstawowe w CHERUBIE. Jeżeli przetrwa do końca kursu, zostanie wykwalifikowaną agentką. KERRY CHANG jest urodzoną w Hongkongu mistrzynią karate, jest też dziewczyną Jamesa. Do kręgu jego najbliższych znajomych należą BRUCE NORRIS, GABRIELLE O'BRIEN oraz bliźniaki CALLUM i CONNOR REILLY. Najlepszym przyjacielem Jamesa jest piętnastoletni KYLE BLUEMAN.

O CO CHODZI Z TYMI KOSZULKAMI?

Rangę agenta można rozpoznać po kolorze koszulki, jaką nosi w kampusie. Pomarańczowe są dla gości. Czerwone noszą dzieci, które mieszkają i uczą się w kampusie, ale są jeszcze zbyt młode na to, by zostać agentami. Niebieskie są dla nieszczęśników przechodzących torturę studniowego szkolenia podstawowego. Szara koszulka oznacza agenta uprawnionego do udziału w operacjach. Granatowa – taką nosi James – jest nagrodą za wyjątkową skuteczność podczas akcji. Wybitnie zasłużeni agenci kończą karierę w CHERUBIE, nosząc czarną koszulkę, znak rozpoznawczy najlepszych z najlepszych. Byli agenci oraz kadra noszą koszulki białe.

1. MRÓZ

Zanim przystąpiłeś(-aś) do szkolenia podstawowego, starsi agenci zapewne opowiadali ci rozmaite historie na temat charakteru tego studniowego kursu. Chociaż każdy turnus szkolenia ma na celu rozwijanie umiejętności przetrwania, kondycji fizycznej i odporności psychicznej, możesz się spodziewać, że twój kurs będzie się różnić od wszystkich poprzednich, dzięki czemu zachowany zostanie element zaskoczenia.

(fragment z podręcznika szkolenia podstawowego)

Wszystko jak okiem sięgnąć wyglądało tak samo. Słońce wypełniało białą równinę tak oślepiającym blaskiem, że nawet przez mocno przyciemniane gogle dwie dziesięciolatki widziały na odległość nie większą niż dwadzieścia metrów.

– Daleko do punktu kontrolnego? – zapytała Laura Adams, zwalniając, by spojrzeć na odbiornik GPS na nadgarstku koleżanki.

– Tylko dwa i pół kilometra – odpowiedziała Bethany Parker. – Jeśli dalej teren jest tak samo płaski, dotrzemy do schronu za czterdzieści minut.

Dziewczęta musiały krzyczeć, żeby ich głos przebił się przez wycie lodowatej wichury i trzy warstwy ubrań chroniących je przed mrozem.

– To będzie tuż przed zachodem słońca. Lepiej się pospieszmy! – wrzasnęła Laura.

Wyruszyły o brzasku, ciągnąc za sobą lekkie sanki, które w trudnym terenie można było zawiesić na ramionach i nieść jak plecak. Do sprzyjających okoliczności należało to, że na przewędrowanie piętnastu kilometrów przez śniegi Alaski do następnego punktu kontrolnego dwie rekrutki miały cały dzień. Problem polegał na tym, że o tej porze roku, w kwietniu, dzień trwał zaledwie cztery godziny, a brnięcie w półmetrowej warstwie śniegu bardzo obciążało uda i kostki. Każdy krok sprawiał okropny ból.

Laura nadstawiła ucha na wzmagające się w oddali wycie.

– Jeszcze jeden mocny! – krzyknęła.

Dziewczęta przykucnęły, przyciągnęły sanki bliżej siebie i mocno objęły jedna drugą w pasie. Tak jak na plaży słyszy się falę zmierzającą ku brzegowi, na alaskim pustkowiu można było usłyszeć nadciągający z dali potężny podmuch wiatru.

Ubrania dziewcząt miały je chronić przed trzaskającym mrozem. Na normalną bieliznę Laura włożyła podkoszulek z długim rękawem i kalesony. Kolejną warstwę stanowił zapinany na suwak jednoczęściowy kombinezon z polaru zakrywający całe ciało z wyjątkiem oczu. Drugi grubszy polar wyglądał jak workowaty kostium króliczka wielkanocnego, tyle że bez ogonka i długich uszu. Na to szła jeszcze jedna para rękawic, druga kominiarka, gogle oraz wodoodporne rękawice zewnętrzne sięgające do łokci i zakończone ciasnym elastycznym ściągaczem. Całości dopełniał gruby zimowy kombinezon i ocieplane buty z cholewami i kolcami na podeszwach.

Ubiór był dość ciepły, by zapewnić rekrutkom względny komfort nawet przy minus osiemnastu stopniach Celsjusza – właśnie tyle wskazywał termometr – ale każdy silniejszy podmuch obniżał temperaturę jeszcze co najmniej o piętnaście stopni. Wdzierając się pod ubrania, wiatr wywiewał izolujące bąble ogrzanego powietrza z miejsc, w których było najbardziej potrzebne, pozostawiając pomiędzy skórą a mrozem zaledwie kilka centymetrów syntetycznej tkaniny. Każdy powiew wichury przeszywał ciała dziewcząt dotkliwym bólem we wszystkich miejscach, które okazały się niewystarczająco osłonięte.

Laura i Bethany użyły sanek jako wiatrochronów. Kolec lodowatego powietrza, który zdołał przecisnąć się pod ramką gogli, ukłuł Laurę w powiekę. Dziewczyna wtuliła twarz w kombinezon przyjaciółki i mocno zacisnęła oczy, na wpół ogłuszona bębnieniem śniegu o kaptur.

Wreszcie poryw przeminął. Kiedy opadł śnieg, Laura wstała i otrzepała kombinezon.

– Wszystko w porządku? – zawołała Bethany.

Laura wystawiła w górę oba kciuki.

– Dziewięćdziesiąt dziewięć dni za mną. Został już tylko jeden.

*

Domem Laury i Bethany na kolejną noc okazał się stalowy kontener pomalowany jaskrawopomarańczową farbą, taki sam, jakie widuje się na naczepach wielkich ciężarówek. Z dachu sterczał zakotwiczony linami i odrapany maszt flagowy oraz antena radiowa.

Dziewczęta zdążyły tuż przed zmrokiem. Dalekie słońce dotykało już horyzontu, a światło, którym nasączało mgławicę padającego śniegu, nadawało pejzażowi ziarnistą żółtą teksturę. Dziewczęta były zbyt wyczerpane, by móc zachwycać się pięknem natury. Marzyły tylko o cieple. Kilka minut musiały poświęcić na odgarnięcie śniegu sprzed metalowych drzwi tworzących mniejszą ścianę kontenera. Po ich otwarciu Laura wciągnęła do środka sanki, a Bethany natychmiast ruszyła w stronę drewnianej półki, by zdjąć z niej lampę gazową. Drzwi zatrzasnęły się z hukiem, który byłby ogłuszający, gdyby nie warstwy materiału chroniące uszy dziewcząt. Lampa rozbłysła niespokojnym błękitnym światłem. Laura ściągnęła gogle i wierzchnie rękawice. Wprawdzie dłonie miała przemarznięte, ale trzy pary rękawiczek mocno ograniczały jej możliwości manualne.

– Dziś mamy jeszcze mniej paliwa – zauważyła, patrząc na samotną butlę z gazem.

Pierwszej nocy swojej tygodniowej przeprawy przez mroźne pustkowie dziewczęta znalazły w schronie dwie duże butle z gazem. Niewiele myśląc, włączyły piecyk na cały regulator, ugotowały sobie mnóstwo jedzenia, a potem jeszcze zagrzały wodę do mycia. Zabawa urwała się nagle, w środku nocy, kiedy skończył się gaz i przytulny schron bardzo szybko zamienił się w lodówkę. Po tej srogiej nauczce dziewczęta z wielką ostrożnością racjonowały swoje przydziały energii.

Bethany przymocowała wąż butli do małego promiennika i zapaliła gaz tylko w jednej z trzech komór. To powinno wystarczyć, żeby słupek w termometrze z wolna wypełzł ponad zero. Do tego czasu dziewczęta musiały pozostać w jak najgrubszej warstwie ubrań, zdejmując tylko to, co uniemożliwiało im zajęcie się kolejnymi czynnościami.

Następne kilkanaście minut poświęciły na przejrzenie rzeczy, które pozostawiono dla nich w schronie. Znalazły dużo wysokoenergetycznej żywności: konserwy mięsne, owsiane placki, zupki chińskie, batony czekoladowe i glukozę w proszku. Znalazły też kartki z zadaniem na następny dzień, czystą bieliznę, świeże wkładki do butów i karimaty. W połączeniu z naczyniami, przyborami kuchennymi i śpiworami w saniach wyposażenia było tyle, by Laura i Bethany mogły spędzić noc w miarę wygodnie. Od wschodu słońca dzieliło je dziewiętnaście godzin.

Kiedy upewniły się, że mają wszystko, czego im trzeba, Laura zwróciła uwagę na kanciasty kształt skryty pod brezentową płachtą na drugim końcu kontenera.

– To musi mieć jakiś związek z jutrzejszym zadaniem – powiedziała Bethany.

Spod brezentu wyłoniło się wielkie tekturowe pudło. Miało ponad dwa metry długości i sięgało Laurze prawie do ramion. Po odbiciu warstewki lodu dziewczęta ujrzały logo Yamahy i nadrukowaną na pudle sylwetkę skutera śnieżnego.

– Ekstra! – ucieszyła się Bethany. – Moje nogi nie zniosłyby kolejnego dnia brnięcia przez te śniegi.

– Kierowałaś kiedyś czymś takim?

Bethany potrząsnęła głową, wytrzeszczając oczy z podniecenia.

– Niby nie, ale to nie może być trudniejsze od quadów, którymi jeździłyśmy na letnim obozie. Zajrzyjmy do planów i ustalmy, co mamy jutro do zrobienia.

– Najpierw zmierzmy sobie temperaturę i skontaktujmy się z bazą – powiedziała Laura.

Radiostacja była już podłączona do anteny na dachu. Przemarznięty akumulator niechętnie oddawał prąd i minęła dłuższa chwila, nim wyświetlacz na płycie czołowej rozjarzył się pomarańczową poświatą. Dziewczęta wykorzystały czas oczekiwania na zmierzenie sobie temperatury za pomocą plastikowych termoczułych pasków wkładanych pod pachę. Na obu termometrach okienka wskaźnikowe rozjaśniły się pomiędzy kreskami oznaczającymi trzydzieści pięć i trzydzieści sześć stopni. Świadczyło to o tym, że rekrutki mają lekko obniżoną temperaturę, czego można, a nawet należałoby się spodziewać po kimś, kto spędził kilka godzin na trzaskającym mrozie. Jeszcze godzina marszu, a dziewczęta zaczęłyby mieć pierwsze objawy hipotermii.

Laura złapała mikrofon.

– Trójka wzywa instruktora Large'a. Odbiór.

– Tu instruktor Large. Witam was, moje małe cukiereczki.

Dobrze było po raz pierwszy od doby usłyszeć ludzki głos nienależący do Bethany, nawet jeżeli był to głos Large'a, szefa wyszkolenia w CHERUBIE. Large był paskudnym typem. Uprzykrzanie życia rekrutom na szkoleniach nie tylko należało do jego obowiązków, ale najwyraźniej sprawiało mu nie lada frajdę.

– Chcę tylko zgłosić, że ze mną i z czwórką wszystko w porządku. Odbiór – powiedziała Laura.

– Dlaczego nie szyfrujesz transmisji? Odbiór. – Głos Large'a nagle stał się oschły.

– Och... – Laura zrozumiała swój błąd i szybko przerzuciła przełącznik kodowania z przodu radiostacji. – Zapomniałam, bardzo mi przykro. Odbiór.

– Przykro to ci będzie dopiero jutro, kiedy cię dostanę w swoje ręce – zawarczał Large. – Minus dziesięć punktów dla Hufflepuffu. Bez odbioru.

Laura rzuciła mikrofon i ze złością kopnęła stalową ścianę kontenera.

– Oooch! Jak ja nienawidzę tego człowieka!

Bethany zaśmiała się ironicznie.

– Nie aż tak jak on ciebie za to, że go zwaliłaś w błoto. Szpadlem!

– Prawda – skinęła głową Laura, uśmiechając się na samo wspomnienie wydarzenia, które w gwałtowny sposób zakończyło jej pierwsze podejście do szkolenia podstawowego. – Lepiej weźmy się do roboty. Zacznij tłumaczyć plan, a ja pójdę po trochę śniegu na wodę.

Laura znalazła wiadro, wyjęła latarkę ze swoich sanek i pchnęła drzwi kontenera. Wyślizgnęła się na zewnątrz przez wąską szczelinę, żeby nie wypuścić ze środka zbyt dużo ciepła. Słońce już zaszło, ale w trójkącie światła padającego z uchylonych drzwi dostrzegła na śniegu zarys czegoś wielkiego i białego. Przekonana, że to zmęczona wyobraźnia płata jej głupie figle, Laura włączyła latarkę.

To, co zobaczyła, rozwiało jej wątpliwości. Z krzykiem cofnęła się przestraszona do kontenera i szybko zatrzasnęła stalowe drzwi.

– Co się stało? – spytała Bethany, odrywając wzrok od planu zadania.

– Niedźwiedź polarny – sapnęła Laura. – Leży w śniegu tuż za drzwiami! Na szczęście chyba odpoczywa; jeszcze parę kroków, a bym na niego wlazła.

– Niemożliwe – stwierdziła Bethany.

Laura pomachała latarką przed twarzą partnerki.

– Masz. Wyjrzyj za drzwi i sama się przekonaj.

Jeden rzut oka wystarczył, by potwierdzić sensacyjną nowinę. Góra białego futra bijąca z nozdrzy obłokami pary leżała niespełna pięć metrów od wejścia do kontenera.

*

Kiedy Laura ochłonęła po bliskim spotkaniu z futrzastą śmiercią, dziewczęta przemyślały sytuację i uznały, że w zasadzie nie ma się czym przejmować. Ostatecznie po śnieg na wodę do picia wystarczyło sięgnąć tuż za próg. Logicznym wyjściem wydawało się pozostawienie wielkiego misia w spokoju, tym bardziej że było niezbyt prawdopodobne, by zwierzę tkwiło na mrozie przez całą noc. Na pewno wkrótce poszuka sobie jakiegoś schronienia i zanim wzejdzie słońce, nie będzie już po nim śladu.

Tymczasem wnętrze kontenera rozgrzało się na tyle, że oddechy rekrutek przestały zamieniać się w obłoki pary. Po całym dniu na mrozie kilka stopni powyżej zera robiło wrażenie rozkosznego upału. Dziewczęta zdjęły buty, zaś wierzchnie kombinezony rozwiesiły na sznurku nad piecykiem, żeby odparowała z nich wilgoć.

Stalowa podłoga kontenera była zbyt zimna, by można było chodzić po niej boso. Laura i Bethany włożyły trampki i rozłożyły wyjęte z sanek karimaty. Podczas gdy rozmrażały się ustawione przed piecykiem puszki z peklowaną wołowiną i owocami, Bethany rozpuściła na turystycznej kuchence śnieg w rondelku. Odczytanie planów zadania przy migotliwym świetle dwóch gazowych lampek zajęło im godzinę. Broszurki liczyły zaledwie po pięć stron, ale napisano je w językach, których dziewczęta zaczęły się uczyć dopiero na początku szkolenia, w dodatku opartych na alfabetach niełacińskich. Plan dla Bethany był po rosyjsku, dla Laury po grecku.

Ogólne wytyczne okazały się proste: dziewczęta miały rozpakować skuter śnieżny i przygotować maszynę do pierwszego użycia. Wymagało to przykręcenia kilku elementów, nasmarowania łańcucha napędowego oraz napełnienia silnika olejem, a baku paliwem. Po wschodzie słońca musiały w ciągu dwóch godzin pokonać trzydzieści pięć kilometrów dzielących je od następnego punktu kontrolnego. Tam wraz z czterema pozostałymi rekrutkami miały zostać poddane czemuś, co w planach zadania złowróżbnie opisano jako ostateczny sprawdzian dzielności fizycznej przeprowadzony w skrajnych warunkach środowiskowych.

Laura wbiła łyżkę w peklowaną wołowinę, miękką i ciepłą przy ściankach puszki, ale w środku wciąż zmrożoną na lód.

– Cóż... – westchnęła. – Przynajmniej instrukcja do skutera jest po angielsku.

2. KRĘGLE

James Adams przez cały tydzień nie mógł się doczekać sobotniego wieczoru i kręgli w mieście, ale już po kilku rundach zupełnie zmienił się jego nastrój. Czworo członków CHERUBA, z którymi przyszedł, bawiło się zdecydowanie lepiej niż on. Kyle był w szczytowej formie. Robił za duszę towarzystwa, stawiając wszystkim hot dogi i colę za niedużą fortunę, jaką zbił na wypalaniu pirackich płyt z filmami dla połowy dzieciaków z kampusu. Kyle zawsze prowadził na boku różne lewe interesy, ale z tego, co wiedział James, dopiero ten przyniósł mu konkretny dochód.

Dwóm identycznym bliźniakom Callumowi i Connorowi nie psuł zabawy nawet ich głupi zakład o to, który z nich jeszcze tego samego wieczoru zdoła poprosić Gabrielle o chodzenie. James tłumaczył braciom, że śnią na jawie. Może i nie byli beznadziejni, ale Gabrielle miała już trzynaście lat i była bardzo ładna. Gdyby chciała mieć chłopaka – a nic na to nie wskazywało – mogła wybierać wśród znacznie lepszych kandydatów niż para chuderlawych dwunastolatków z blond strzechą na głowie i krzywymi siekaczami rozdzielonymi szparą tak wielką, że mogliby jeść marsy, nie rozwierając szczęk.

– Strrrajk! – zawołała Gabrielle, kiedy dziesięć kręgli wystrzeliło we wszystkie strony świata.

Dziewczyna wzniosła ręce do góry i zakręciła biodrami w obłąkańczym tańcu zwycięstwa.

– Twoja kolej, Kyle! – zaśpiewała na koniec.

Gabrielle odwróciła się od sceny swojego triumfu, by ujrzeć Calluma i Connora szczerzących się do niej z plastikowych krzeseł po obu stronach miejsca zarezerwowanego dla niej.

– Świetny rzut – rozpromienił się Callum. – Naprawdę...

– A nie mówiłem, żebyś nie brała tak dużego zamachu? – przerwał swojemu bratu bliźniakowi Connor, rzucając mu złowrogie spojrzenie. – Widzisz, teraz o wiele lepiej trzymasz równowagę.

Gabrielle pamiętała radę, ale nie rzuciła ani trochę inaczej niż normalnie. Trafienie zawdzięczała wyłącznie szczęściu. Nagle uświadomiła sobie, że nie ma ochoty znosić tych dwóch łaszących się do niej chudzielców ani chwili dłużej. Sięgnęła pod krzesło po swoją torbę.

– Dokąd idziesz? Czy coś się stało? – zaniepokoił się Callum.

– James wygląda na trochę zdołowanego. Zamienię z nim słówko. Może uda mi się go rozweselić – wyjaśniła Gabrielle.

– Świetny pomysł – ucieszył się Connor. – Idę z tobą.

Gabrielle zesztywniała.

– Nie – powiedziała twardo. – Wy dwaj zostaniecie tutaj i pogracie sobie w kręgle.

– Ale... – Connor znieruchomiał w pół drogi między pozycją siedzącą a stojącą.

– Słuchajcie – westchnęła Gabrielle. – Nie chcę być niegrzeczna, ale od pewnego czasu zachowujecie się naprawdę dziwnie i działacie mi na nerwy. Nie możecie dać mi pięciu minut spokoju?

Gabrielle zdjęła z oparcia swoją kurtkę, nie patrząc bliźniakom w oczy. Było jej przykro. Obaj chłopcy mieli dokładnie taką samą minę: wyraz twarzy przedszkolaka, któremu mama za karę zabrała ulubioną zabawkę.

James trwał w letargu, wpatrując się w podłogę między swoimi stopami. Gabrielle klepnęła go w kolano.

– No co tam, smutasku? – zagadnęła wesoło, zajmując sąsiednie krzesło. – Wciąż dręczy cię Miami?

Poprzedniego lata James znalazł się w paskudnie groźnej sytuacji i żeby ocalić życie, musiał strzelić do człowieka. Wciąż miał koszmary.

– Trochę tak. – James wzruszył ramionami. – Poza tym stęskniłem się za Kerry. Od tygodnia nie miałem od niej żadnej wiadomości.

– Ja też nie, ale w ostatnim liście napisała, że jest już w Japonii i rozpoczyna supertajną operację. Nic dziwnego, że się nie odzywa.

James skinął głową.

– Dzwoniłem do jej koordynatora. Powiedział, że u Kerry wszystko w porządku i że za miesiąc powinna już być w domu.

– A co u Laury? Jak jej idzie na szkoleniu?

– Wiesz, jak to jest – westchnął James. – Słyszy się różne plotki, ale chyba jakoś sobie radzi.

Gabrielle zaczęła się śmiać.

– A pamiętasz nasze szkolenie? Jak Kerry i ja zamknęłyśmy was na balkonie w tamtym hotelu? Jedliście nam z ręki.

James pozwolił sobie na słaby uśmiech.

– Taa... Jeszcze wam za tamto nie odpłaciliśmy.

Coś zimnego kapnęło Jamesowi na szyję. Obejrzał się na grupę nastoletnich młodzieńców grających na sąsiednim torze. Stojący najbliżej prowadził ożywioną konwersację, gestykulując z kubkiem w dłoni i rozchlapując colę.

– Ej! – krzyknęła Gabrielle, patrząc spode łba na górę pryszczy w koszulce Tottenham Hotspur. – Może byś uważał!

– Sorka – odrzekł młodzian, uśmiechając się szelmowsko do lodu na dnie kubka.

Gabrielle odniosła wrażenie, że wcale nie jest mu przykro.

– James, twoja runda! – zawołał Kyle.

James podniósł się z krzesła i zdjął kulę z podajnika. Jakiś czas temu wykorzystał wycięty z ulotki kupon i wziął kilka darmowych lekcji. Dzięki temu, kiedy był w formie, wyglądał na torze jak zawodowiec: miotał kulę pewnym, fachowym ruchem i uzyskiwał lepsze wyniki niż inni. Ale nie dzisiaj. Tak naprawdę jego podły nastrój nie miał nic wspólnego ani z tęsknotą za Kerry, ani ze szkoleniem podstawowym Laury. James miał doła, bo przegrywał.

Stanął na rozbiegu, trzymając ciężką kulę pod brodą. Wziął ładny, płynny zamach. Kula z impetem roztrąciła czołowe kręgle i przez sekundę James był pewien, że zaliczył pierwszy strajk od wieków, ale pion numer siedem, z tyłu po lewej, ledwie się zakołysał, a dziesiątka, skrajna po prawej, nie okazała nawet tyle przyzwoitości, by choćby drgnąć. James nie mógł uwierzyć w swoje parszywe szczęście.

– Ale split! – zawołał Kyle, klepiąc się w uda z uciechy. – Już po tobie, Adams.

James zerknął na tablicę wyników. Kiedy grali w grupie, zwykle walczył z Kyle'em o pierwsze miejsce i częściej wygrywał, niż przegrywał. Jednak dziś umoczył już dwa mecze, a w tym – na cztery rundy przed końcem – wlókł się o trzydzieści punktów za starszym kolegą. James uważał, że to wredne ze strony Kyle'a tak otwarcie cieszyć się z niepowodzenia przyjaciela. Nie przyszło mu do głowy, że sam zachowywałby się tak samo, gdyby to Kyle miał dzisiaj zły dzień.

Złapał kulę, gdy tylko wpadła z podajnika i przestała wirować. Ustawił się do drugiego rzutu, wpatrując się ponuro w dwa piony stojące po przeciwległych stronach toru.

Żeby zbić split z siódemki i dziesiątki, trzeba rzucić kręgiel tak mocno i pod takim kątem, by odbił się od ściany za torem i wpadł na pion po drugiej stronie. Wymaga to ogromnego szczęścia i nawet kręglarski mistrz świata nie mógłby oczekiwać, że taki rzut będzie mu się udawał za każdym razem.

– Nie trafisz obu, choćby za milion lat – szydził Kyle.

James obejrzał się i uśmiechnął do niego z fałszywą pewnością siebie.

– Siedź cicho i ucz się od mistrza.

Rzucił najmocniej, jak potrafił, ale kiedy rzuca się mocno, traci się kontrolę. Kula odbiła się i lekko zboczyła z kursu. Toczyła się bardzo szybko, ale James już wiedział, że nie jest dobrze.

– Nie tam! – jęknął, patrząc, jak kula zbliża się do rynny. – Błagam, nie...

Kula wpadła do rynny kilka metrów przed kręglami. James ukrył twarz w dłoniach i cicho zaklął. Z trudem zmusił się, żeby podnieść głowę, wiedząc, że będzie musiał oglądać triumfalną minę Kyle'a.

– Osiem punktów i kanał. – Kyle piszczał z uciechy. – Może lepiej spytaj wychowawcę, czy możesz poćwiczyć z juniorami?

James opadł ciężko na krzesło obok Gabrielle.

– Przy mojej dzisiejszej formie dzieciaki rozniosłyby mnie na strzępy – westchnął.

– I tak idzie ci lepiej niż Callumowi i Connorowi – zauważyła Gabrielle, wskazując na ekran z wynikami.

– Też mi pocieszenie. Oni są beznadziejni.

Gabrielle uśmiechnęła się i pogłaskała nogę Jamesa wierzchem dłoni.

– Po prostu masz dziś zły dzień.

Kiedy to powiedziała, na plecy znowu spadł im deszcz coli. Skulili się odruchowo, a potem gwałtownie odwrócili. Dwóch osiłków w piłkarskich koszulkach mocowało się ze sobą w kałuży na podłodze. James nie wytrzymał.

– Co wy, robicie, palanty jedne?! Cały jestem mokry!

– Poplamili mi bluzkę – poskarżyła się Gabrielle, oglądając z troską materiał na ramionach.

Dwaj chłopcy wstali, wciąż chichocząc.

– Tylko się bawimy – powiedział ten w koszulce Tottenhamu.

Drugi, ten większy, był mniej ugodowy.

– Tam jest mnóstwo wolnych miejsc – burknął. – Nikt wam nie każe tu siedzieć.

– To jest nasz tor – powiedziała Gabrielle. – Nie zamierzam wędrować pięciu kilometrów po każdym rzucie.

– Właśnie – przytaknął James. – To ty weź swojego kochasia i idźcie się przewalać gdzie indziej.

Osiłek pchnął Jamesa w ramię.

– Nazywasz mnie pedałem?

James i Gabrielle wstali z krzeseł i odwrócili się do dwóch górujących nad nimi dryblasów.

– Nie przyszedłem tutaj szukać kłopotów – powiedział James.

– Ani ja – odparł chłopak. – Ale jesteś na dobrej drodze, żeby w nie wpaść, więc może ty i ten bambus łaskawie zabierzecie stąd swoje tyłki i po prostu usiądziecie gdzie indziej?

Twardziel był o jakieś ćwierć metra wyższy i piętnaście kilo cięższy od Gabrielle, dlatego zupełnie nie spodziewał się tego, co nastąpiło po jego słowach. Gabrielle, posiadaczka czarnego pasa drugiego dan w karate, wyprowadziła wysokie kopnięcie ponad rzędem plastikowych krzeseł. Jej kręglarski but grzmotnął osiłka w nerki z siłą kuli armatniej. Nim chłopak zdążył odzyskać dech, leżał na podłodze z rozkrwawionym nosem. Pomalowane na pomarańczowo paznokcie wbijały mu się w policzek.

– Jak mnie nazwałeś?! – wrzasnęła Gabrielle, zaciskając pięść. – Powtórz to, bydlaku!

Echo okrzyku przetoczyło się pod stalowym dachem, uciszając gwar rozmów. W ciszy, którą zakłócało tylko kwilenie jakiegoś malucha i popiskiwanie automatów do gier, sto par oczu zwróciło się ku walczącym. James szybko przeskoczył przez krzesła i położył dłoń na ramieniu Gabrielle.

– Daj spokój – powiedział łagodnie. – Szkoda twoich nerwów na takiego palanta.

Gabrielle puściła chłopaka i wstała. James odetchnął, sądząc, że rozładował sytuację, ale kiedy uniósł głowę, spostrzegł, że jest otoczony przez czterech kumpli pokonanego. Z obojętną miną ruszył w stronę swojego toru. W tej samej chwili niezdarnie wyprowadzony cios prześlizgnął mu się po boku głowy. James odruchowo skontrował, wyrzucając w tył łokieć i trafiając napastnika w środek twarzy, a kiedy chłopak zatoczył się do tyłu, zwalił go z nóg zgrabnym podcięciem. Pozostałym wcale się to nie spodobało. Trzej rzucili się na Jamesa, a fan Tottenhamu podjął próbę odegrania się na Gabrielle i skoczył jej na plecy.

James przeszedł wiele kursów walki wręcz, ale bez względu na umiejętności istniała granica tego, co mógł zdziałać w starciu z trzema znacznie większymi przeciwnikami. Na szczęście inni członkowie CHERUBA pospieszyli mu na pomoc. Kyle, Connor i Callum błyskawicznie przeskoczyli rząd krzeseł i rzucili się na łobuzów. Tymczasem na Jamesa spadł drugi cios. Podeszwa jego buta pisnęła, kiedy poślizgnął się na wypolerowanym parkiecie i upadł na brzuch. Chciał się poderwać, ale nie mógł, przywalony plątaniną ciał i kończyn. Kątem oka zauważył kolano Kyle'a trafiające kogoś w brzuch, a potem Tottenhama obezwładnionego i metodycznie okładanego pięściami przez bliźniaków. Zanim opiekunowie z CHERUBA, dotąd pilnujący młodszych dzieci na torze szkolnym, oraz pracownicy kręgielni dotarli do walczących, wynik starcia był już przesądzony. Pięciu chuliganów leżało na podłodze, skręcając się z bólu o różnym stopniu nasilenia. Otaczał ich ciasny krąg agentów CHERUBA o kamiennych twarzach, gotowych znowu puścić pięści w ruch przy najmniejszym fałszywym ruchu pokonanych.

James przetoczył się na plecy i wciągnął wielki haust powietrza. Czuł przyjemny dreszczyk satysfakcji, mimo iż jego wkład w zwycięstwo ograniczył się do zainkasowania ciosu w głowę i przewrócenia się na podłogę. Cieszył się, że chuligani dostali za swoje. Te rasistowskie odzywki wobec Gabrielle były totalnym draństwem.

Ale kiedy James podniósł się, by usiąść na jednym z plastikowych krzeseł, radosne uniesienie nagle go opuściło. Bolała go głowa, miał poplamione ubranie, a co najgorsze, po powrocie do kampusu musiał ponieść konsekwencje swoich czynów. Wiedział, że to nie będzie nic miłego.

*

Doktor Terence McAfferty, znany w kampusie jako Mac, wpatrywał się w piątkę dzieciaków stojących rzędem przed wielkim dębowym biurkiem i usiłował przypomnieć sobie, ileż to już razy patrzył na podobne zgrupowania zalęknionych twarzy w ciągu tych trzynastu lat, jakie spędził na stanowisku prezesa. Był przekonany, że liczba szła w tysiące.

– Czy ktoś z was powie mi, jak doszło do dzisiejszej bójki w kręgielni? – zapytał zmęczonym głosem.

– Ten koleś z sąsiedniego toru przyczepił się do Gabrielle – wyjaśnił Kyle, który jako najstarszy poczuwał się do odpowiedzialności za kolegów. – Chlapali colą i w ogóle zachowywali się jak kretyni. W końcu straciliśmy cierpliwość i spuściliśmy im manto.

– Wszyscy jednocześnie postanowiliście spuścić im manto – powiedział Mac, kiwając głową. – Przypuszczam zatem, że żadne z was nie jest bardziej winne od pozostałych.

– Tak jest – skłamał Kyle.

Pozostali skwapliwie pokiwali głowami. Podczas jazdy mikrobusem do kampusu zdążyli ustalić wspólną wersję zeznań. Gabrielle rozpoczęła bójkę, ale została obrzydliwie znieważona i nikt nie uważał, że powinna wziąć na siebie całą odpowiedzialność.

– Rozumiem – wycedził Mac. – Skoro zależy wam, żebym to potraktował w ten sposób, niech tak będzie. Wiedzcie jednak, że rozmawiałem z wychowawcami, którzy byli świadkami bójki, i sądzę, że mam dość dokładną wiedzę na temat przebiegu wydarzeń.

Mac spojrzał znacząco na Jamesa, a potem na Gabrielle.

– Nie powinienem wam mówić, jak poważne konsekwencje mogła mieć ta bijatyka – podjął po chwili milczenia. – Przecież wpajano wam to do znudzenia. Jaka jest pierwsza zasada, która obowiązuje agentów przebywających poza granicami kampusu?

Ponury chór winowajców bez zapału wyrecytował odpowiedź:

– Nie wychylać się.

– Nie wychylać. – Mac pokiwał głową. – CHERUB jest organizacją tajną. Bezpieczeństwo waszych kolegów wypełniających w tej chwili rozmaite misje opiera się na tym, że nikt nie wie o naszym istnieniu. Kiedy jesteście poza kampusem, macie zachowywać się tak, by nie zwracać na siebie uwagi. Macie unikać kłopotów za wszelką cenę, nawet prowokowani w brutalny i oburzający sposób. Czy wyrażam się jasno?

– Tak jest, sir – gorliwie przytaknęli młodzi agenci.

– Dzisiejszego wieczoru wielu ludzi miało okazję podziwiać waszą biegłość w walce wręcz. Nie sądzicie, że są teraz szalenie ciekawi, kim jesteście i gdzie grupa malców mogła nauczyć się tak zaawansowanych technik sztuk walki? Wyobrażacie sobie, w jakie bagno byśmy wdepnęli, gdyby jeden z zaatakowanych przez was chłopców odniósł poważniejsze obrażenia? Wiem, że jesteście dobrze wyszkoleni i macie wystarczająco dużo rozsądku, by używać minimalnej siły, ale wypadki się zdarzają. Wasze szczęście, że mam znajomości w miejscowej policji. Tylko dzięki mnie nie siedzicie teraz w areszcie, czekając na rozprawę. A teraz przejdźmy do waszych kar.

Dochodziła północ. Agenci byli zmęczeni i słuchali wykładu jednym uchem, ale na wzmiankę o karach ożywili się, ciekawi swego losu.

– Po pierwsze, każde z was ma zakaz opuszczania kampusu przez następne cztery miesiące – oznajmił Mac. – Po drugie, ponieważ wciąż mamy za mało agentów i rozpaczliwie potrzebujemy świeżej krwi...

Mac sięgnął do szuflady i wydobył stamtąd plik standardowych planów zadania. James jęknął cicho, uświadomiwszy sobie, że czeka go misja rekrutacyjna w jakimś obskurnym domu dziecka. Wprawdzie nigdy na takiej nie był, ale każdy, kogo znał, a kto kiedykolwiek został zesłany na werbunek, twierdził, że to prawdziwy koszmar.

3. BESTIA

Dochodziła północ, kiedy Laura i Bethany skończyły przygotowywać skuter do porannej wyprawy. Pojazd skonstruowano tak, aby mógł go rozpakować, zmontować i przygotować do jazdy każdy, kto ma dość oleju w głowie, by przeczytać instrukcję.

Dziewczęta spięły swoje śpiwory razem i przytuliły się do siebie. Jeżeli wierzyć podręcznikom szkół przetrwania, spanie w osobnych śpiworach zapewniało większy komfort termiczny, ale podręczniki nie uwzględniały komfortu zasypiania obok najlepszej przyjaciółki – czynnika nader istotnego, nawet jeżeli obejmująca cię ręka cuchnie benzyną.

*

Smuga światła przedarła się między strzępkami tektury, którymi dziewczęta uszczelniły szpary wokół drzwi, i rozjaśniła wnętrze kontenera na znak, że słońce wygląda już ponad horyzontem. Laura i Bethany chrapały w najlepsze, kiedy rozległ się przenikliwy elektroniczny pisk, a kilka sekund później drugi. Wolały nie ryzykować i nastawiły oba budziki, na wypadek gdyby jedna z nich się pomyliła albo gdyby jeden z zegarków zawiódł. Każde potknięcie mogło je drogo kosztować. Gdyby nie dotarły na czas do ostatniego punktu kontrolnego, dziewięćdziesiąt dziewięć dni męczarni poszłoby na marne. Obie starały się unikać myśli o porażce, ale było to tak, jakby mieszkaniec płonącego domu próbował nie zwracać uwagi na podpełzające coraz bliżej płomienie.

Laura wyślizgnęła się ze śpiwora i wstała, żeby zapalić jedną z gazowych lampek. Przez grube skarpety czuła chłód stalowej podłogi kontenera.

Bethany zawsze miała spowolniony rozruch i jak niemal każdego dnia od początku szkolenia Laura musiała nią trochę potrząsnąć.

– Ruszaj się, śpiąca królewno! – zawołała dziarsko. – Zacznij pakować sprzęt, a ja zrobię owsiankę. Najlepiej będzie, jeśli wyruszymy natychmiast, kiedy zrobi się jasno.

Przykucnąwszy nad metalowym wiadrem, Laura przystąpiła do żmudnej i poniżającej procedury uwalniania się od kolejnych warstw polaru dla obnażenia tylnej części ciała.

– Czemu nie urodziłam się chłopcem? – spytała retorycznie, podczas gdy jej partnerka, siedząc na śpiworze, wpychała do butów odpinane wkładki. – W tych warunkach byłoby to znacznie praktyczniejsze.

– Ciekawe, co też porabiają nasi bracia – powiedziała Bethany. – U nich pewnie jest teraz wieczór. Założę się, że siedzą przed telewizorami, sączą gorącą czekoladę i zajadają ciacha.

Laura roześmiała się.

– Jak znam Jamesa, jest teraz na bieżni i odbębnia karne okrążenia.

– A obok pewnie biegnie Jake – zachichotała Bethany. – Mój brat to prawie taki sam beznadziejny głupek jak twój.

– Chcesz skorzystać z wiadra, zanim to wyleję? – spytała Laura, zapinając polarowy kombinezon.

– Tak. Dawaj, bo pęknę. Mam nadzieję, że misiek już sobie poszedł.

Laura uśmiechnęła się złośliwie.

– Jeśli nie, czeka go przykra pobudka: bliskie spotkanie z wiadrem sików.

Kiedy Bethany ulżyła pęcherzowi, Laura odblokowała drzwi i naparła na nie ramieniem. Pół metra nawianego w nocy śniegu stawiało silny opór. Mroźne powietrze ukłuło ją w twarz i nieosłonięte dłonie. Chlusnęła za próg parującą zawartością wiadra, po czym wysunęła głowę za drzwi.

– Niech to szlag! On ciągle tam jest.

Nocny opad pokrył śpiącego niedźwiedzia równą warstwą śniegu, pozostawiając tylko wokół pyska nieduży krąg wytopiony przez oddech bijący z nozdrzy potwora.

– Patrz, jaki wielki – powiedziała Laura. – Założę się, że mógłby nas zabić jednym ciosem. Wyciąganie skutera przy nim mogłoby się źle skończyć. Musimy go przepłoszyć.

– Najlepiej od razu – przytaknęła Bethany, przysuwając oko do szczeliny w drzwiach tuż obok Laury. – Lepiej, żeby był daleko stąd, kiedy przyjdzie czas ruszać.

– W programach przyrodniczych zawsze mówią, że takie wielkie zwierzaki są bardzo płochliwe. Powinno się udać.

Laura wystawiła rękę z wiadrem na zewnątrz i z całej siły wyrżnęła nim w drzwi kontenera. Dziewczęta musiały zasłonić dłońmi uszy, żeby ochronić bębenki przed metalicznym grzmotem. Niedźwiedź ani drgnął.

– Głupie bydlę! – zirytowała się Laura.

– Może czymś w niego rzucimy? – zaproponowała Bethany.

Przez lekko uchylone drzwi błyskawicznie uciekało ciepło. Dziewczęta, które jeszcze nie zdążyły się ubrać, wróciły do środka po rękawiczki i kominiarki. Podczas gdy Bethany szukała rzeczy nadających się na pociski, Laura wymieszała płatki owsiane z mlekiem w proszku i wodą. Puszkę z miksturą postawiła na kuchence, by śniadanie było gotowe, kiedy już uporają się z problemem misia.

Bethany podeszła do drzwi, trzymając dwa rondle – jedyne przedmioty wśród lekkiego sprzętu turystycznego zgromadzonego w kontenerze, które wydały się jej wystarczająco masywne, by obudzić niedźwiedzia.

– Muszę podejść blisko, bo nie trafię – powiedziała Bethany. – Może się na mnie rzucić, więc lepiej trzymaj drzwi. Zatrzaśniesz je, jak tylko będę w środku.

Serce Bethany waliło jak oszalałe, kiedy stanęła w odległości trzech metrów od niedźwiedzia, trzymając w każdej dłoni po rondlu. Cisnęła oba naraz i nie czekając na efekt, rzuciła się do ucieczki. Wparowała do kontenera wraz z chmurą śniegu i w tej samej chwili Laura zatrzasnęła drzwi. Bethany nie zdołała w porę wyhamować, potknęła się o sanki i z łomotem runęła na podłogę

– Nic ci nie jest? – zaniepokoiła się Laura.

– Będę żyć – stęknęła Bethany, przewracając się na plecy. – Zadziałało?

Laura patrzyła głównie na koleżankę, mając na uwadze jej bezpieczeństwo. Przez tumany śniegu nie dostrzegła reakcji misia. Bethany wstała, podeszła do drzwi i uchyliła je na kilka centymetrów.

– Nie wierzę – jęknęła.

Bethany wychyliła głowę na zewnątrz i zdębiała. Niedźwiedź leżał tam gdzie poprzednio, z tą różnicą, że teraz kompozycję uzupełniały dwa wbite w śnieg rondle: jeden przed nosem i drugi przy boku bestii wznoszącym się i opadającym w rytm jej oddechu.

– To musiało się stać właśnie dziś, prawda? – odezwała się Laura tonem pełnym rozżalenia. – Powinnyśmy być już po śniadaniu, spakowane i gotowe do drogi.

– Myśl, dziewczyno! – powiedziała Bethany, uderzając się rękawicą w udo. – Musi być jakiś sposób.

– Może jest głuchy czy coś...?

– Myśl, myśl, myśl... – mamrotała Bethany. – A gdyby tak załadować wszystko na skuter i cichutko go stąd wypchnąć? Jak ruszymy, ten potwór już nas nie dogoni.

– Zbyt ryzykowne – uznała Laura. – Jeśli obudzi się w niewłaściwym momencie, nie będziemy miały szans.

Bethany skinęła głową.

– Prawda. Ale jak na niego patrzę, to mam wrażenie, że musiałybyśmy wepchnąć mu w zad petardę, żeby go stąd ruszyć.

– Otóż to – ucieszyła się Laura. – Bethany, jesteś genialna.

– Co? – zdziwiła się Bethany. – Przecież nie mamy petard. Mamy rakietę sygnalizacyjną, ale jeśli ją odpalimy, przyleci po nas śmigłowiec i zawalimy szkolenie.

– Nie petarda, tylko ogień. Zwierzęta boją się ognia.

Czując, że nie ma czasu na dokładniejsze wyjaśnienia, Laura przyskoczyła do szczątków opakowania skutera śnieżnego leżących na końcu kontenera. Złapała jeden z długich kawałków tektury i oderwała nierówny pas o szerokości mniej więcej trzydziestu centymetrów i długości trzech metrów. Następnie zwinęła go w rurę.

– Zwiąż to taśmą – poleciła.

Bethany podniosła jedną z mocnych plastikowych taśm, którymi przewiązane było pudło ze skuterem. Owinęła ją wokół rury i zawiązała na supeł.

– Chcesz go tym szturchnąć?

– Mhm – przytaknęła Laura, zbierając przesiąknięte olejem szmaty pozostałe po montażu pojazdu i wpychając je w koniec rury. – Olej na tych szmatach będzie się ładnie palił. Miś zwieje, zanim zdąży się porządnie oparzyć.

– Dobrze kombinujesz.

Bethany wyszperała w swoich sankach wodoodporne zapałki. Laura podeszła do drzwi, trzymając w rękach tekturową rurę.

– Bądź gotowa zatrzasnąć za mną drzwi. To mu się nie spodoba.

Bethany przydreptała na czubkach palców z zapałką w dłoni. Zaolejone szmaty buchnęły błękitnym płomieniem.

Laura wysunęła rurę przez uchylone drzwi, mając nadzieję, że wiatr nie zdmuchnie ognia. Skierowała pochodnię w dół. Ogień wgryzł się w tekturę i zmienił kolor na pomarańczowy. Laura ostrożnie dała krok naprzód i płonący koniec rury znalazł się pół metra od głowy niedźwiedzia. Kiedy płomień prawie dotykał jego nosa, Laura położyła rurę na ziemi i potoczyła ją w stronę głowy zwierzęcia. Przekonana, że niedźwiedź zerwie się w chwili, gdy liźnie go pierwszy płomień, odwróciła się i jednym skokiem dopadła kontenera. Bethany zatrzasnęła drzwi.

Dziewczęta odczekały chwilę, po czym ostrożnie wyjrzały na zewnątrz. Spodziewały się widoku rozjuszonego czterystukilogramowego niedźwiedzia z osmalonym pyskiem, ale to, co zobaczyły, było wstrząsające. Głowa bestii płonęła. Jeden z oczodołów zapadł się w głąb czaszki.

– Zabiłyśmy go! – zaskrzeczała Bethany. – Biedne zwierzę musiało być stare. Albo chore.

Ale Laura nie kupiła tej wersji. Zauważyła szare smugi dymu unoszące się z drugiej strony pokrytego śniegiem cielska. Nie wiedziała zbyt wiele o anatomii niedźwiedzi polarnych, ale była pewna, że nie są puste w środku.

– To kukła – oznajmiła nagle.

Podeszła do nadpalonego misia i nachyliła się nad nim. Odganiając ręką dym, zdołała zajrzeć przez dziurę pozostałą po roztopionej głowie. Niedźwiedź był wykonany z nylonowego futra naciągniętego na ramę z aluminiowego drutu. Wewnątrz tkwiły gumowe rury, samochodowy akumulator i silnik elektryczny, który połączony korbowodem z plastikowym miechem sprawiał, że bestia oddychała.

– No jasne! – zawołała Bethany, wzbijając chmurę śniegu gniewnym kopnięciem. – Po tych wszystkich sztuczkach instruktorów mogłyśmy się tego domyślić.

Laura spojrzała na zegarek.

– Straciłyśmy piętnaście minut światła. Zjedzmy śniadanie i wynośmy się stąd.

Wróciły do kontenera, by odkryć, że kipiąca owsianka usiłuje wydostać się z puszki. Laura hojnie doprawiła ją glukozą i wysokoenergetyczną odżywką o przedłużonym działaniu przeznaczoną dla biegaczy długodystansowców. Aby nie zamarznąć podczas trzydziestopięciokilometrowej podróży skuterem śnieżnym, dziewczęta potrzebowały każdej zawartej w śniadaniu kalorii. Po wymieszaniu owsianka nabrała grudkowatej konsystencji i ciemnej szarości świeżego betonu. Dziewczęta nie zwracały na to najmniejszej uwagi. Pospiesznie spijały gęstą masę, tylko od czasu do czasu pomagając sobie łyżkami.

– Mam nadzieję, że nie będzie więcej sztuczek – powiedziała Laura, ocierając kąciki ust.

Przełykając porcję owsianki, Bethany odparła:

– Nie straćmy głowy jeszcze przez cztery godziny, a będzie dobrze.

4. NIEDZIELA

Agenci CHERUBA wyjeżdżający na tajne operacje tracili dużo zajęć szkolnych. Jednym ze sposobów nadrobienia zaległości było uczestnictwo w lekcjach w soboty rano. James uważał to za zbyteczne okrucieństwo. Dlatego jedynym dniem, w którym mógł uczciwie przeleniuchować cały ranek, pozostawała niedziela.

Dochodziła jedenasta, kiedy postanowił wreszcie wyplątać się z kołdry i wstać. Odziany jedynie w bokserki i przeraźliwie brudną koszulkę CHERUBA wyjrzał przez szczelinę między listewkami żaluzji w oknie i wzdrygnął się na widok typowego kwietniowego przedpołudnia – takiego z warstewką szronu na trawie i przejmująco zimną mżawką. Na boisku za kortami trwał mecz piłkarski rozgrywany przez grupę ubłoconych ośmio- i dziewięciolatków, głównie chłopców.

James powlókł się do swojego laptopa, podniósł ekran i kliknął ikonę poczty elektronicznej. Liczył na wiadomość od Kerry, ale w skrzynce był tylko spam od firmy oferującej darmowy internetowy test osobowości, „który może odmienić CAŁE twoje życie!!!", oraz krótki liścik od koordynatorki Zary Asker:

James!
Zgłoś się, proszę, dziś o 15.30 do pokoju 31 w Centrum Planowania Misji na odprawę przed misją rekrutacyjną.

Zara Asker (kontroler misji)

James rozważył pomysł wysłania maila do Kerry, ale od jej ostatniej odpowiedzi wysłał już trzy, a jedyną nowiną, o jakiej jeszcze nie napisał, była awantura w kręgielni. O tym na razie wolał jednak nie wspominać. Nie chciało mu się schodzić do stołówki, więc sięgnął do minilodówki po mleko i sok pomarańczowy, napełnił talerz płatkami i włączył Sky Sports News. Ktoś zapukał do drzwi.

– Otwarte, proszę – wybełkotał James z ustami pełnymi płatków.

Do pokoju weszli Kyle i Bruce, obaj w spodenkach gimnastycznych i butach do biegania. Na ramieniu każdy niósł torbę z ręcznikiem i ubraniem na zmianę.

– Jeszcze nie jesteś gotowy? – zdziwił się Kyle.

James spojrzał na zegarek na nocnym stoliku.

– Sorka. Nie wiedziałem, że już tak późno.

W niedzielne poranki James chodził z Kyle'em i Bruce'em na treningi kondycyjne. Większość chłopców wolała grać w piłkę nożną albo rugby, ale po trzynastu latach chybionych strzałów do pustej bramki, przewracania się w błoto i dostawania w głowę piłkami nadlatującymi znikąd James niechętnie przyznał przed samym sobą, że nie są to sporty dla niego.

– Już się ubieram – powiedział, siadając na krawędzi łóżka i łapiąc jedną z zaskorupiałych od brudu skarpet walających się na podłodze.

– Ta akcja wczoraj w kręgielni... Tak trzymaj, James – zadrwił Bruce.

– Sam byś w tym siedział, gdybyś wcześniej nie dostał kary w kuchni – odgryzł się James.

Bruce uśmiechnął się.

– No cóż, wolę spędzić kilka godzin na kolanach, czyszcząc piekarniki, niż utknąć na miesiąc w jakimś okropnym domu dziecka. Choć z drugiej strony zawsze szkoda przegapić dobrą bijatykę, bez względu na konsekwencje.

– Wiesz co? – zaczął James, naciągając na stopę niegdyś białą skarpetkę. – Szczerze mówiąc, to nie wiem, o co ten cały szum z misjami rekrutacyjnymi. Co może być strasznego w siedzeniu w jakimś domu dziecka i wyszukiwaniu dzieciaków nadających się do CHERUBA?

Kyle, który w ramach pokuty za swoje liczne grzechy przeżył już pięć misji rekrutacyjnych, pokiwał głową.

– Masz rację. One nie są straszne. Są tylko nieprawdopodobnie nudne, a dzieciaki, które spotyka się w takich miejscach, to często straszny element. Raz posłali mnie do takiego jednego sierocińca w Newcastle. Kolesie startowali do mnie co pięć minut. Siedziałem tam trzy tygodnie i nie pamiętam jednego dnia bez bójki.

– Zwerbowałeś kogoś?

Kyle skinął głową.

– Tych dwóch blond bliźniaków z północno-wschodnim akcentem. Pamiętasz? Pokazywałem ci ich. Mieli wtedy po siedem lat, ale więcej rozumu niż cała reszta tych dzieciaków wzięta razem.

*

W kampusie były trzy sale gimnastyczne. Treningi kondycyjne odbywały się w najstarszej z nich, wciąż nazywanej męską, od czasów gdy zajęcia wychowania fizycznego nie były jeszcze koedukacyjne. James miał sentyment do tego zdewastowanego budynku z jego mahoniowym zegarem ściennym niezmiennie pokazującym za kwadrans piątą, zakurzonymi żarówkami zwisającymi na długich kablach i wypaczonymi klepkami skrzypiącymi przeraźliwie przy każdym kroku. Najbardziej lubił wiszącą nad wejściem tablicę z wymalowanym odręcznie napisem:

Kto naniesie błota albo piachu na butach,
będzie oćwiczony rózgą
P.T. Bivott (nauczyciel sportu)

Obecnie główną trenerką była Meryl Spencer, niegdyś sprinterka olimpijska, która miałaby kilku własnych kandydatów do oćwiczenia, gdyby nie to, że kary cielesne były w CHERUBIE zakazane już od ponad dwudziestu lat.

W sali urządzono czterdzieści stanowisk ćwiczeń. Niektóre były proste, jak to wyposażone jedynie w piankową matę i tabliczkę z napisem „pompki". W innych umieszczono bardziej wyrafinowany sprzęt, taki jak pachołki drogowe, ustawione do biegów wahadłowych, drążek do podciągania się czy maszyna do wyciskania poziomego.

Każdy z czterdzieściorga ćwiczących wybierał sobie stanowisko początkowe. Ćwiczył tam przez dwie minuty, po czym Meryl dmuchała w gwizdek i wszyscy biegli do następnego stanowiska, gdzie spędzali kolejne dwie minuty. Zaliczenie pełnej rundy trwało osiemdziesiąt minut plus kilka minut na dwie krótkie przerwy. Gdy tylko ktoś zaczynał tracić zapał, natychmiast wyrastała przed nim Meryl lub któryś z trenerów, by wywrzeszczeć mu w twarz słowa najwyższej pogardy, nazwać mięczakiem i zagrozić użyciem środka motywującego w postaci porządnego kopa w tyłek.

Po treningu rozgadana grupka ośmiu chłopców rozproszyła się pod natryskami. James umył się, wytarł, włożył czyste dżinsy i zaczął prężyć bicepsy przed zaparowanym lustrem. W ciągu minionych trzech miesięcy urósł osiem centymetrów, a regularne treningi siłowe pomogły mu rozbudować muskulaturę.

Bruce strzelił Jamesa ręcznikiem w plecy.

– Hej, śliczny! – wyszczerzył się złośliwie. – Co się tak prężysz?

James uniósł rękę i zaczął wcierać w pachę dezodorant.

– Jesteś zazdrosny, bo ostatnio nieźle przypakowałem – powiedział obojętnym tonem. – Ogląda się za mną połowa dziewczyn z kampusu.

– Chciałbyś, co? – parsknął Bruce.

Kyle dostrzegł sposobność do spłatania jednego ze swoich ulubionych figli.

– A ja uważam, że masz rację. Niezła z ciebie laska – powiedział, podchodząc do Jamesa i kładąc mu dłoń na pośladku.

James podskoczył pół metra w górę.

– Ożeż...! Kyle, kurde! Daj sobie spokój z tymi gejowskimi zagrywkami, dobrze?!

Po wielu poważnych rozmowach z Kerry i innymi James dał się w końcu przekonać, że nie ma niczego złego w tym, że jego przyjaciel jest homoseksualistą, wolał jednak, by nie przypominał mu o tym w taki sposób. Odwrócił się na pięcie i z wściekłą miną odepchnął Kyle'a od siebie. Bruce i inni chłopcy zaczęli się śmiać.

James pojął, że jedynym sposobem na wybrnięcie z twarzą jest pokonanie Kyle'a jego własną bronią. Szybko zebrał w ustach tyle śliny, ile tylko zdołał, złapał swojego najlepszego kumpla za kark i poczęstował go potężnym mokrym całusem w policzek. Kyle odskoczył jak oparzony, ze lśniącą strużką śliny cieknącą mu po twarzy.

– Ty wstrętny mały...! – krzyknął, gorączkowo wycierając mokrą twarz ręcznikiem.

– O co chodzi? – spytał słodziutko James. – No chodź, maleńki. Nie dasz mi całuska?

Kyle pospiesznie zgarnął swoje ubranie i wycofał się na drugi koniec szatni. Bruce i pozostali dusili się ze śmiechu.

*

Niedzielny lunch był w kampusie ważnym wydarzeniem. Był to jedyny posiłek w tygodniu, przed którym stoliki w stołówce zestawiano w długie ławy, przykrywano obrusami i ozdabiano elegancką zastawą. Tradycyjna niedzielna pieczeń okazała się lepsza niż cokolwiek, co James jadł w minionym tygodniu, ale przy jego stole panował nastrój przygnębienia. Wszyscy oprócz Bruce'a mieli wyznaczone na popołudnie odprawy przed misjami rekrutacyjnymi. Nawet krążące tam i z powrotem żarciki na temat uczucia łączącego Jamesa i Kyle'a nie zdołały rozluźnić atmosfery.

Kyle, James i Gabrielle mieli stawić się u Zary o tej samej porze. Szli w ponurym milczeniu, nie zwracając uwagi na mżawkę. Przepełnione żołądki ciążyły im i spowalniały krok.

Nowiutkie Centrum Planowania Misji było oddalone o kilometr od głównego budynku, w którym zjedli lunch. Gmach w kształcie banana wyglądał imponująco: sto metrów lustrzanego szkła zwieńczonego gąszczem masztów i talerzy anten. Wrażenie psuło się w miarę zbliżania do Centrum. Do budynku prowadziły ścieżki z desek rzuconych w błoto, wszędzie stały taczki, betoniarki i leżały sterty materiałów budowlanych, a supernowoczesny system identyfikacji wchodzących, który miał rozpoznawać ludzi po wzorze naczyń krwionośnych w gałce ocznej, zdobiła zawilgocona tekturka z napisem: „Nieczynne".

Troje agentów przeszło korytarzem pachnącym nową wykładziną. Mijali zamknięte drzwi gabinetów z nadrukowanymi na nich nazwiskami koordynatorów. Zara Asker należała do najbardziej doświadczonych kontrolerów. Zajmowała duże biuro na końcu korytarza, z półkolem okien sięgających od podłogi do sufitu i eleganckim umeblowaniem z giętego drewna łączonego z chromowaną stalą. Kiedy dzieci weszły przez otwarte drzwi, koordynatorka z wysiłkiem podniosła się zza biurka, odsłaniając workowate ogrodniczki opinające brzuch niemal dziewięciomiesięcznej ciąży.

– Proszę, proszę... – Zara uśmiechnęła się, patrząc na Jamesa i Kyle'a. – Doktor McAfferty nie mylił się, gdy przekonywał mnie, że nie będę długo czekać na chętnych do wysłania na werbunek. Czemu nie jestem zdziwiona, że padło akurat na was...? Ty jesteś Gabrielle, prawda? Chyba nie miałam przyjemności.

Gabrielle uścisnęła wyciągniętą do niej dłoń, a James uśmiechnął się z miną winowajcy. Zara była jednym z koordynatorów w jego ostatniej misji i na ogół dobrze się z nią dogadywał.

– Jak się miewa mały Joshua? – spytał James.

Zara uśmiechnęła się łagodnie.

– Urósł, odkąd ostatnio go widziałeś. Wyrzynają mu się trzonowce, więc doprowadza nas do szału. A skoro o tym mowa, gdybyś miał ochotę wpaść czasem do kwater personelu popilnować...

James zachichotał.

– Chyba nie przyjmę tej oferty, ale dzięki.

– No dobrze, wróćmy do naszej sprawy – powiedziała Zara. – Zakładam, że wszyscy wiecie, co to jest misja rekrutacyjna. Dla każdego z was przygotowaliśmy legendę wspierającą fałszywą tożsamość i możecie spodziewać się wyjazdu w ciągu tygodnia. Jak w każdej operacji macie pełne prawo odmówić udziału w akcji, jednak w tym wypadku, jeżeli ktoś to uczyni, doktor McAfferty wyznaczy mu karę zastępczą, która z całą pewnością będzie o wiele mniej przyjemna niż kilka tygodni w państwowym domu dziecka. Po dotarciu na miejsce waszym zadaniem będzie sprawdzenie każdego wychowanka. Szukacie potencjalnego członka CHERUBA, czyli dzieciaka łebskiego i sprawnego fizycznie. Jakiekolwiek więzi rodzinne dyskwalifikują kandydata. Znajomość języków obcych i bliźniacze rodzeństwa mile widziane. Zresztą wszystko macie w dokumentacji.

Zara pochyliła się nad biurkiem, by wręczyć agentom kopie standardowych materiałów instruktażowych do misji rekrutacyjnych.

– Dobrzy kandydaci błyskawicznie znikają w rodzinach zastępczych – podjęła koordynatorka. – Dlatego kiedy tylko namierzycie kogoś, kto wyda się wam odpowiedni, niezwłocznie zawiadomcie mnie albo jednego z asystentów, żebyśmy jak najszybciej mogli zorganizować przewiezienie go do nas na rozmowę wstępną.

Ktoś delikatnie zapukał w otwarte drzwi.

– John! – ucieszyła się Zara. – Dobrze wiedzieć, że nie jestem jedynym koordynatorem pracującym w niedzielne popołudnia.

James obejrzał się i natychmiast rozpoznał okulary w srebrnych oprawkach i bladą łysą głowę Johna Jonesa. John był koordynatorem w CHERUBIE od niedawna, ale współpracował z Jamesem przed rokiem, kiedy jeszcze był zatrudniony w MI5, czyli dorosłej wersji brytyjskich służb bezpieczeństwa.

– Eee... Zauważyłem tu Jamesa – powiedział John niepewnym tonem. – Chyba nie wysyłasz go na akcję, co?

Zara wzruszyła ramionami.

– Znowu wpakował się w kłopoty. Mac przydzielił mu misję rekrutacyjną, ale jeżeli potrzebujesz go do czegoś ważniejszego...

James wstrzymał oddech. Czyżby mu się upiekło?

John pokiwał głową.

– Możemy zamienić słówko na osobności?

Zara przeniosła wzrok na trójkę agentów.

– Przepraszam, możecie zaczekać na korytarzu? – spytała przymilnie.

Kiedy zatrzasnęły się drzwi gabinetu, Kyle obrzucił Jamesa złym spojrzeniem.

– Nie do wiary, że ujdzie ci to na sucho – wysyczał.

James uśmiechnął się z zadowoleniem.

Dziesięć minut później Zara otworzyła drzwi i gestem zaprosiła dzieci do gabinetu.

– No cóż, James... – westchnęła. – Wygląda na to, że ci się upiekło, pod warunkiem że przyjmiesz zadanie, które John przedstawi ci jeszcze dziś wieczorem.

– Granda! – mruknął Kyle.

James zacisnął usta, żeby się nie roześmiać.

– Na twoim miejscu nie cieszyłbym się tak bardzo – powiedział John Jones. – Nie zdziwię się, jeśli wybierzesz misję rekrutacyjną, kiedy usłyszysz, co dla ciebie przygotowaliśmy.

5. LINA

Trzy miesiące wcześniej do szkolenia podstawowego przystąpiło jedenaścioro rekrutów. Laura stała na baczność w śniegu obok pięciorga pozostałych szczęśliwców, którym udało się dotrzeć do ostatniego punktu kontrolnego. Szef wyszkolenia pan Large mierzył ją ponurym spojrzeniem.

– Czy ktoś powie tej młodej damie, co niedźwiedzie polarne robią zimą?! – krzyknął znienacka.

– Śpią? – rzucił ktoś niepewnie.

– No właśnie, mój tłusty pączusiu. – Large wyszczerzył zęby w uśmiechu. – Kopią głęboki dół i chrapią w nim, dopóki nie zakwitną przebiśniegi. Gdybyś zadała sobie trud przeczytania samouczka, wiedziałabyś, że białe misie jedzą ryby i żyją na pokrywie lodowej w okolicach wybrzeża, a nie tutaj, ponad sto kilometrów w głębi lądu. Jasne?

– Tak jest, sir – pisnęła Laura.

– No i to radio. Wyjaśnij mi, dlaczego nie włączyłaś układu kodującego.

– Byłam przemarznięta, zmęczona i...

Laura dostrzegła wzrok Large'a przepalający dziury w jego goglach i pojęła, że to niewłaściwa odpowiedź.

– Bardzo mi przykro, sir! Moja wina, sir – wyskandowała sztywno.

Large niedbałym pchnięciem przewrócił Laurę na plecy i wbił swoje buciory w śnieg po obu stronach jej głowy. Zaczął mówić złowrogo spokojnym głosem.

– Dziś rano, kiedy się obudziłem, Lauro Adams, bolał mnie grzbiet. Bolał tak samo jak każdego ranka, odkąd pewna paskudna dziewczynka zdzieliła mnie szpadlem w plecy. To zdarzyło się pięć miesięcy temu. Czy pamiętasz może, kto to zrobił?

– Ja, sir – powiedziała Laura tonem niewiniątka.

– Gdyby to ode mnie zależało, zostałabyś wyrzucona z CHERUBA bez prawa powrotu.

Laura nieraz się zastanawiała, dlaczego Large nie stara się uprzykrzyć jej życia bardziej niż innym. Teraz z przerażeniem uświadomiła sobie, że zostawił zemstę na sam koniec szkolenia – żeby bardziej bolało.

– A zatem – ciągnął Large – nadeszła pora na ostateczny sprawdzian dzielności, o jakim wspomina plan zadania. Jednak plan nieco się zmienił. Tekst powinien brzmieć: „Ostateczny sprawdzian dzielności Laury".

Laura poczuła łzę spływającą jej po skórze wzdłuż ramki gogli. Wiedziała, że nie odważy się przystąpić do szkolenia po raz trzeci. Porażka była równoznaczna z końcem jej kariery w CHERUBIE.

Large poderwał Laurę ze śniegu, niemal miażdżąc jej dłonie.

– Kto z waszej szóstki najlepiej pływa? – zapytał, wpatrując się uporczywie w swoją ofiarę.

– Chyba ja – powiedziała Laura słabym głosem, rozglądając się dokoła.

– Ach tak, przypominam sobie – ucieszył się Large. – Prawdziwa mała syrenka, co? Zatem gdyby jedno z was musiało przepłynąć rwącą rzekę po sześć ślicznych szarych koszulek CHERUBA, byłabyś najlepszym kandydatem. Nie mylę się?

– Tak jest, sir – wyrzuciła z siebie Laura, starając się nie okazywać rozpaczy. Large uwielbiał doprowadzać rekrutów do płaczu.

Szef wyszkolenia cofnął się o krok, żeby przemówić do całej grupy.

– Sugeruję, żebyście pomagali Laurze ze wszystkich sił, bo jeśli nie zdoła dostarczyć koszulek, każde z was będzie musiało samo popłynąć po swoją. Rzeka jest czterysta metrów stąd, za tamtym wzgórzem. Jeżeli chcecie zdążyć przed zmrokiem, powinniście wyruszyć natychmiast.

Laura poszła przodem, prowadząc za sobą sznur rekrutów grzęznących w głębokim śniegu i wlokących sanki z ekwipunkiem. Za grupą ruszył Large i dwoje instruktorów – pan Speaks i panna Smoke.

Ryk rozpędzonych mas wody zagłuszał nawet wycie wichury. Latem rzeka musiała mieć ponad sto metrów szerokości, ale teraz przy brzegach była częściowo skuta lodem. Laura miała do pokonania najwyżej sześćdziesiąt metrów.

Panna Smoke, kobieta o szokująco męskiej aparycji nawet jak na standardy byłych mistrzyń kick-boxingu, wyciągnęła muskularne ramię w stronę drugiego brzegu i zagrzmiała:

– Wasze szare koszulki są w wodoszczelnym plecaku za tamtym pomarańczowym pachołkiem.

Rekruci zbili się w ciasną gromadkę i ściągnęli przody kominiarek pod brody, żeby nie zagłuszały słów. W chmurze mieszających się ze sobą oddechów nikt nie śmiał spojrzeć Laurze w oczy. Każdy szczerze jej współczuł, ale jednocześnie czuł ulgę, że nie musi cierpieć razem z nią.

– Mogło być gorzej – stwierdziła Laura, starając się nadać głosowi beztroskie brzmienie. – Popłynę nago. Ubrania zamarzną na kamień, jak tylko wyjdę z wody, a wtedy już ich nie zdejmę.

Odezwał się dwunastoletni Aram, Kurd z pochodzenia.

– W apteczkach mamy wazelinę. Jeśli Laura się nią nasmaruje, zadziała jak izolacja.

Laura skinęła głową.

– To mi pomoże znieść zimno.

– A może połączymy nasze liny i zawiążemy jej pod pachami jak uprząż? – zaproponowała Bethany. – Jest ich dość, by sięgnęły drugiego brzegu. Jeśli Laura wpadnie w jakieś kłopoty, będziemy mogli ją wyciągnąć.

– Dobry pomysł – uśmiechnęła się Laura. – W jedną stronę muszę popłynąć, ale w drodze powrotnej weźmiecie mnie na hol.

– Myślisz, że ci się uda? – spytał Aram.

Laura wzruszyła ramionami.

– Na pewno będzie zimno, a nurt wygląda groźnie. Ale z drugiej strony to tylko trochę więcej niż jedna długość basenu.

Sześcioro rekrutów powiązało razem swoje liny ratownicze. Podczas gdy Laura osobiście sprawdzała każdy węzeł, pozostali przetrząsnęli swoje sanki w poszukiwaniu pudełek z wazeliną.

Bethany poprowadziła grupę na brzeg i zaczęła pomagać Laurze w rozpinaniu zewnętrznych warstw ubrania.

Z wręczonego im przed misją samouczka rekruci dowiedzieli się, że każda rzeka w tej części świata ma kilka stopni powyżej zera. Tak zimna woda nie zachęca do kąpieli, ale można w niej przeżyć. Dla Laury większym problemem było powietrze, którego temperatura wynosiła minus piętnaście stopni. Po kilku minutach przebywania na takim mrozie naga skóra Laury wyglądałaby tak samo jak po oblaniu jej wrzątkiem.

Dwaj chłopcy rozłożyli na śniegu karimatę i przycisnęli końce sankami, żeby nie porwał jej wiatr.

– No dobra – powiedziała Laura. – Czy wszyscy wiedzą, co mają robić? Nie chcę żadnych przestojów.

Usatysfakcjonowana serią skwapliwych przytaknięć usiadła na karimacie, pozwalając, by chłopcy ściągnęli jej buty. Następnie wstała i jednym gwałtownym ruchem pozbyła się jednocześnie wierzchniego kombinezonu i zewnętrznego ocieplacza z polaru. Potem przyszła kolej na obcisły kombinezon wewnętrzny, skarpetki i bieliznę. Bethany przechwytywała kolejne części garderoby i upychała je w wierzchnim kombinezonie, żeby nie zamarzły.

Kiedy na śnieg spadły majtki, Laura runęła na karimatę, a chłopcy szybko okryli ją dwoma śpiworami. Bethany pochyliła się nad przyjaciółką.

– Wszystko w porządku? – wrzasnęła, zapominając, że uszy Laury nie są już zakryte trzema warstwami materiału.

Laura wytknęła głowę spod śpiwora.

– Dawać smar.

Aram i jego młodszy brat Milar zaczęli wsuwać pod śpiwór pojemniki z wazeliną. Laura zanurzała w pudełkach zdrętwiałe od mrozu palce i grubą warstwą rozprowadzała maść na skórze. Starała się zanadto nie wiercić, żeby jak najmniej wazeliny zostawić na śpiworze.

Kiedy opróżniła ostatnie pudełko, wciągnęła pod śpiwór podaną jej linę, owinęła się nią pod pachami i zawiązała na kokardę jak sznurowadło. Dzięki temu w razie jakichkolwiek kłopotów mogła uwolnić się jednym pociągnięciem za wolny koniec.

– Gotowa? – zapytał Aram.

– Na to wygląda.

Bethany i Aram złapali rogi karimaty i przyciągnęli ją wraz ze skuloną pod śpiworami Laurą na brzeg rzeki. Zatrzymali się dwa metry przed wodą. Dalej lód wyglądał na niebezpiecznie cienki. Panna Smoke już na nich czekała. Odciągnęła śpiwory i sprawdziła solidność przymocowania liny.

– Pamiętaj, że powietrze jest znacznie zimniejsze od wody – powiedziała burkliwie. – Wynurzaj głowę tylko dla zaczerpnięcia tchu i nie marudź zbyt długo na drugim brzegu.

Laura, odkryta od pasa w górę, dygotała tak mocno, że nie była w stanie mówić, zdołała jednak skinąć głową.

– No dobra – powiedziała panna Smoke. – Do boju.

Bethany zdarła śpiwory z nóg przyjaciółki. Kiedy Laura poderwała się z karimaty, Aram pospiesznie obejrzał ją ze wszystkich stron, by upaćkaną w wazelinie rękawicą poprawić warstwę ochronną tam, gdzie wydawała się zbyt cienka.

Laura miała zbyt wiele zmartwień na głowie, by przejmować się tym, że wszyscy widzą ją nagą. Na palcach podbiegła do krawędzi lodu i skoczyła, już w locie biorąc głęboki wdech. Kiedy jej skóra zetknęła się z wodą, cieplejszą od powietrza o całe dziewiętnaście stopni, ogarnęło ją dziwne uczucie spokoju. Zaczęła płynąć. Było jej prawie ciepło.

Płynęła szybkim kraulem, odwracając głowę po oddech, kiedy tylko pozwalała jej na to fala. Po dwóch minutach uznała, że musi być już blisko drugiego brzegu. Wystawiła głowę z wody, żeby zbadać sytuację, i poczuwszy na twarzy lodowate smagnięcie wiatru, natychmiast schowała ją z powrotem. Jeden rzut oka wystarczył jej, aby stwierdzić, że pokonała zaledwie połowę drogi. Zdruzgotana płynęła dalej, na ukos względem potężnego nurtu, zagarniając wodę rękami tak mocno, jak tylko pozwalały jej obolałe mięśnie. Miała coraz poważniejsze wątpliwości co do swoich szans w zmaganiach z rzeką. Następne minuty były najbardziej wyczerpującymi w jej życiu. Miała zdrętwiałą skórę i walczyła z dojmującym bólem w lewym boku.

Cztery okropne minuty po skoku do wody Laura dostrzegła pomarańczowy pachołek niespełna pięć metrów przed sobą. Mroźny dotyk przybrzeżnego lodu przyniósł jej ulgę, ale wydostanie się na brzeg okazało się kolejnym wyzwaniem. Laura nie miała czucia w palcach, a lód był gładki i śliski. Trzy pierwsze próby wygramolenia się z wody spełzły na niczym i rekrutka zaczęła wpadać w rozpacz. Przy czwartej próbie fala wypchnęła ją w górę we właściwej chwili. Laura zdołała podciągnąć na lód kolano i dalej poszło już łatwo. Teraz największy problem stanowiła groźba przymarznięcia do lodu pod śniegiem. Można było tego uniknąć w tylko jeden sposób: nie pozwolić, by jakakolwiek część ciała dotykała gruntu dłużej niż ułamek sekundy.

Laura dygotała tak gwałtownie, że ledwie panowała nad swoimi ruchami. Pospiesznie przejechała sobie po kostkach podeszwami stóp, żeby zebrać na nie trochę więcej wazeliny. W czasie gdy to robiła, kilkadziesiąt strużek wody, które przedarły się przez warstwę ochronną, przymarzło jej do skóry na karku. Każda kropla była jak gwóźdź rwący jej ciało.

Laura wstała przy akompaniamencie dopingujących ją okrzyków, które dobiegały z drugiego brzegu. Czterema szybkimi susami dopadła pomarańczowego pachołka drogowego i wyszarpnęła ze śniegu ukryty za nim plecak. Pospiesznie przekładając ręce pod zesztywniałymi paskami, pozwoliła sobie na gest triumfu – odwróciła się do kolegów i pokazała im uniesiony kciuk.

Pierwszy krok w stronę rzeki wydarł jej z gardła okrzyk bólu, zdzierając płat skóry z podeszwy. Wazelina musiała się zetrzeć i niespełna dwie sekundy wystarczyły, by wilgotna stopa przymarzła do gruntu. Laura spojrzała na krwawy trop na śniegu, po czym zrobiła trzy bolesne kroki i zanurkowała w rzece.

Kiedy tylko znalazła się pod wodą, poczuła, jak lina pod jej pachami napina się i próbuje podciągnąć ramiona do góry. Chciała płynąć, ale holowano ją tak szybko, że tylko by przeszkadzała. Pomyślała nawet, że rekruci na drugim brzegu trochę przesadzają. Miała wrażenie, że jej ramiona usiłują wyskoczyć ze stawów, a fala, jaką pchała przed sobą, utrudniała zaczerpnięcie oddechu.

Podróż powrotna była przynajmniej szybka. Po niecałej minucie Laura poczuła, że ktoś wyciąga ją z wody i układa na śpiworze. Kiedy tylko dwaj mali Kurdowie odciągnęli ją poza strefę cienkiego lodu i zdjęli jej z ramion przemoczony plecak, pozostali przypadli do niej z ręcznikami. Pospiesznie starli z niej tyle wody, ile się dało, po czym przetoczyli dygocące ciało na karimatę i zarzucili wszystkimi śpiworami, jakie mieli ze sobą.

Laura traciła ostrość widzenia. Jak przez mgłę dostrzegła Bethany wymachującą jej przed nosem ocieplaną kamizelką.

– Oprzytomniej, Laura! – krzyczała Bethany. – Musisz się ubrać, zanim...

*

Pierwsze, co Laura poczuła po odzyskaniu przytomności, był to zapach wazeliny wciąż pokrywającej jej ciało oraz piekący ból, który promieniował z obandażowanej stopy i otarć pod pachami.

– Hej tam – powiedziała do niej łagodnie Bethany. – Witam z powrotem, partnerko.

Do Laury dotarło, że leży na miękkim dywanie w bazie, z której przed pięcioma dniami wyruszyły na wędrówkę po pustkowiach Alaski. W budynku było fantastycznie ciepło i jasno. Pozostali rekruci rozsiedli się wokół niej na ogromnych pufach ubrani w szorty i szare koszulki CHERUBA. Mieli mokre i potargane włosy, jakby dopiero co wytarli głowy po kąpieli. Większość trzymała w dłoniach parujące kubki.

– Jak długo...? – spytała Laura, zanosząc się kaszlem, nim udało jej się dokończyć zdanie.

Bethany zerknęła na zegarek.

– Odpłynęłaś na jakieś czterdzieści minut. Panna Smoke mówi, że masz lekką hipotermię i jesteś wyczerpana. Ciepły posiłek i kilka godzin odpoczynku postawią cię na nogi. Pewnie nie zmartwi cię wiadomość, że twój wyczyn wprawił Large'a w wisielczy humor?

– Gdzie jest moja szara koszulka? – wybełkotała sennie Laura.

Bethany uśmiechnęła się kącikiem ust.

– Trzymasz ją w ręce. Nie wyjęłam z folii, żebyś nie utytłała jej w wazelinie.

Laura wciąż nie odzyskała pełnego czucia w palcach, ale kiedy nimi poruszyła, usłyszała szelest foliowego opakowania. Uniosła płaską paczuszkę do oczu i długo wpatrywała się w emblemat CHERUBA na szarym materiale. Na jej twarz wypłynął błogi uśmiech.

– Nigdy więcej szkolenia – szepnęła.

– A jak! – zawołała wesoło Bethany. – Tajne misje, nadchodzimy!

6. RAKIETY

John Jones zaprowadził Jamesa do swojego biura. Nie tak efektowne jak gabinet Zary, było jednak całkiem duże, miało trzy komputery, olbrzymi ciekłokrystaliczny telewizor na ścianie oraz długą, obitą zamszem kanapę. Na zewnątrz było już ciemno. Przez szklaną ścianę zaglądały do środka drzewa osrebrzone księżycową poświatą.

Na kanapie rozpierał się szesnastoletni młodzian w czarnej koszulce CHERUBA. Jamesowi żywiej zabiło serce, kiedy rozpoznał w nim Dave'a Mossa. Dave był żywą legendą. Granatową koszulkę zdobył jako jedenastolatek, a czarną dwa lata później w operacji, która znokautowała połowę ukraińskiej mafii. Znał pięć języków obcych i wygrywał każdy turniej karate i dżudo, w jakim wystartował.

W CHERUBIE było wielu wybitnych agentów, ale Dave należał do tej podgrupy, która skutecznie unikała doczepienia etykietki kujona. Pomagał mu wygląd. Dave był wysoki i muskularny, przystojny w pewien szczególny łotrzykowski sposób. Miał promienne zielone oczy i długie blond włosy. Jego dziewczyny zawsze należały do najatrakcyjniejszych w kampusie, a jedna z nich podobno nawet zaszła z nim w ciążę.

James udawał oburzonego, kiedy Kerry mu o tym powiedziała, ale tak naprawdę w oczach jego i wielu innych chłopców takie smaczki tylko wzbogacały wizerunek Dave'a, czyniąc go jeszcze bardziej odjazdowym.

– Znasz Davida Mossa? – zapytał John Jones.

– Nie, nie znam – powiedział nerwowo James. – Bardzo mi miło, David.

– Mów mi Dave – uśmiechnął się Dave.

James poczuł się jak palant. Kto zaczyna znajomość z kimś takim jak Dave Moss od: „Bardzo mi miło"? Takie rzeczy mówi się do babci na pogrzebie.

– David jest jednym z naszych najcenniejszych ludzi – ciągnął John Jones. – Szukamy dwóch dobrych agentów, którzy popracowaliby z nim w jednej z najważniejszych operacji w historii CHERUBA.

James nie zdołał powstrzymać się od uśmiechu.

– Wiedziałem, że to coś dużego. Znaczy... To przecież Dave Moss. Nie wysłalibyście go na jakąś małą głupią misyjkę.

– Sam też nieźle sobie radzisz, James – wtrącił Dave uspokajającym tonem. – Czytałem twoje akta. Brałeś udział dopiero w dwóch operacjach, ale braki ilościowe z naddatkiem nadrabiasz jakością.

– Dzięki – wyszczerzył się James. Komplement sprawił, że poczuł się nieco swobodniej w towarzystwie kampusowego bohatera. – Co to za misja?

Dave spojrzał na Johna Jonesa.

– Można, szefie?

John skinął głową.

– Tylko jedna uwaga, James. Niezależnie od tego, czy zgodzisz się na udział w misji, czy nie, nic z tego, co tu usłyszysz, nie może wyjść poza te mury.

– Jasna sprawa – mruknął James. – Jak zawsze.

Dave sięgnął za podłokietnik kanapy i wydobył stamtąd grubą aluminiową rurę ze składaną kolbą i językiem spustowym u dołu.

– Domyślasz się, co to jest?

– Wygląda jak wyrzutnia rakietowa – odrzekł James.

– Strzał w dziesiątkę – uśmiechnął się Dave. – To rakieta jednorazowego użytku. Opierasz na ramieniu, celujesz w śmigłowiec, czołg czy co tam sobie upatrzysz, strzelasz, a pustą wyrzutnię wyrzucasz. Najnowszy model. Pocisk ma silnik na paliwo stałe, zasięg dziesięciu kilometrów i więcej mózgu niż wagon kujonów.

John przeszedł do szczegółów.

– Mniej więcej w czasie kiedy się urodziłeś, James, podczas pierwszej wojny w Zatoce Perskiej Amerykanie użyli pocisków manewrujących Tomahawk. Do tamtej pory wszyscy zrzucali zwyczajne niekierowane bomby z samolotów lecących pięć kilometrów nad ziemią i trzymali kciuki. Miało się szczęście, jeśli trafiała jedna bomba na dwadzieścia, no i rzecz jasna lepiej było nie mieszkać w rejonie celu. Potem pojawiły się pociski Tomahawk. Od tej pory dowódcy mogli siedzieć sobie w sterowni pięćset kilometrów od strefy walk i posyłać tam rakiety, które trafiały cel między oczy dziewięćdziesiąt dziewięć razy na sto. Ta precyzja dała Amerykanom olbrzymią przewagę taktyczną, ale nie była tania. Jeden Tomahawk kosztował pół miliona dolarów. Każdy dzień wojny pochłaniał dwa miliardy dolarów w rakietach, a na takie wydatki nie stać nawet Amerykanów.

Dave podał wyrzutnię Jamesowi, by mógł ją sobie obejrzeć.

– A zatem – ciągnął John – najważniejszym wyzwaniem dla jajogłowych nie było zwiększenie siły rażenia rakiet, wydłużenie ich zasięgu ani poprawienie precyzji naprowadzania. Wojsku zależało, żeby rakiety były przede wszystkim tanie. Broń, którą trzymasz w ręku, to owoc piętnastu lat wytężonej pracy. Jej oficjalne oznaczenie to PGSLM, co jest skrótem od Precision Guided Shoulder Launched Missile[1], ale wszyscy nazywają ją Kumplem. Zbudowana jest z seryjnych podzespołów, części, jakie montuje się

---

[1] Ręczny zestaw rakietowy z układem precyzyjnego naprowadzania.

w komputerach albo samochodowych układach nawigacyjnych. Dane celownicze można wprowadzić za pomocą laptopa lub dowolnego komputera przenośnego mającego dostęp do Internetu. Można nawet ściągnąć aktualną pozycję i parametry ruchu celu, takiego jak statek albo samochód, poprzez łącze satelitarne. Potem wystarczy tylko zbliżyć się do obiektu na odległość mniejszą niż dziesięć kilometrów, wycelować rakietę ostrym końcem w niebo i nacisnąć spust. Pocisk sam znajdzie drogę do celu.

James spojrzał z podziwem na metalową rurę w swoich dłoniach.

– To ile kosztuje coś takiego? – spytał.

– To akurat jest makieta – powiedział John. – Prawdziwe chodzą po półtora tysiąca dolarów za sztukę. Rzecz jasna, Amerykanie sprzedają taką technikę tylko swoim najbliższym sojusznikom.

James przyłożył kolbę do ramienia i nacisnął spust.

– Ka-pong! – wrzasnął. – Ekstra. Zaczynam odkładać na coś takiego.

John uśmiechnął się.

– W samej rzeczy, James, mam nadzieję, że zdobędziesz dla nas kilka sztuk.

– Myślałem, że Amerykanie to nasi sojusznicy. Nie chcą nam sprzedać czy co?

John uśmiechnął się niepewnie.

– Producent przekazał brytyjskiej armii trzydzieści pięć egzemplarzy serii przedprodukcyjnej. Do prób. Niespełna trzy tygodnie temu wysłaliśmy samolot transportowy RAF-u, żeby odebrał je z bazy wojskowej w Nevadzie. Jednak ciężarówka z rakietami się nie zjawiła.

James wytrzeszczył oczy.

– To znaczy, że ktoś je zwinął?

– Właśnie. Jedynym pocieszeniem jest to, że chyba wiemy, kto to zrobił.

– Terroryści?

– Nie, a przynajmniej nie bezpośrednio. Amerykański wywiad sądzi, że skradziono je dla niejakiej Jane Oxford parającej się nielegalnym handlem bronią. Dla odpowiedniego kupca pociski są warte miliony, dlatego naszym zdaniem handlarka będzie je trzymać do czasu, gdy jakaś poślednia dyktatura albo grupa terrorystyczna uzbiera wystarczająco dużo pieniędzy, żeby je kupić. Zakładając, że się nie mylimy, chciwość Oxford pozwoli nam zyskać na czasie.

– Co można rozwalić taką rakietą? – spytał James.

– Są zbyt małe, by przenosić potężny ładunek wybuchowy – powiedział John. – Jednak przy tak precyzyjnej broni nie jest on potrzebny. Wyobraź sobie terrorystę wystawiającego Kumpla przez okno sypialni na londyńskim przedmieściu i zdmuchującego Jej Wysokość z łóżka w pałacu Buckingham. Mówimy tu o tego rodzaju możliwościach.

– Kiedy rakieta już leci, czy można coś zrobić, żeby się przed nią obronić?

– Nie za wiele. Amerykanie chcą chronić swojego prezydenta za pomocą systemu przeciwrakietowego Phalanx zamontowanego na ciężarówce. Problem w tym, że jest to broń zaprojektowana dla okrętów, z działkiem kalibru dwadzieścia milimetrów wypluwającym kilka tysięcy pocisków na minutę. Nie byłoby miło, gdyby coś takiego przypadkowo odpaliło w środku prezydenckiego konwoju.

– Na pewno nie – wyszczerzył się James. – No dobra, ale co ma CHERUB do poszukiwaczy zaginionych rakiet?

– Po obu stronach Atlantyku podjęto decyzję o nieinformowaniu opinii publicznej o kradzieży pocisków. Chodzi o to, żeby nie wywołać paniki...

– Oraz o to, żeby paru polityków twierdzących, że wygrywają wojnę z terroryzmem, nie wyszło na debili – wtrącił Dave.

– Kłopot w tym – ciągnął John – że rozmaite agencje wywiadowcze i wymiaru sprawiedliwości po obu stronach Atlantyku usiłują wytropić Jane Oxford i członków jej organizacji od początku lat osiemdziesiątych. Nie ma powodów, by sądzić, że dziś mają większe szanse na jej schwytanie niż kiedykolwiek w ciągu minionych dwudziestu lat. Jednak Amerykanie wpadli na dość niezwykły trop – trop, jakim podążyć może tylko ktoś w waszym wieku.

– To Amerykanie nie mają własnego CHERUBA? – zdumiał się James.

John potrząsnął głową, jednocześnie rzucając Jamesowi na kolana plik dokumentów.

– Przeczytaj to sobie.

7. ODPRAWA

JANE OXFORD (DAWNIEJ JANE HAMMOND)
– DZIECIŃSTWO I MŁODOŚĆ

Jane Hammond urodziła się w bazie armii Stanów Zjednoczonych w Hampshire (Anglia) w 1950 r. Jest córką kapitana Marcusa Hammonda, specjalisty ds. logistyki w US Army, oraz jego żony Frances, obywatelki brytyjskiej, którą poznał i poślubił w okresie swojego stacjonowania w Zjednoczonym Królestwie.

Jane spędziła dzieciństwo w rozmaitych ośrodkach wojskowych na całym świecie. Była bystrą dziewczynką o buntowniczych skłonnościach. W wieku piętnastu lat podczas pobytu w Niemczech uciekła z dziewiętnastoletnim szeregowcem z amerykańskiej piechoty morskiej. Trzy tygodnie później, kiedy skończyły im się pieniądze, uciekinierzy oddali się w ręce paryskiej policji.

Do tego czasu ojciec Jane, Marcus Hammond, dosłużył się rangi generała i szykował się do odejścia w stan spoczynku. Licząc, że powrót do kraju pomoże Jane w ustatkowaniu się i skoncentrowaniu na nauce w college'u, generał zorganizował sobie przydział, dzięki któremu ostatnie lata służby mógł spędzić w pobliżu rodzinnego domu. Przeniesiono go do bazy marynarki wojennej w Oakland, gdzie zawiadywał przerzutem oddziałów i zaopatrzenia przez Pacyfik na nabierającą rozpędu wojnę w Wietnamie.

Jane nie skupiała się na edukacji w stopniu, na jaki miał nadzieję jej ojciec. Regularnie uciekała ze szkoły, by spędzać czas z zaprzyjaźnioną grupką hipisów. Jej fotografie z tego okresu ukazują obszarpaną dziewczynę z długimi warkoczami i sznurami korali na szyi, ubraną w dżinsowe dzwony z dziurami na kolanach.

Wkrótce za sprawą swojego chłopaka, Fowlera Wooda, Jane zaangażowała się w ruch sprzeciwiający się wojnie w Wietnamie. Dwudziestoletni Fowler porzucił studia na Uniwersytecie Kalifornijskim, by zostać przywódcą radykalnej grupy kontestatorów.

Fowler zainteresował się działalnością generała Hammonda. Szukał niewymagającej użycia przemocy metody sabotowania amerykańskiego wysiłku wojennego i wpadł na pomysł unieszkodliwiania broni przechodzącej przez port Oakland. Jane zaczęła przekopywać papiery, które jej ojciec każdego wieczoru przynosił do domu. Włamała się nawet do jego gabinetu w bazie i ukradła formularze przepustek na nabrzeża, gdzie ładowano zaopatrzenie na statki.

Jane dowiedziała się o regularnych dostawach karabinów szturmowych. Fowler i jego koledzy z ruchu pacyfistycznego uknuli plan. Skradzione przepustki miały posłużyć do przemycenia na portowe nabrzeże ciężarówki z palonym wapnem. Kontestatorzy zamierzali otworzyć skrzynki z bronią i przysypać karabiny żrącym wapnem. Zanim dotarłyby do Wietnamu, korozja przemieniłaby je w stertę bezużytecznego złomu.

Dwie doby przed planowaną akcją grupa Fowlera przeprowadziła głosowanie i zdecydowała, że operacja sabotażowa jest zbyt ryzykowna, albo — jak ujęła to Jane — „cholerne maminsynki wymiękły". Jane zerwała z Fowlerem, ukradła mu samochód i przywłaszczywszy sobie książeczkę czekową matki, wyruszyła w stronę Meksyku, znacząc swój ślad czekami bez pokrycia.

JANE HAMMOND POZNAJE KURTA OXFORDA

Jane dotarła aż do San Diego graniczącego z meksykańskim miastem Tijuana. Wynajęła pokoik w tanim motelu i zaczęła przesiadywać w miejscowych spelunkach, szukając kogoś, kto zdobyłby dla niej fałszywy paszport i prawo jazdy. Potrzebowała ich do przekroczenia granicy. Zamiast fałszerza znalazła Kurta Oxforda.

Kurt był ogromnym dwudziestoletnim zbuntowanym motocyklistą z obowiązkową brodą, tatuażami i wyrokami za agresywne zachowanie i napad z użyciem broni. Był też współzałożycielem klubu o nazwie The Brigands, w owym czasie drugiego co do wielkości gangu motocyklowego w Kalifornii, ostro rywalizującego ze słynnymi Hell's Angels. Jane przyjęła propozycję zamieszkania w domu Kurta, gdzie odbywały się klubowe spotkania The Brigands.

Policja podejrzewała The Brigands o utrzymywanie się z przemytu narkotyków przez meksykańską granicę, dlatego dom Kurta był pod dwudziestoczterogodzinną obserwacją. Archiwalne fotografie dokumentują szybką przemianę Jane z kolorowej hipiski w odzianą w czarne skóry harleyówkę. Policja nie zawracała sobie głowy sprawdzaniem, kim jest Jane ani skąd się wzięła u Kurta, ze względu na niski status kobiet w subkulturze motocyklowych gangsterów (zgodnie z regulaminem The Brigands kobieta nie mogła być pełnoprawną członkinią klubu, nie wolno jej było prowadzić motocykla, angażować się w działalność przestępczą ani odzywać się na oficjalnych spotkaniach klubowych, chyba że dla zaoferowania mężczyznom posiłku lub napoju).

Kurt wykazał ogromne zainteresowanie skradzionymi przepustkami i skrzyniami z bronią w bazie w Oakland. Nie był jednak bojownikiem o pokój i zamiast niszczyć karabiny, postanowił po prostu je ukraść i sprzedać swoim narkotykowym znajomym z Meksyku, którzy z kolei odsprzedaliby broń grupom rebelianckim i terrorystycznym z Afryki i Ameryki Południowej.

Mieszkając w Oakland, Jane uczestniczyła w wielu antywojennych manifestacjach, a mimo to bez oporów przystała na zbrodniczy plan Kurta. Psycholodzy kryminalni uznali Jane za podręcznikowy przykład nałogowego poszukiwacza wrażeń: osobę pozbawioną skrupułów moralnych, która uważając codzienne życie za nieznośnie nudne, bezustannie angażuje się w niebezpieczne związki i działania.

POWSTANIE I UPADEK GANGU OXFORDÓW
Kurt Oxford i Jane Hammond obrabowali bazę marynarki w Oakland trzykrotnie, zarabiając na tym ponad 25 000 dolarów (145 000 dolarów w przeliczeniu według dzisiejszej wartości dolara). Jane przeprowadziła rozeznanie i odkryła, że każdy wojskowy magazyn w Stanach Zjednoczonych używał tych samych łatwych do sfałszowania dokumentów zabezpieczających. W ciągu następnych dwóch lat Kurt i Jane zorganizowali ponad osiemdziesiąt rabunków w amerykańskich instytucjach wojskowych.

Jane miała skradzione ojcu dokumenty, w których sprawdzała, gdzie przechowywano interesujące ją rodzaje wojskowego zaopatrzenia. Składała zamówienie przez telefon, podając się za asystentkę starszego inspektora z korpusu logistycznego. Następnego dnia Kurt zajeżdżał do składu wojskową ciężarówką, gładko ogolony, ubrany w mundur i wyposażony w pełny zestaw wyglądających na autentyczne papierów, które zaledwie dzień wcześniej Jane wystukała na maszynie w motelowym pokoiku. Na ciężarówkę ładowano broń i Kurt spokojnie odjeżdżał. Potem meksykański pośrednik przerzucał łup do Ameryki Południowej.

Piękno systemu polegało na tym, że rabunki pozostawały niezauważone − przynajmniej na początku. W czasie gdy w Wietnamie walczyło ćwierć miliona amerykańskich żołnierzy, po całych Stanach tułały się tysiące wojskowych ciężarówek zwożących do baz broń i amunicję. Oparty na obiegu dokumentów system kontroli zasobów sprawiał, że panowanie nad każdym ruchem każdego transportu było niemożliwe. Nawet jeśli ktoś odkrywał zniknięcie ciężarówki karabinów, działo się to zwykle kilka miesięcy po fakcie i wszyscy automatycznie zakładali, że doszło do zwykłej urzędniczej pomyłki, a nie do kradzieży.

W 1968 r. Kurt i Jane zarabiali na nielegalnym handlu bronią ponad 20 000 dolarów miesięcznie (w 2005 r. byłoby to 110 000 dolarów). Uciułastwy ponad pół miliona na zagranicznych kontach bankowych, zaczęli latać pierwszą klasą i zatrzymywać się w pięciogwiazdkowych hotelach. Zrezygnowali też z osobistego udziału w akcjach, powierzając brudną robotę członkom The Brigands.

26 grudnia 1968 r. Kurt Oxford i Jane Hammond pojawili się w Las Vegas, gdzie wynajęli apartament w hotelu Desert Inn. Następnego ranka Kurt nabył pierścionek z dwukaratowym brylantem, wynajął limuzynę i powiózł swoją osiemnastoletnią dziewczynę do kaplicy ślubów. Po ceremonii Kurt i Jane przebrali się w kostiumy kąpielowe, upili się na basenie i zaczęli ostro przegrywać przy pływającym stole do blackjacka.

Kiedy jeden z graczy nazwał Kurta głupcem, ten stracił panowanie nad sobą. Uderzył mężczyznę i szybko został obezwładniony przez ochronę kasyna. Trafił na lokalny posterunek policji, gdzie w ramach rutynowej procedury sprawdzono jego akta. Policjanci odkryli, że jest poszukiwany w Nevadzie. Pięć lat wcześniej po bitwie gangów motocyklowych w Reno Kurt został oskarżony o napad, wyszedł z aresztu za kaucją i zniknął bez śladu. Mniej niż sześć godzin po ślubie Kurt trafił do więzienia okręgowego w Las Vegas, mając w perspektywie od trzech do pięciu lat odsiadki. Jane zarzekała się, że będzie wspierać swojego męża, ale potem przeżyła wstrząs, kiedy wyszło na jaw, że jej mąż złamał warunki zwolnienia warunkowego w Kalifornii i tamtejsza policja zamierza przesłuchać go w sprawie pewnego morderstwa.

Kurta Oxforda wydalono do Kalifornii. 24 stycznia 1969 r., pięć dni przed rozpoczęciem procesu o morderstwo, wdał się w bójkę na więziennym spacerniaku. Strażnik oddał strzał ostrzegawczy, ale walczący nie zareagowali. Następna porcja ołowiu trafiła motocyklistę w pierś. Jedenaście dni później Kurt Oxford zmarł w więziennym szpitalu z powodu odniesionych ran.

JANE OXFORD – MIĘDZYNARODOWA HANDLARKA BRONIĄ

Do ukończenia dziewiętnastu lat Jane Oxford zdążyła porzucić swoją rodzinę, zgromadzić fortunę wartą pół miliona dolarów (ekwiwalent dzisiejszych 2,6 miliona), wyjść za mąż i stracić męża w więzieniu. Nie była notowana w kartotekach policyjnych, jeśli nie liczyć zgłoszenia zaginięcia złożonego przez jej ojca w Oakland. Obawiając się skandalu, generał Hammond bez protestów pokrył należności z lewych czeków i zwrócił Fowlerowi Woodowi pieniądze za skradziony samochód.

W sytuacji Jane wielu wycofałoby się, by żyć z zarobionych pieniędzy, ale ona była inna. Całe lata 70. upłynęły jej na powolnym, ale konsekwentnym przeistaczaniu się z drobnej złodziejki we wpływowego i potężnego czarnorynkowego handlarza bronią. Proceder wyprowadzania broni z wojskowych magazynów kwitł w najlepsze. Kiedy armia wszczęła dochodzenie w sprawie zaginionych dużych ilości wyposażenia i zaostrzyła środki bezpieczeństwa, Jane opracowała bardziej wyrafinowane metody uwalniania amerykańskiego wojska od jego sprzętu. W każdej bazie służyli znudzeni, spłukani i stęsknieni za domem żołnierze, gotowi przymknąć na coś oko bądź wyprowadzić ciężarówkę z bazy w zamian za samochód albo przedpłatę na dom.

Następnym krokiem w rozwoju interesu było ominięcie meksykańskich pośredników i nawiązanie bezpośredniego kontaktu z potencjalnymi nabywcami kradzionej broni. Jane podróżowała po świecie, zmieniając nazwiska i przebrania. Nawiązywała kontakty z grupami terrorystycznymi, narkotykowymi królami, dyktatorami i plemiennymi watażkami. Handlowała bronią z całego świata, ale większość dochodów zawdzięczała swojej misternie uplecionej sieci korupcyjnej wewnątrz amerykańskich sił zbrojnych.

DUCH

W 1982 r. były członek The Brigands, niejaki Michael Smith, został aresztowany u bram bazy wojskowej w Kentucky, kiedy usiłował przejechać przez posterunek wartowników ciężarówką pełną moździerzy. Jak się okazało, Smith zgubił dokumenty przekazane mu przez wysłannika Jane Oxford i w swojej głupocie postanowił zastąpić je nieudolnie przerobionymi papierami z poprzedniego skoku.

Smith był zamieszany w liczne przekręty z kradzieżą broni z minionej dekady. W zamian za łagodny wyrok zaoferował żandarmerii wojskowej informacje na temat Jane Oxford i jej organizacji. Odpowiedź, jaką usłyszał, wstrząsnęła nim. Jane Oxford nie tylko nikt nie szukał. Nikt nawet nie wiedział o jej istnieniu.

Po rewelacjach Michaela Smitha FBI wpisało Jane Oxford na listę najbardziej poszukiwanych przestępców. FBI, CIA i żandarmeria wojskowa wspólnie utworzyły dwustuosobowy zespół operacyjny, którego zadaniem było doprowadzenie złodziejki przed sąd. Problem polegał na tym, że prawie niczego o niej nie wiedziano.

W ciągu czternastu lat bezkarnego okradania amerykańskiego wojska Jane stopniowo wytworzyła dystans pomiędzy sobą a roboczym końcem swojej organizacji. Nikt nie wiedział, kim są jej najbliżsi współpracownicy, w jakim kraju mieszka, czy znów wyszła za mąż ani czy ma dzieci. Od czasu ucieczki z domu szesnaście lat wcześniej ani razu nie skontaktowała się ze swoimi rodzicami, a jej najświeższym wizerunkiem, jakim dysponowała policja, było zdjęcie z 1969 r. wykonane podczas ślubu w Las Vegas. Znalezione wśród rzeczy Kurta Oxforda po dziś dzień pozostaje najbardziej aktualną fotografią Jane w aktach FBI. Po niezliczonych prowokacjach, tajnych operacjach, próbach infiltracji i dwudziestu milionach godzin policyjnej pracy włożonych w śledztwo FBI nadal nie schwytało Jane Oxford. Członkowie zespołu operacyjnego nazywają ją Duchem.

OBECNY STATUS ORGANIZACJI JANE OXFORD
W czasach gdy świat zalewa tania broń, wytwarzana w państwach postkomunistycznych, handel zwykłymi karabinami i amunicją wykradaną z magazynów armii Stanów Zjednoczonych przestał być opłacalny. Przedmiotem zainteresowania czar-

norynkowych handlarzy stała się elektronika, technologie i uzbrojenie najnowszej generacji.

Uważa się, że od 1998 r. Jane Oxford przeprowadziła w Stanach Zjednoczonych ponad dwadzieścia starannie zaplanowanych kradzieży nowoczesnego sprzętu wojskowego, takiego jak celowniki noktowizyjne do karabinów snajperskich, bezzałogowe miniaturowe samoloty rozpoznawcze, sprzęt do zakłócania pracy radarów, pociski przeciwpancerne z uranowym rdzeniem i ręczne wyrzutnie rakiet przeciwlotniczych. Stosunkowo niewielkie objętościowo ładunki łatwo było przerzucić przez amerykańsko-meksykańską granicę i dla właściwego nabywcy mogły być warte miliony dolarów.

Ostatnią i najpoważniejszą akcją było przejęcie transportu trzydziestu pięciu pocisków PGSLM Kumpel wiezionych przez pustynie Nevady na lotnisko, gdzie czekał na nie brytyjski samolot transportowy. Po tej kradzieży Jane Oxford awansowała na drugie miejsce listy najpilniej poszukiwanych kryminalistów.

NIEOCZEKIWANY PRZEŁOM

W maju 2004 r. czternastoletni Curtis Key wymknął się z internatu szkoły wojskowej w Arizonie podczas ciszy nocnej i staranował zamkniętą bramę samochodem swojego komendanta. Zatrzymał się przy pobliskim sklepie całodobowym, wziął z regału butelkę coli i poprosił o wódkę z półki za ladą. Kiedy sprzedawca zażądał dowodu tożsamości, Curtis Key wyjął pistolet i strzelił mu w serce. Następnie spokojnie wylał połowę coli na podłogę, dopełnił butelkę wódką, zamieszał i pociągnął długi łyk. Całe wydarzenie zarejestrowały sklepowe kamery.

Wychodząc ze sklepu, Curtis ujrzał mężczyznę wysiadającego z jaguara. Po zastrzeleniu mężczyzny i jego towarzyszki wsiadł do samochodu i przejechał ponad trzydzieści kilometrów z dużą szybkością, przez cały czas popijając mieszankę coli z wódką. Usłyszawszy syreny trzech ścigających go radiowozów, Curtis — w tym momencie pijany prawie do nieprzytomności

– zjechał na pobocze, chwycił pistolet leżący na fotelu pasażera, przyłożył lufę do głowy i pociągnął za spust. Pistolet zaciął się i nie wypalił.

Prawo stanowe Arizony dopuszcza, by dziecko w wieku od czternastu lat wzwyż, oskarżone o poważne przestępstwo, takie jak morderstwo, zostało przez sąd potraktowane jak osoba dorosła. W październiku 2004 r. Curtisa Keya uznano za poczytalnego i skazano na dożywocie bez prawa do zwolnienia warunkowego. Oznacza to, że Curtis spędzi resztę życia w więzieniu. Obecnie jest jednym z dwustu siedemdziesięciu więźniów odsiadujących wyroki w oddziale dla nieletnich stanowego więzienia o najostrzejszym rygorze w Arizonie, wśród personelu i osadzonych znanego jako Arizona Max.

Co najdziwniejsze, po aresztowaniu Curtisa jego rodzina nie dała znaku życia. Adres domowy zarejestrowany w szkolnych dokumentach okazał się fałszywy, a czesne chłopca opłacano z tajnego konta na Seszelach. Sam Curtis utrzymywał, że stracił pamięć i nie jest w stanie powiedzieć niczego o swoich rodzicach.

Policja z Arizony, podejrzewając, że rodzic bądź rodzice chłopca są poszukiwanymi przestępcami, przesłała próbkę jego DNA do FBI. Badania wykazały 99-procentowe prawdopodobieństwo, że Curtis jest potomkiem generała Marcusa Hammonda, który zgodził się przekazać zespołowi próbkę swojego DNA w nadziei, że pomoże to w odnalezieniu jego córki. Istniało tylko jedno możliwe rozwiązanie: Curtis Key jest synem Jane Oxford.

DO CZEGO MOŻE SIĘ PRZYDAĆ CURTIS OXFORD?
FBI było zachwycone. Odkrycie Curtisa Keya było największym przełomem w trwającym od dwudziestu dwóch lat polowaniu na Jane Oxford. Zespół dochodzeniowy zachował w tajemnicy odkrycie prawdziwego pochodzenia chłopca i roztoczył nad nim dyskretny nadzór. Jeden z agentów podjął pracę strażnika w Arizona Max, w oddziale dla młodocianych. Ponadto wnikliwie kontrolowano wszelkie kontakty Curtisa ze współwięźniami oraz

światem zewnętrznym, zarówno korespondencyjne, jak i telefoniczne.

Jane Oxford działała z ukrycia. Poprzez swoje kontakty w światku gangsterów motocyklowych zdołała przekonać więzienną społeczność w Arizona Max, że Curtis jest nietykalny. Ktokolwiek próbowałby go zastraszyć, ograbić bądź skrzywdzić w jakikolwiek inny sposób, mógł spodziewać się paskudnych wypadków dotykających nie tylko jego, ale także jego rodzinę za więziennymi murami.

Dwaj strażnicy z oddziału dla nieletnich zgłosili, że zaczepiał ich tajemniczy motocyklista, który zaproponował im 1500 dolarów miesięcznie za opiekę nad Curtisem i okazjonalne przemycanie do jego celi różnych drobiazgów.

Choć Jane Oxford robiła, co w jej mocy, żeby pomóc synowi, nadzieje FBI na to, że wystawi głowę z kryjówki i spróbuje odwiedzić Curtisa, nigdy się nie ziściły. Oprócz adwokata, jedynymi osobami, jakie utrzymywały z nim kontakt, byli dwaj mężczyźni z Las Vegas, podający się za wujów chłopca. Badania pobranych ukradkiem próbek DNA wykazały, że nie są z nim spokrewnieni. Mimo to niby-wujków wpisano na listę dozwolonych kontaktów, a wszystkie rozmowy, jakie prowadzili z Curtisem, nagrywano.

Wyglądało na to, że Curtis dobrze zna swoich gości i że to przez nich kontaktuje się z matką. Mężczyźni do dziś pozostają pod ścisłą obserwacją, ale tą drogą nie uzyskano dotąd żadnych wartościowych informacji dotyczących działalności i miejsca pobytu Jane Oxford.

Kilka miesięcy po procesie Curtisa FBI nie miało już wątpliwości, że wielki przełom okazał się niewypałem. Aby jeszcze bardziej zmniejszyć i tak nikłe prawdopodobieństwo, że ktoś odważy się zrobić chłopcu krzywdę, jego niby-wujowie poinformowali władze więzienia, że osadzony naprawdę nazywa się Curtis Oxford, a jemu samemu polecili wyjawić swoją tożsamość współwięźniom. Kiedy sekret wyszedł na jaw, szanse na to, by Jane odwiedziła syna, spadły do zera.

UCIECZKA I INFILTRACJA

Skoro Jane nie zamierzała odwiedzić syna, jedyną opcją okazało się uwolnienie go i podążenie jego tropem w nadziei, że doprowadzi agentów do matki. FBI przeanalizowało różne warianty wyciągnięcia Curtisa z więzienia. Szukano kruczków prawnych umożliwiających unieważnienie wyroku oraz rozważano zorganizowanie cudownego odnalezienia nowych dowodów świadczących na korzyść chłopca. Kłopot w tym, że film ze sklepowych kamer był dowodem trudnym do obalenia, w sądzie Curtis przyznał się do winy, a pod uwagę należało wziąć także uczucia rodzin trzech ofiar chłopca. Ponadto Jane Oxford spędziła trzydzieści lat na rozpracowywaniu prowokacji FBI. Cudowne uwolnienie syna musiałaby uznać za mocno podejrzaną niespodziankę.

FBI doszło do wniosku, że Jane byłaby najmniej podejrzliwa, gdyby jej syn po prostu uciekł. Przygotowano zawiły plan o nazwie „Ucieczka i Infiltracja" zakładający wprowadzenie do Arizona Max tajnych agentów udających więźniów. Po zbliżeniu się do Curtisa i zdobyciu jego zaufania agenci mieliby oznajmić mu, że znaleźli sposób na ucieczkę. Następnie zaproponowaliby, że wezmą go ze sobą pod warunkiem, że przy pomocy swojej matki załatwi im ochronę, fałszywe dokumenty i pieniądze na wyjazd za granicę.

Zdaniem FBI Jane Oxford, choć podejrzliwa, ostatecznie kupiłaby tę szopkę, gdyby tylko każdy szczegół ucieczki był absolutnie realistyczny – łącznie z pozorowanym zabójstwem strażnika oraz autentycznym pościgiem policyjnym. Realizując plan ucieczki i egzekwując od Jane dotrzymanie jej części umowy, agenci zyskaliby dostęp do jej organizacji, a być może nawet nawiązali kontakt z nią samą.

FBI wiedziało, że plan jest ryzykowny. Szanse powodzenia oceniano na mniej niż 50 procent. Ponadto tajnym agentom groziło poważne niebezpieczeństwo ze strony organów ścigania, dla których byliby przecież zwyczajnymi zbiegami. Jednak największą przeszkodę stanowiło prawo Arizony, zgodnie z którym, choć nieletni mogą być sądzeni jak dorośli i osadzani w więzieniach dla dorosłych, to nie wolno przetrzymywać ich „w zasięgu wzroku ani słuchu" dorosłych więźniów. Jeśli tajni agenci FBI chcieli zaprzyjaźnić się z Curtisem Oxfordem, to musieli zaczekać, aż ten skończy osiemnaście lat i zostanie przeniesiony do oddziału dla dorosłych, to zaś nastąpi dopiero w 2009 r.

ROLA BRYTYJSKIEGO WYWIADU I CHERUBA

Choć Jane Oxford była znana brytyjskim służbom wywiadowczym, nigdy nie ukradła brytyjskiego sprzętu wojskowego i była uważana za problem Amerykanów aż do zniknięcia transportu rakiet PGSLM w marcu 2005 r. Brytyjczycy wszczęli śledztwo, by sprawdzić, czy po ich stronie Atlantyku mogło dojść do przecieku informacji o ruchach transportowca RAF-u wysłanego do Stanów po rakiety. Starszy oficer brytyjskich służb bezpieczeństwa udał się za ocean, by nawiązać współpracę z zajmującym się kradzieżą zespołem FBI.

Oficer MI5 wysłał do swojego dowództwa tajny raport zawierający między innymi szczegóły planu wprowadzenia agentów do Arizona Max i zorganizowania ucieczki Curtisa Oxforda. Kiedy szef CHERUBA zapoznał się z raportem, natychmiast uświadomił sobie, że ambitny plan „Ucieczka i Infiltracja" mógłby zostać przeprowadzony niezwłocznie, gdyby do Arizona Max posłano nieletnich agentów CHERUBA. To, że ucieczkę zorganizowali ludzie zbyt młodzi, by mogli pracować w rządowych agencjach, uwiarygodniłoby całą akcję i pomogłoby uśpić czujność Jane Oxford.

Koordynatorem operacji mianowano Johna Jonesa, który rozpoczął pracę nad szczegółami planu zakładającego wprowadzenie do Arizona Max dwóch agentów CHERUBA oraz wykorzystanie trzeciego agenta do pomocy w ucieczce.

WAŻNE.
KOMISJA ETYKI ZATWIERDZIŁA PLAN OPERACJI POD WARUNKIEM, ŻE WSZYSCY BIORĄCY W NIEJ UDZIAŁ AGENCI PRZYJMĄ DO WIADOMOŚCI, CO NASTĘPUJE:

Operację zakwalifikowano do grupy działań WYSOKIEGO RYZY-KA. Każdy agent ma prawo odmówić udziału w akcji, jak również wycofać się z niej w dowolnym momencie. Zadanie wiąże się z pracą w niebezpiecznym środowisku więziennym oraz koniecznością stawienia czoła pościgowi prowadzonemu przez uzbrojonych strażników i policję. Ze względów bezpieczeństwa tylko bardzo niewielka liczba wysokich rangą funkcjonariuszy organów ścigania będzie świadoma, że ucieczka jest prowokacją przygotowaną przez CHERUBA i FBI.

Choć podjęte zostaną wszelkie kroki w celu zagwarantowania uczestnikom operacji pełnego bezpieczeństwa, agentom zaleca się staranne rozważenie grożących im niebezpieczeństw przed zaakceptowaniem zadania.

– Rany... – mruknął James, odkładając dokumenty na biurko. – Ten wkręt z ucieczką to kompletny obłęd.

– Nie oczekuję natychmiastowej decyzji – powiedział John. – To po prostu nasza jedyna w miarę przyzwoita szansa na dopadnięcie Jane Oxford i odzyskanie rakiet. Może przemyślisz to sobie i przyjdziesz do mnie rano?

James pokręcił głową.

– Nie boję się. Wchodzę w to – powiedział twardo.

– Mimo to wolałbym, żebyś przespał się z tym problemem, zanim podejmiesz decyzję – powiedział John z uśmiechem. – Jeśli chcesz, pozwolę ci nawet omówić to z Meryl Spencer.

– Skoro muszę – westchnął James. – Zakładam, że tymi agentami wprowadzonymi do Arizona Max mamy być ja i Dave.

John skinął głową.

– Curtis jest zaledwie o kilka miesięcy starszy od ciebie i mniej więcej tej samej postury. Jesteś idealnym kandydatem na jego kumpla. Na czas operacji Dave zostanie twoim starszym bratem. W więzieniu będzie cię chronił, a podczas ucieczki przebierze się za strażnika. Przyda się też jego umiejętność szybkiej jazdy samochodem.

– A kim będzie trzeci agent? Ten, który ma nam pomagać poza więzieniem?

– Potrzebujemy kogoś, kto mógłby uchodzić za waszego brata albo siostrę, choćby cioteczną – wyjaśnił John. – Niestety, mamy kłopoty ze znalezieniem odpowiedniej osoby.

– To może weźmiemy Laurę, moją siostrę – zaproponował James. – Dziś mija ostatni dzień jej szkolenia. Jeżeli tylko przejdzie, byłaby w sam raz.

John uśmiechnął się.

– Laura to dobra dziewczyna, James, ale naprawdę szukam kogoś nieco bardziej doświadczonego.

8. SIOSTRA

W oknie klasy mignął mikrobus prowadzony przez pana Large'a. James zerwał się z krzesła z takim rumorem, że nauczycielka przerwała wykład w pół zdania i odwróciła się od tablicy.

– Wrócili ze szkolenia – prawie krzyknął James, zdejmując z oparcia oliwkowy płaszcz. – Mogę wyjść zobaczyć się z siostrą?

Na szczęście w matematyce James był najlepszy, a pani Brennan bardzo go lubiła. Wyrwał jej z ręki świstek z pracą domową i wepchnął go do plecaka już na korytarzu, biegnąc w stronę dwuskrzydłowych drzwi wyjściowych. Po chwili wypadł na chłodne, rześkie powietrze. Zatrzymał się, żeby zapiąć płaszcz i założyć plecak na oba ramiona, bo z jednego ześlizgiwał mu się podczas biegu. Tuż za nim drzwi otworzyły się z hukiem i wybiegł przez nie ośmioletni brat Bethany, Jake – żywy i miły dzieciak z dużymi brązowymi oczami i nastroszonymi włosami.

– Idziesz pod bramę ośrodka? – zapytał Jake.

– Pewnie.

– Mam nadzieję, że zaliczyły szkolenie.

– Bethany nie dzwoniła do ciebie? – zdziwił się James. – Laura dzwoniła z Toronto, kiedy czekały na lot do Londynu. Akurat byłem na odprawie, ale zostawiła wiadomość. Powiedziała, że zraniła się w nogę, ale wszyscy przeszli.

– To super – ucieszył się Jake. – Ścigamy się?

Jake puścił się biegiem przez trawnik, grzechocząc podskakującym mu na grzbiecie plecakiem. James ruszył za nim, utrzymując umiarkowane tempo. Nie było powodu do pośpiechu. Large na pewno nikogo nie wypuści, dopóki rekruci się nie spakują i nie wysprzątają jak należy budynku ośrodka szkoleniowego.

Jake przebiegł sto metrów, po czym zatrzymał się i obejrzał na Jamesa.

– No, ścigasz się czy nie? – zawołał z urażoną miną.

James też nie mógł się doczekać spotkania z siostrą, a entuzjazm Jake'a był zaraźliwy.

– Chciałem tylko dać ci fory. Przydadzą ci się! – krzyknął wesoło, podrywając się do sprintu.

Jake zapiszczał z uciechy i rzucił się do ucieczki. James dogonił go dwieście metrów dalej, kiedy biegli przez błotniste boiska piłkarskie. W oddali było już widać siatkowe ogrodzenie ośrodka szkoleniowego.

Zamiast wyprzedzić rywala, James uznał, że będzie zabawniej, jeśli ustawi się za nim i poczęstuje przyjacielskim pchnięciem z obu rąk. Jake rozpaczliwie zamachał rękami i wbił się twarzą w miękki grunt.

– Smacznego, El Kurdupello! – huknął James, mijając leżącego.

W tej samej chwili przyszło mu do głowy, że przesadził. Jake nawet nie próbował wstać. James zawrócił i pochylił się nad kolegą zwiniętym na trawie w nieruchomą kulkę.

– Nic ci nie jest? – spytał nerwowo.

– Chyba złamałeś mi rękę – zajęczał cicho Jake.

James poczuł, jak wielka mdląca gula podchodzi mu do gardła. Nie będzie łatwo wytłumaczyć się ze zranienia ośmiolatka, nawet jeśli był to tylko wypadek. Jake mógł trafić do szpitala, a wtedy James miałby poważne kłopoty, no i kompletnie zrujnowałby święto z okazji powrotu Laury i Bethany ze szkolenia.

– Bardzo cię przepraszam – powtarzał James, delikatnie masując Jake'owi ramię. – Możesz poruszyć ręką? Naprawdę myślisz, że jest złamana?

Na twarz leżącego wypłynął jadowity uśmiech. Ubłocona dłoń zacisnęła się na nadgarstku Jamesa i gwałtownie pociągnęła go do przodu. Jednocześnie Jake wysunął nogę i silnym kopnięciem ściął starszego kolegę z nóg. James runął w rozmiękłą ziemię tuż obok Jake'a. Ośmiolatek zgarnął wielką pacynę błota, rozsmarował ją Jamesowi na policzku, a potem brudną dłonią przeczesał jego jasną czuprynę.

James znieruchomiał pod paraliżującym dotykiem lodowatej brązowej strużki cieknącej mu po karku. Jake zerwał się na równe nogi.

– Ale mnie boli! Fraaajeer! – zaśpiewał szyderczo.

Ostatnią prostą dzielącą go od bramy ośrodka Jake przebiegł lekkim truchtem, wykonując triumfalne gesty i kłaniając się wyimaginowanemu tłumowi. James wstał i skupił się na odsączaniu wody z uszu za pomocą skręconego rogu chusteczki.

– Wredna mała szuja – mruknął z goryczą, uprzytomniwszy sobie, że mógł przewidzieć taki rozwój wydarzeń. Każdy rekrut trenował karate i dżudo i nawet malcy tacy jak Jake znali parę sprytnych ruchów.

Kiedy minął szok, James zdołał dostrzec zabawną stronę całego wydarzenia i nawet uśmiechnął się pod nosem na myśl o swojej naiwności. Dotarłszy do bramy ośrodka, gdzie na powracających ze szkolenia rekrutów czekała już grupka braci, sióstr i przyjaciół, wyciągnął czekoladę, którą miał zjeść na dużej przerwie, i poczęstował Jake'a dwiema kostkami na znak, że nie żywi do niego urazy.

– Kiedyś się odegram – obiecał James.

– Jak chcesz, to próbuj. – Jake wzruszył ramionami i brudnymi paluchami wpakował sobie czekoladę do ust.

James rozchmurzył się, kiedy tylko ujrzał świeżo upieczonych agentów ubranych w nowe szare koszulki. Pierwsza czwórka pobiegła po wybetonowanej ścieżce w stronę bramy, ale Laura lekko kulała i nie mogła dotrzymać im kroku. Na obandażowanej stopie miała niezawiązany trampek, a Bethany dotrzymywała jej towarzystwa.

James nie przepadał za Bethany. Cieszył się, że Laura znalazła sobie przyjaciółkę, ale kiedy dziewczynki były razem, doprowadzały go do szału swoim dziewczyńskim szczebiotem i półgodzinnymi napadami chichotu po najmarniejszych dowcipach.

Jake wpadł w ramiona swojej starszej siostrze. James objął Laurę, mocno uścisnął i pocałował w policzek. Wydała mu się wyższa i jakby twardsza w ramionach. Poczuł ukłucie smutku na myśl o nieodwracalnej przemianie pucołowatej małej siostrzyczki, którą musiał się zaopiekować, kiedy umarła ich mama, zaledwie osiemnaście miesięcy wcześniej.

– Aleś wydoroślała – powiedział radośnie James. – Gratuluję. Jestem z ciebie dumny.

– Tęskniłam za tobą – poskarżyła się Laura, pociągając nosem.

Nastrój prysł, kiedy dostrzegła brązowe smugi na uniformie brata.

– Na miłość boską! – wykrzyknęła, cofając się o krok i mierząc Jamesa wzrokiem. – Gdzieś ty się wpakował? Co się stało z twoimi włosami?

– Ja i Jake urządziliśmy sobie mały wyścig – wyjaśnił James. – Trochę nas poniosło, no i...

– No i wygrałem – przerwał mu Jake.

Laura pokiwała głową z politowaniem.

– Tarzanie się w błocie z ośmiolatkami – powiedziała, ścierając łzę z policzka. – Faktycznie, to mniej więcej twój poziom. Kiedy przesiadaliśmy się w Toronto, mieliśmy pięć godzin dla siebie. Kupiłam ci prezent w sklepie z pamiątkami.

Laura wyjęła z kieszeni kurtki papierową torebkę i wręczyła ją bratu. James zajrzał ciekawie do środka, po czym wydobył stamtąd polarową czapkę obszytą mnóstwem niebieskich i żółtych frędzli.

– Dzięki – uśmiechnął się. – Jest w klubowych i wyjazdowych barwach Arsenalu.

Bethany kupiła identyczną czapkę dla Jake'a. Chłopcy nacisnęli swoje prezenty na głowę i pomaszerowali w stronę głównego budynku za siostrami, przysłuchując się ich radosnej paplaninie na temat wszystkiego, co przeżyły podczas szkolenia.

*

James nie był pewien, czy nauczyciele pozwolą mu spędzić resztę dnia z Laurą. Obszedł tę niewygodną kwestię, zwyczajnie nie pytając o zgodę. Uznał, że w razie czego odegra wzruszonego brata, który zapomniał o bożym świecie, i w najgorszym przypadku wykpi się kilkoma karnymi rundkami.

Laurę ulokowano w jednym ze świeżo wyremontowanych pokojów na ósmym piętrze, gdzie dawniej mieściło się Centrum Planowania Misji. Oczywiście nie pozwoliła bratu wejść choćby za próg, dopóki nie umyła włosów i nie przebrała się w czysty uniform.

Układ pokoju był taki sam jak u Jamesa dwa piętra niżej. Znalazło się w nim miejsce na duże łóżko, łazienkę, biurko z laptopem, minilodówkę, kuchenkę mikrofalową oraz niewielki kącik wypoczynkowy przy drzwiach, z dwuosobową kanapą, gdzie można było pooglądać telewizję albo pograć w gry wideo.

James poczuł ukłucie zazdrości. On odziedziczył swój pokój po jakimś dzieciaku, podczas gdy pokój Laury pachniał nowością. W dodatku pokoje we frontowej części budynku miały balkony z przesuwnymi szklanymi drzwiami wychodzące na ogrody, a nie zwyczajne okna z widokiem na błotniste boiska i bieżnię.

Trzeba było trzech kursów elektrycznego wózka golfowego, by przewieźć rzeczy Laury z jej starego pokoju w budynku juniorów, i jeszcze tuzina jazd windą, by wwieźć stos gratów na ósme piętro. Zanim James i Laura uporali się z przeprowadzką, nadeszła pora lunchu.

Laura pokuśtykała do spiżarni na czwartym piętrze i przyniosła tonę czekolady, napojów i przekąsek, którymi wypchała lodówkę. Na lunch wzięła dwa burrito i dwa lodowe batony. W zasadzie takie gotowe dania były przeznaczone dla agentów wracających z akcji albo treningu już po zamknięciu stołówki, a James wolałby zjeść porządny posiłek na dole, ale Laura koniecznie chciała coś przygrzać w swojej nowej mikrofalówce.

Kiedy skończyli jeść, otworzyli drzwi balkonowe, chcąc nieco przewietrzyć pokój, po czym padli na łóżko, zbyt najedzeni, by choćby myśleć o rozpakowywaniu.

– O, ludzie – jęknęła Laura, masując brzuch i bekając cicho. – Dobrze, że mam chociaż tydzień wolnego, zanim znów zacznie mi się szkoła. Jestem taka skonana, że będę spać do południa. Codziennie. A potem do wanny, gorąca woda, książka, żarcie i tak do wieczora.

– Piękne życie – westchnął James. – A ja za parę dni wyjeżdżam. Jadę na misję gdzieś w Stanach. Próbowałem cię wciągnąć, ale John Jones nie był zachwycony pomysłem. Mówi, że chce kogoś z większym doświadczeniem.

– Co to za misja? – spytała Laura.

Zanim James zdążył odpowiedzieć, nagła myśl zjeżyła mu włosy na karku.

– O, kurczę... – jęknął. – John mnie zabije.

Laura usiadła i spojrzała na brata ciekawie.

– Czemu? Co znowu zbroiłeś?

– Bo to jest naprawdę... strasznie ważna misja, a ja dziś rano miałem dać ostateczną odpowiedź.

James zeskoczył z łóżka, dopadł telefonu i wykręcił wewnętrzny Johna Jonesa. John odebrał po pierwszym sygnale.

– James – powiedział szorstko. – Gdzie ty się podziewasz? Byłem u ciebie w pokoju, pytałem nauczycieli, pytałem twoich kolegów i zostawiłem milion wiadomości na komórce.

– Naprawdę strasznie mi przykro – kajał się James. – Komórka mi się rozładowała, a kiedy Laura wróciła ze szkolenia, misja zupełnie wyleciała mi z głowy. Zacząłem pomagać jej w przeprowadzce, no i...

– Wchodzisz w to czy nie? – przerwał mu John.

– No pewnie! Przecież od początku nie miałem żadnych wątpliwości.

– Chciałbym porozmawiać również z Laurą – oznajmił John.

– Mówiłeś, że jest za młoda.

– Przemyślałem to. Chwila jest odpowiednia, a my nie mamy zbyt wielu dobrych kandydatów. Jeśli trochę podrasujemy plan, czynnik słodkiej małej dziewczynki może nawet zadziałać na naszą korzyść, kiedy będziecie uciekać.

– Nie wiem, czy ona jest na to gotowa, John – powiedział James poważnym tonem. – Zraniła się w stopę i jest wykończona po szkoleniu.

Laura zrozumiała, że o niej mowa. Błyskawicznie stoczyła się z łóżka i stanęła tuż obok brata.

– Nie jestem aż tak bardzo zmęczona – wyszeptała mu prosto do ucha.

James odsunął słuchawkę od Laury, żeby słyszeć, co mówi John.

– Ma wkroczyć do akcji dopiero po waszej ucieczce z Arizona Max. Będzie miała kilka dni na odpoczynek.

– Wydaje się całkiem chętna – odparł niepewnie James, spoglądając na Laurę, która patrząc mu w oczy, kiwała gorączkowo głową.

– To dobrze – powiedział John. – A teraz porzućcie wszelkie zajęcia i do mnie. Natychmiast.

– Pierwszy dzień po szkoleniu, a ja już jadę na misję – zapiszczała Laura, kiedy James odłożył słuchawkę.

– Ożeż w mor... Musisz mi wrzeszczeć do ucha?! – zdenerwował się James, odsuwając się od podskakującej siostry i przyciskając dłoń do boku głowy.

– Sorry – zachichotała Laura. – Po prostu się cieszę. Bethany padnie z zazdrości.

9. LEGENDA

John Jones nie czuł się komfortowo z entuzjazmem Laury, która przecież nawet nie przeczytała wprowadzenia do zadania. Odesławszy Jamesa i Dave'a na korytarz, zasiadł na brzegu biurka, by opowiedzieć dziewczynce o czyhających na nią niebezpieczeństwach, a także spróbować przekonać samego siebie, że dziesięciolatka potrafi sobie z nimi poradzić.

John przepracował w wywiadzie osiemnaście lat. Dowodził tajnymi operacjami w rozmaitych zakątkach świata i nieraz musiał radzić sobie z sytuacjami, w których jego agenci byli więzieni, torturowani, a nawet zabijani. Potrafił pogodzić się z tym, że na tajne akcje wysyła się takich chłopców jak James i Dave – byli nastolatkami, a ich umiejętności w dziedzinie samoobrony dawały im przewagę nad większością dorosłych – jednak patrząc na Laurę, czuł się trochę nieswojo. Jego córka była zaledwie o kilka miesięcy starsza. Bał się o nią, kiedy przechodziła przez ulicę w drodze do szkoły, i martwił, czy ma należytą opiekę na wakacyjnych obozach. Ojcowski instynkt podpowiadał mu, że jest coś głęboko niemoralnego w gawędzeniu z dziewczynką w jej wieku o ucieczkach z więzienia i o tym, co zrobić, kiedy gliny zaczną strzelać.

Jednak Laura była dobrze wyszkolona. Odpowiedzi, jakich udzielała Johnowi, wskazywały, że jest wystarczająco inteligentna, by pojmować ogrom ryzyka, które podejmowała, i rozumieć, dlaczego warto je podjąć. Po godzinie przekopywania się przez szczegóły zadania John przestał martwić się o Laurę i zaczął zadawać sobie pytanie, jaką też osobą stałaby się jego córka, gdyby przeszła szkolenie w CHERUBIE, zamiast spędzać czas w samochodzie jego byłej żony wożona między lekcjami gry na pianinie, zajęciami kółka dramatycznego i domami koleżanek.

*

Pracownik CIA z amerykańskiej ambasady w Londynie przepracował prawie całą noc z poniedziałku na wtorek, sporządzając dokumenty identyfikacyjne na nazwiska James Rose, Laura Rose i David Rose. Wpisane do papierów daty urodzin Dave'a i Laury były prawdziwe, ale Jamesa postarzono dokładnie o rok – musiał mieć czternaście lat, żeby móc trafić do Arizona Max.

Kurier na motocyklu dotarł do kampusu o szóstej rano. Dostarczył zaklejoną kopertę zawierającą trzy amerykańskie paszporty oraz cztery zestawy papierów dyplomatycznych zapewniających Johnowi i trzem młodym agentom nietykalność ze strony amerykańskiego wymiaru sprawiedliwości na czas trwania operacji.

Na zewnątrz wciąż było ciemno, ale James już nie spał. Wziął prysznic, spakował torbę, a potem odebrał telefon od Laury, która najwyraźniej wpadła w panikę.

– Nie wiem, co pakować, i nie mogę znaleźć połowy rzeczy – poskarżyła się, kiedy James wszedł do jej pokoju.

James uznał to za klasyczny przypadek syndromu pierwszej misji. Kiedy już uspokoił Laurę, pomógł jej przetrząsnąć wciąż nierozpakowane pudła i wyszukać potrzebne rzeczy.

– Zwykle dostaje się listę – tłumaczył, przekopując zawartość kartonowego pudła w poszukiwaniu zapasowych akumulatorków do aparatu cyfrowego. – Tym razem organizują wszystko w ostatniej chwili. Myślę, że John po prostu nie miał czasu.

Kiedy Laura nabrała pewności, że spakowała już wszystko, czego może potrzebować, zarzucili na ramiona podręczne plecaki i ruszyli korytarzem w stronę windy, ciągnąc za sobą walizki na kółkach. W stołówce zastali Johna i Dave'a czekających przy na wpół zjedzonym śniadaniu. Wokół stolika piętrzyły się ich bagaże.

John zerknął na zegarek.

– Trochę późno, nie sądzicie?

– Moja wina – powiedział James. – Budzik nie zadzwonił.

Przy bufecie Laura trąciła brata łokciem i uśmiechnęła się.

– Dzięki, że wziąłeś to na siebie.

*

Według legendy, jaką John sporządził dla operacji przy współpracy z FBI, obecnie James i Dave przebywali w więzieniu w Nebrasce, czekając na przeniesienie do Arizony, gdzie mieli być sądzeni za morderstwo. Wykluczało to przelot do Arizony na pokładzie samolotu rejsowego ze względu na niebezpieczeństwo, że wśród pasażerów znajdzie się ktoś powiązany ze stanowym wymiarem sprawiedliwości, policją lub więziennictwem.

Wyruszyć mieli z bazy RAF-u leżącej piętnaście minut jazdy od kampusu. Kierowca zatrzymał mikrobus na pasie kołowania, tuż obok sporego samolotu dyspozycyjnego. Podczas gdy kapitan i drugi pilot wrzucali walizki do luku bagażowego, do Johna podszedł urzędnik celny, który po wymianie uścisków dłoni zerknął pobieżnie na cztery amerykańskie paszporty.

John i dzieci wspięli się po sześciu metalowych stopniach. Wszyscy z wyjątkiem Laury musieli się pochylić, żeby zmieścić się w drzwiach odrzutowca. Kabina była nieduża, ale luksusowo wyposażona, z miękkim dywanem, świeżymi kwiatami w wazonikach, orzechową boazerią i ośmioma skórzanymi fotelami ustawionymi w dwóch rzędach naprzeciw siebie, by można było prowadzić spotkania.

Zanim James zdążył zapiąć pas i zdjąć buty, drugi pilot wciągnął schodki i zamknął drzwi kabiny. Trzydzieści sekund później samolot zaczął kołować w stronę pasa startowego.

– Ekstra – powiedział James do Laury siedzącej naprzeciwko niego. – To lepsze niż przyjeżdżanie na lotnisko trzy godziny przed odprawą.

Drugi pilot stanął na środku kabiny, z pochyloną głową, by zmieścić się pod zbyt niskim sufitem.

– Witam na pokładzie superszybkiej taksówki Królewskich Sił Powietrznych – powiedział wesoło. – Przed startem upewnijcie się, że macie dobrze zapięte pasy. Polecimy wyżej i szybciej niż zwyczajne samoloty pasażerskie, dlatego nasza podróż do Arizony łącznie z przystankiem na uzupełnienie paliwa nie powinna potrwać dłużej niż siedem i pół godziny. Toaletę znajdziecie w tylnej części kabiny. Lodówka jest pełna kanapek i innych przekąsek, do swojej dyspozycji macie także kuchenkę mikrofalową i automat do gorących napojów. Nie krępujcie się z nich korzystać.

Drugi pilot przeszedł chwiejnie przez kołyszącą się lekko kabinę, usiadł na swoim miejscu i zapiął pasy. Samolot zakręcił w miejscu na końcu pasa startowego i znieruchomiał. James zauważył, że paznokcie Laury wpijają się w skórzane podłokietniki fotela.

– Wciąż nie przepadamy za lataniem? – wyszczerzył się złośliwie.

– Zamknij się – wycedziła drętwo Laura.

Szum silników płynnie przeszedł w wyższą tonację, a głośnik przemówił głosem kapitana:

– Proszę przygotować się do startu.

– Te małe samolociki często się rozbijają. Są bardzo niebezpieczne! – zawołał James, walcząc z przyspieszeniem wciskającym go w oparcie fotela.

Laura kopnęła go w kostkę w tej samej chwili, w której przednie koło maszyny oderwało się od pasa.

Kiedy kapitan wyrównał lot, John Jones podał wszystkim gorące napoje i ciastka. Gdy piloci dopili swoją kawę, odebrał od nich kubki i zamknął drzwi między kabinami, żeby załoga nie słyszała rozmowy.

– Jak wam idzie utrwalanie sobie szczegółów misji i waszych legend? – spytał, siadając na swoim fotelu.

– Całkiem dobrze – powiedziała Laura.

James i Dave mieli raczej niewyraźne miny.

– Przekonajmy się – westchnął John. – Najpierw Laura. Z jakim akcentem będziesz mówić?

– Z moim zwykłym angielskim akcentem.

John skinął głową.

– Dobrze. Dlaczego?

– Bo nie da się utrzymać wyuczonego akcentu przez cały czas trwania długiej operacji, zwłaszcza gdy działa się w warunkach stresu.

– Nie o to chodzi – powiedział John. – Nie pytałem, dlaczego w ogóle unikamy używania obcego akcentu, tylko co powiesz, jeżeli ktoś zapyta, dlaczego mówisz z angielskim akcentem.

– No tak, przepraszam – speszyła się Laura. – Naszym ojcem był Robert Rose, biznesmen pracujący w Londynie. Dorastaliśmy w Anglii, ale trzy lata temu, gdy ojciec zmarł na raka krtani, przeprowadziliśmy się do Arizony, do naszego wuja.

– Znakomicie – pochwalił John. – Kolej na Jamesa. Jakie było twoje pierwsze przestępstwo?

– Ja i Dave wjechaliśmy kradzionym samochodem do sklepu PC Planet. Przez witrynę. Ukradliśmy piętnaście tysięcy dolarów w aparatach cyfrowych i bez problemów uciekliśmy. Wpadliśmy miesiąc później, próbując sprzedać łup na e-Bayu.

– Jaki dostałeś wyrok?

– Dwanaście miesięcy w zawiasach i dwieście godzin prac społecznych.

– Pięćdziesiąt godzin – zasyczał John. – Musisz znać swoją legendę jak własne życie, James. Powiedz mi, jak zdobyliście kody do alarmów przed włamaniem do salonu samochodowego.

– Dave i ja byliśmy samotni i znudzeni. W Arizonie nie mieliśmy żadnych znajomych, więc zaczęliśmy bawić się w hakerów. Jeździliśmy po Phoenix. Dave prowadził, a ja siedziałem obok z laptopem i szukałem niezabezpieczonych sieci bezprzewodowych. Liczyliśmy na numer czyjejś karty kredytowej albo dane konta bankowego jakiejś firmy. Kiedy włamaliśmy się do sieci komisu samochodowego, na jednym z dysków znaleźliśmy wykaz kodów do alarmu wszystkich pracowników. Schowałem się w bagażniku bmw na firmowym parkingu, a po godzinie zamknięcia wyszedłem i wyłączyłem alarmy. Ukradliśmy osiem tysięcy dolarów w gotówce i odjechaliśmy prawie nowym lexusem RX300. Podczas ucieczki straciliśmy panowanie nad samochodem, który zjechał na chodnik i zabił śpiącą tam bezdomną kobietę. O obrabowaniu i śmierci bezdomnej pisały miejscowe gazety, więc jesteśmy kryci, jeżeli Jane Oxford zechce sprawdzić naszą historię.

– A jeśli znajdą ludzi, którzy naprawdę obrabowali komis? – spytała Laura.

John pokiwał głową z uznaniem i wyjaśnił:

– FBI często posyła do więzień swoich tajniaków, na przykład po to, żeby wyciągnęli informacje od podejrzanego, rozpracowali siatkę przemytników albo przeniknęli do gangu. Wiarygodna legenda ma kluczowe znaczenie dla bezpieczeństwa agenta, dlatego FBI tworzy tak zwane przestępstwa widma, pozorowane przez specjalne zespoły, a potem zgłaszane lokalnej policji i mediom tak, jakby były prawdziwe.

– Jak mogli upozorować zabójstwo tej kobiety? – zdumiała się Laura.

John wzruszył ramionami.

– Myślę, że znaleźli bezdomną kobietę, która zmarła na atak serca, i zmienili akt zgonu, wpisując tam, że potrącił ją samochód. FBI lubi mieć kilka nierozwiązanych przestępstw widm w każdym stanie, żeby w razie potrzeby móc szybko przeniknąć do każdego więzienia w kraju.

Laura skinęła głową.

– Sprytne.

– No dobrze – powiedział John. – Dave, co się stało zaraz po tym, jak potrąciliście staruszkę?

Dave odchrząknął i zaczął mówić:

– Najpierw wyszliśmy z samochodu, aby sprawdzić, w co uderzyliśmy. Kiedy zobaczyliśmy, że pod kołami leży człowiek, wpadliśmy w panikę i pojechaliśmy do domu. Wzięliśmy pieniądze, nasze rzeczy, zostawiliśmy list do Laury i wujka Johna, a potem ruszyliśmy na północ. Uciekaliśmy lexusem dwa dni, aż wreszcie mieliśmy kolejny wypadek, w Nebrasce. Doznałem urazu głowy, do którego, nawiasem mówiąc, pasuje moja blizna z zeszłorocznego wypadku na nartach. James wyszedł z kraksy cało i próbował uciec na piechotę, ale policja szybko go złapała.

– W porządku – powiedział John. – James, opowiadaj dalej.

– Gliniarze zamknęli nas w izbie dziecka. Trafiliśmy przed sąd dla nieletnich i dostaliśmy sześć miesięcy.

– Dlaczego żaden z więźniów nie widział was, kiedy byliście w Nebrasce?

James stropił się. Laura podniosła palec i zaczęła podskakiwać na fotelu.

– Ja wiem, ja wiem.

– Niedobrze, James – powiedział John, kręcąc głową. – Do tej pory podstawowe założenia powinieneś mieć wykute na blachę. No cóż, będziemy przerabiać tę historię tak długo, aż będziecie potrafili wyrecytować ją w tył, w przód i w poprzek, choćby miało nam to zająć cały lot... Lauro, wytłumacz bratu, dlaczego żaden więzień z Nebraski nie widział Jamesa i Dave'a podczas ich półrocznej odsiadki.

– Bo prawie udało im się uciec – powiedziała Laura. – W sądzie Dave ściągnął strażnikowi klucze do kajdanek. Chłopcy rozkuli się nawzajem i dotarli aż do trawnika przed sądem, ale tam wpadli na policjanta, który zauważył pomarańczowe więzienne kombinezony i odprowadził ich z powrotem pod bronią. Po tej akcji zakwalifikowano ich obu jako więźniów stwarzających ryzyko ucieczki, a takich umieszcza się w izolatkach, pozbawia przywilejów i uniemożliwia im się kontakty ze współwięźniami.

– Dzięki tej historii z próbą ucieczki wasz plan wydostania się z Arizona Max będzie znacznie bardziej wiarygodny – dodał John. – To pomoże wam przekonać Curtisa Oxforda, że z wami naprawdę ma szansę na odzyskanie wolności.

10. ARIZONA

Odprawę celną przeszli w bazie amerykańskich sił powietrznych w Wisconsin. Krótka przechadzka po pasie startowym dla rozprostowania kości, zarządzona podczas przerwy na tankowanie, przemieniła się w bitwę na śnieżki. Kiedy trzy godziny później lądowali w innej bazie USAF w Arizonie, John i jego agenci pałali już prawdziwą nienawiścią do ciasnej kabiny samolotu i rozpaczliwie łaknęli gorącego posiłku.

Za sprawą zmiany strefy czasowej do celu podróży dotarli za kwadrans ósma, zaledwie dwadzieścia minut po wyruszeniu z Anglii. Kiedy wysiadali z samolotu, wschodziło już słońce, a suche powietrze zapowiadało typowy skwarny dzień na pustyni.

Gburowaty mężczyzna w kombinezonie, lustrzanych okularach i lotniczych zagłuszkach kazał im iść za żółtą linią namalowaną na betonie i prowadzącą do terminalu – pod tą dumną nazwą krył się metalowy barak z podłogą z płyty wiórowej, pięcioma krzesłami i ekspresem do kawy. Jedyną osobą wewnątrz był przysadzisty Murzyn w jasnoniebieskiej kurtce i kowbojskim kapeluszu. Mężczyzna wstał i wyciągnął rękę do Johna.

– Marvin Teller, FBI, operacje specjalne.

– Miło nareszcie spotkać cię we własnej osobie – odrzekł John.

– A ta trójka to zapewne nasz zespół tajnych agentów.

Marvin uścisnął dłonie chłopcom, prawie je miażdżąc. James domyślił się, że to próba charakteru, i nawet nie mrugnął. Przy Laurze Marvin opuścił rękę i uśmiechnął się szeroko.

– Ile lat ma ta mała dama? – zapytał, przekrzywiając głowę. – Wygląda, jakby dopiero co wyskoczyła z pampersa.

– Mam dziesięć lat – najeżyła się Laura. – Co to jest pampers?

James uśmiechnął się złośliwie.

– Tak Amerykanie mówią na pieluchy.

– Pewnie zgłodnieliście, co? – ciągnął Marvin. – Znam takie miejsce parę mil stąd, gdzie napchacie się do wypęku za cztery dolce od łebka.

*

Kiedy już napełnili brzuchy stekami, frytkami, jajkami i tostami, czarna limuzyna Marvina zabrała ich w sześćdziesięciomilową podróż szosą międzystanową. Przy drogowskazie z napisem „Stanowy Zakład Karny o Zaostrzonym Rygorze w Arizonie" wszyscy ciekawie wykręcali szyje, ale więzienie mieściło się w pustynnej niecce dwie mile od zjazdu z szosy, więc nie było co oglądać, jeśli nie liczyć stanowej flagi i kilkuset metrów zapiaszczonego asfaltu.

Podróż skończyła się przy samotnej drewnianej chatce na końcu bitej drogi, dwadzieścia mil od więzienia. Deski szalunku pokrywała łuszcząca się od słońca farba, zaś wnętrze domku sugerowało, że poprzednimi lokatorami byli ludzie w podeszłym wieku. Na schodkach zamontowano dodatkowe poręcze, a w salonie stały dwa fotele o wysokich oparciach ustawione naprzeciw archaicznego telewizora – takiego, w którym żeby zmienić program, trzeba się ruszyć z kanapy i przekręcić gałkę.

– Znaleźliśmy życzliwą sędzię, która przyjmie was w czwartek wcześnie rano i wysłucha waszego przyznania się do winy – oznajmił Marvin. – To daje wam resztę dzisiejszego dnia i cały jutrzejszy dzień na odpoczynek i aklimatyzację. W lodówce znajdziecie jedzenie, a w garażu dwa samochody, oba z zaciemnionymi szybami, tak jak prosiliście.

– Czy sprawiłem tym problem? – spytał John.

Marvin potrząsnął głową.

– Tu, na pustyni, mnóstwo ludzi zaciemnia sobie szyby. Chronią przed słońcem.

– Chcę trochę podszkolić dzieciaki w prowadzeniu samochodu po amerykańskich drogach – wyjaśnił John. – Przyda im się, gdy będą uciekać, a nie chciałem, żeby ktoś zobaczył Jamesa albo Laurę za kierownicą.

– Mam trochę roboty w swoim biurze w Phoenix – powiedział Marvin. – Wpadnę w czwartek rano, żeby odwieźć was do sądu, ale jeszcze dziś podeślę wam naszego człowieka z Arizona Max, który da chłopcom kilka wskazówek, jak trzymać się z dala od kłopotów.

*

Około południa temperatura przekroczyła trzydzieści stopni. Przedpotopowy klimatyzator zdawał się poświęcać całą energię na wydawanie dziwnych dźwięków, ale chłodzić nie chciał. John wisiał na telefonie, rozmawiając na przemian z kampusem CHERUBA i siedzibą FBI w Phoenix, więc James i Dave na własną odpowiedzialność podjęli próbę napełnienia niedużego basenu za domem. Zamietli dno, a w garażu wyszperali chemikalia do uzdatniania wody, ale filtr okazał się zatkany i jedyną nagrodą za ich wysiłki była mała brązowa kałuża i upaćkane ręce.

Laura siedziała na leżaku obok basenu, czytając swoje materiały przygotowawcze i obserwując, jak na koszulkach chłopców pojawiają się plamy potu. Sama też chętnie by popływała, ale lekarz w kampusie powiedział jej, że nie powinna moczyć chorej stopy, dopóki rana się nie zagoi.

Chłopcy ostatecznie dali za wygraną i poszli do domu, żeby się umyć i przebrać.

Kiedy wrócili, stanęli po obu stronach leżaka z łobuzerskimi uśmiechami na twarzach.

– No co? – spytała Laura podejrzliwie.

– No nic – odparł James. – Widzisz... Plan ucieczki wymaga, żebyś posiadła elementarne doświadczenie w prowadzeniu pojazdów mechanicznych, na wypadek gdybyś wylądowała za kółkiem, kiedy będziemy uciekać przed glinami. John chce, żebyśmy udzielili ci pierwszej lekcji.

Dave zadzwonił kluczykami nad głową Laury. Prawda była taka, że John wcale nie chciał, żeby chłopcy uczyli ją jeździć. Błagali go długo, a on zgodził się tylko dlatego, że miał poważne kłopoty ze skupieniem się na przygotowaniach do operacji w towarzystwie trojga znudzonych i skołowanych zmianą czasu dzieciaków.

Wsiedli do poobijanej toyoty kombi z przyciemnionymi szybami. Dave wyprowadził samochód z garażu, a potem zamienił się z Laurą miejscami. Usiadła na poduszce, żeby cokolwiek widzieć nad deską rozdzielczą, ale by dosięgnąć pedałów, musiała zsunąć się na krawędź fotela i przytulić kierownicę do piersi. James skulił się w pozycji ochronnej na tylnym siedzeniu i zachichotał.

– Wszyscy zginiemy!

Po udzieleniu stosownych objaśnień Dave pozwolił Laurze zwolnić hamulec ręczny i przesunąć dźwignię automatycznej skrzyni biegów na jazdę. Samochód przetoczył się kilka metrów, po czym Laura odrobinę za mocno nacisnęła hamulec, rozpłaszczając Jamesa na oparciu przedniego fotela. Dave obejrzał się przez ramię.

– Zapnij pasy, młotku.

Prowadzenie auta z automatyczną skrzynią biegów w miejscu, gdzie nie ma żadnego ruchu, jest całkiem łatwe. Kiedy Laura opanowała już jazdę po podjeździe do przodu i na wstecznym oraz proste zawracanie na trzy, Dave pozwolił jej wyjechać na bitą drogę prowadzącą do szosy międzystanowej.

Wreszcie Laura zaczęła się skarżyć, że boli ją zraniona stopa. James nie prowadził samochodu od trzech miesięcy, a po godzinie tkwienia w bezruchu na tylnym siedzeniu i patrzenia, jak jego siostra popełnia błąd za błędem, aż pękał z chęci pomaltretowania toyotki na ubitej ziemi.

Gdy zmienili się miejscami, James zapiął pas i odwrócił się do Dave'a.

– Masz parę dolarów?

Dave kiwnął głową.

– Bo co?

– Pamiętasz tę cukiernię, którą mijaliśmy na międzystanowej? Może podjedziemy po pudełko pączków?

Dave wyciągnął z kieszeni szortów garść monet i przeliczył je.

– Pieniędzy nam wystarczy. Prowadziłeś już w Stanach?

– Wiele razy – skłamał James. – W ubiegłym roku byłem na misji w Miami.

W Miami James zaliczył tylko jedną szybką przejażdżkę zmuszony do ucieczki przed bandytami, ale w programie kursu jazdy dla średnio zaawansowanych, który ukończył kilka miesięcy wcześniej, była nauka poruszania się po drogach szybkiego ruchu oraz kilku szybkościowych manewrów, był zatem stosunkowo sprawnym kierowcą.

Wdusił gaz do oporu. Spod tylnych kół trysnęły fontanny kurzu i samochód zaczął nabierać prędkości, coraz mocniej kołysząc się na wybojach. Podwozie dudniło od gradu kamyków i piasku.

– Wolniej – powiedział Dave stanowczo.

James zignorował polecenie. Samochód na pełnym gazie zbliżał się do grzbietu niewielkiego wzniesienia. Dave położył dłoń na ramieniu Jamesa i odezwał się głośniej:

– Natychmiast zwolnij, James. Jedziesz o wiele za szybko.

James uśmiechnął się szeroko.

– A ty coś tak zesztywniał, Dave? Wyluzuj trochę.

Przednie koła wzniosły się w powietrze i grzmotnęły o ziemię po drugiej stronie grzbietu. Przed Jamesem pojawił się dalszy ciąg drogi, a tam, niespełna sto metrów dalej, duży pikap jadący w przeciwną stronę. Droga była wystarczająco szeroka, by pojazdy mogły się wyminąć, ale James nie spodziewał się innych uczestników ruchu i jechał samym środkiem.

Poczuł nagły przypływ adrenaliny. Gwałtownie odbił w prawo i kopnął hamulec. Zdołał rozminąć się z pikapem, który zjechał na bok, ale teraz James sunął w kierunku rowu na poboczu. Rozpaczliwie skręcił kierownicą w drugą stronę. Maska posłusznie zwróciła się w lewo, ale prędkość była zbyt duża, by samochód utrzymał się w łuku. Toyota zamiotła tyłem pobocze i tylne koła zahaczyły o rów. Kierownica szarpnęła potężnie i w tej samej chwili przed Jamesem i Dave'em wybuchły poduszki powietrzne. Samochód sunął przez chwilę bokiem, z kufrem w rowie i lewymi kołami w górze, jakby wahając się, czy nie powinien położyć się na burcie.

Wreszcie zatrzymał się i opadł z łomotem na spieczony grunt. James był zbyt wstrząśnięty, by się poruszyć. Gapił się tępo na sflaczałą poduszkę powietrzną, wdychając zapach spalin i kurzu. Jego rozdygotane dłonie bębniły w kierownicę, jakby żyły własnym życiem.

Dave wygramolił się z samochodu, otworzył tylne drzwi i pomógł Laurze wydostać się z rowu. Była w lekkim szoku, ale poza tym wydawała się cała i zdrowa.

James pozbierał myśli na tyle, aby uprzytomnić sobie, że jeśli doszło do wycieku paliwa, samochód może się zapalić. Kiedy odpiął pas i wysiadł, z chmury kurzu wyłoniła się postać, która brutalnie pchnęła go na samochód.

– Mówiłem ci! – krzyknął Dave z furią. – Mogłeś nas pozabijać, ty głupku!

James przygotował się na przyjęcie ciosu, ale kierowca pikapa odciągnął Dave'a na bok.

– Uspokój się! – krzyknął.

James zrobił kilka niepewnych kroków. Nogi miał jak z waty. Spojrzał na stojącą nieopodal Laurę, ale błyskawice strzelające z jej oczu sugerowały, że nie jest w nastroju do pomagania bratu.

Kiedy Dave trochę ochłonął, kierowca pikapa puścił go i zaśmiał się drwiąco. Jasnowłosy mężczyzna był ubrany w czarne spodnie i koszulę z godłem i literami ADOP wyhaftowanymi na rękawie. James uświadomił sobie, że to skrót od Arizona Department Of Prisons[2].

– Nazywam się Scott Warren – powiedział blondyn. – Właśnie skończyłem swoją zmianę i przyjechałem tutaj, żeby poznać trójkę brytyjskich dzieciaków i niejakiego Johna Jonesa. Niezupełnie tego się spodziewałem, ale myślę, że ich znalazłem.

---

[2] Stanowy Departament Więziennictwa w Arizonie.

11. ŻAL

James wiedział, że zachował się jak idiota. Siedział skulony w fotelu, ze zbolałą miną, walcząc z pragnieniem, aby uciec na pustynię i już nigdy, przenigdy nie wrócić. Skóra na karku paliła go nieznośnie w miejscu, które Dave przycisnął do rozgrzanego dachu samochodu.

John uraczył go dwudziestominutowym wykładem na temat tego, że zachował się całkowicie nieodpowiedzialnie, że mógł zrujnować całą operację, jeszcze zanim się zaczęła, że dwustukonny samochód to nie zabawka i że do spotkania z sędzią będzie siedział w domu, studiując materiały przygotowawcze do operacji.

James odtwarzał kraksę w myśli, wyobrażając sobie, co by było, gdyby samochód dachował albo gdyby Laura nie zapięła pasa. Nigdy by sobie nie darował, gdyby stało się jej coś złego.

Podczas gdy James użalał się nad sobą, pozostali sprzątali po nim bałagan. Dave wyszperał skądś linę i pojechał ze Scottem jego pikapem, żeby wyciągnąć toyotę z rowu i odholować do domu. Samochód miał zerwany wydech, skrzywione przednie zawieszenie i uszkodzone podwozie po stronie kierowcy. Nie wyglądał na wrak, ale Scott powiedział, że naprawa leciwego auta wartego zaledwie kilka tysięcy dolarów byłaby nieopłacalna.

John pojechał po obiad do restauracji przy szosie. Kiedy wrócił, kazał Jamesowi umyć twarz i przyjść do stołu.

James przysunął sobie krzesło do dużego plastikowego stołu w kuchni. Laura i Dave wyglądali na wściekłych. Chciał ich przeprosić, ale żadne przeprosiny nie mogły zmazać tego, co zrobił. Unikając ich wzroku, sięgnął po pudełko frytek i dwa smażone udka kurczaka. John postawił na stole butelkę coli, wręczył Scottowi zimne piwo i dopiero wtedy usiadł.

– Rozmawiałem z Jamesem i poniesie on stosowną karę – powiedział stanowczo. – Wszyscy doskonale zdajemy sobie sprawę, jak wielkie mieliśmy szczęście, że nikomu nic się nie stało. A teraz... Bez względu na wasze osobiste odczucia musimy odciąć się grubą krechą od tego, co się dziś wydarzyło, i rozpocząć przygotowania do akcji jako zespół. To zbyt niebezpieczna operacja, byśmy mogli pozwolić sobie na chowanie urazy i nieodzywanie się do siebie. Czy to jasne?

Dave i Laura bez entuzjazmu pokiwali głowami.

– Dobrze – powiedział John. – James, podaj rękę Laurze i Dave'owi.

James wyciągnął dłoń ponad stołem. Akcja z podawaniem ręki wydała mu się cokolwiek dziecinna, ale dobrze rozumiał, co John próbował im uświadomić.

– Naprawdę strasznie mi przykro – powiedział James, puszczając rękę Laury.

– Ja myślę – odparła szorstko.

– Wybacz, że cię zaatakowałem. Puściły mi nerwy – powiedział Dave, kiedy James ścisnął jego usmarowaną kurczakiem dłoń.

James uśmiechnął się niepewnie.

– Może i dobrze. Wypłoszyłeś ze mnie trochę głupoty.

– No dobrze, do rzeczy – przerwał im John. – Jak wiecie, Scott jest agentem specjalnym FBI. Od trzech miesięcy pracuje jako strażnik w chłopięcym skrzydle Arizona Max. Właśnie wrócił z dwunastogodzinnej zmiany i myślę, że jest zmęczony, dlatego chciałbym, żebyście wysłuchali go bardzo uważnie i spróbowali nie marnować jego czasu.

Scott przełknął kęs kurczaka i zaczął mówić.

– Musicie wiedzieć, że nic, co powiem lub zrobię, nie może przygotować was w pełni do tego, z czym zmierzycie się w Arizona Max, spróbuję jednak dać wam pewne wyobrażenie przede wszystkim o tym, z kim przyjdzie wam tam żyć. Przejrzyjcie dowolną gazetę albo zobaczcie wiadomości w telewizji, a dowiecie się o zbrodniach, od jakich żołądek podchodzi do gardła. Otóż wy będziecie dzielić celę z ludźmi, którzy takie zbrodnie popełniali. Mówię tu o najpodlejszych, najbardziej okrutnych i pokręconych dzieciakach na naszej planecie. Nigdy, przenigdy nie zakładajcie, że nie są do czegoś zdolni. Większość z nich ma już na sumieniu czyjeś życie, a w realiach więziennych przemoc i bezwzględność tylko umacniają ich pozycję.

– Nie są za to karani? – zdziwił się Dave.

– Niby jak? – odrzekł Scott, rozkładając ręce. – Ci kolesie mają zerowe szanse na to, że kiedykolwiek wyjdą z więzienia, a kara śmierci im nie grozi, bo Sąd Najwyższy zakazał posyłania na krzesło elektryczne przestępców, którzy nie ukończyli osiemnastu lat. Nawet jeśli któryś z nich zatłucze cię na śmierć, najgorsze, co można mu za to zrobić, to wsadzić na kilka miesięcy do karceru. Tego rodzaju wykolejeńcy stanowią około jednej czwartej populacji oddziału i bardzo uprzykrzają życie całej reszcie. Słabsi współwięźniowie to na ogół dzieciaki, które wykonały kiedyś fałszywy ruch i wpakowały się w poważne kłopoty: małolaty, które napadły na nocny, żeby móc szastać pieniędzmi przy dziewczynach, zakompleksione gnojki z klasy średniej, którym się wydawało, że zarobią łatwą kasę na narkotykach, albo udręczeni biedacy, którzy nie wytrzymali nerwowo i zatłukli znęcających się nad nimi krewnych. Ci chłopcy na ogół nie zaznali w życiu zbyt wielu szczęśliwych chwil i często mają trochę nierówno pod sufitem. Szczerze mówiąc, szkoda mi ich.

– A samo więzienie? Jakie ono jest? – spytał James.

– Tanie.

Agenci popatrzyli po sobie z zakłopotaniem. Scott pospieszył z wyjaśnieniem.

– Dwadzieścia, trzydzieści lat temu w więzieniu o maksymalnym rygorze były cele z kratą zamiast jednej ściany i z przesuwanymi drzwiami, dokładnie takie, jakie znacie z filmów. Każdą zajmował jeden, najwyżej dwóch więźniów. Jednak liczba osadzonych w Stanach rośnie błyskawicznie, a cele są kosztowne. Wymagają własnych ścian, drzwi, zamków, umywalek, sedesów i tak dalej. A kiedy już się je wybuduje, trzeba zatrudnić armię strażników, żeby pilnowali, by w żadnej nie działo się nic złego. Aby obejść ten problem, nowoczesne zakłady karne, takie jak Arizona Max, wyposaża się w cele zbiorowe. W tej, do której traficie, pod ścianami są dwa rzędy po osiemnaście łóżek. Przy każdym łóżku jest wysoka do pasa ścianka działowa, mała szafka i akurat tyle miejsca, żeby się uśmiechnąć. Na końcu celi jest łazienka z dwiema toaletami, trzema pisuarami i dwoma prysznicami. Kilka metrów nad waszymi głowami jest stalowy pomost, skąd klawisze tacy jak ja mogą mieć was na oku. Dla was takie rozwiązanie jest korzystne o tyle, że daje wam pełny dostęp do Curtisa Oxforda. Nieprzyjemne jest to, że jeśli komuś podpadniecie, ten ktoś będzie miał pełny dostęp do was.

– Dużo jest przemocy? – zapytał Dave.

– W ciągu trzech miesięcy, jakie przepracowałem w waszym bloku, widziałem tylko dwie próby zakłucia kogoś na śmierć, ale bójki na pięści są codziennością, a silniejsi bezlitośnie pomiatają słabszymi. Oddziały dla nieletnich często nazywa się szkołami gladiatorów, ponieważ nie pozostawiają osadzonym innego wyjścia, jak tylko nauczyć się walczyć. Nastoletni chłopcy stanowią najbardziej impulsywną i niebezpieczną część więziennej populacji.

– Dlatego chcemy wyrwać was stamtąd w ciągu dwóch tygodni – wtrącił John.

– Czy strażnicy nie mogą przeciwdziałać wybuchom przemocy? – spytała Laura.

Scott potrząsnął głową.

– Strażnicy albo klawisze, jak nazywają ich więźniowie, nie kiwną palcem w tej sprawie. Jest ich o dwadzieścia procent za mało, a pensje nie są o wiele wyższe od płacy minimalnej, dlatego nie spodziewajcie się, że będą nadstawiać dla was karku. W dzień na jednego strażnika przypada czterdziestu więźniów. W nocy stu. Tak nieliczna obsada oznacza, że jest się zdanym tylko na siebie. Kiedy robi się zbyt gorąco, możemy wystrzelić z pomostu kilka gumowych pocisków, żeby ogłuszyć najbardziej agresywnych, a najbardziej zakrwawionych zawlec do skrzydła szpitalnego. Poza tym każdy broni się sam.

– No to jak najlepiej radzić sobie z bandziorami? – spytał James.

– Nie wolno okazywać słabości – powiedział Scott. – Od chwili gdy wkroczycie do celi, trzydziestu gości będzie oceniać każdy wasz ruch. Silni będą chcieli wiedzieć, czy uda im się dobrać do waszych pieniędzy i rzeczy, słabi – czy będziecie próbowali ich okraść i czy przypadkiem nie należycie do gatunku psychopatów, którzy gnoją ludzi dla frajdy. Statystyki mówią, że w ciągu pierwszych dwóch dni pobytu w amerykańskim więzieniu ma się siedemdziesiąt procent szans na fizyczną konfrontację. W wypadku Arizona Max to raczej dziewięćdziesiąt dziewięć procent. Dave nie ustępuje posturą właściwie nikomu w celi, ale James będzie jednym z mniejszych więźniów. Dave będzie musiał go bronić.

– Jestem po kursach samoobrony – wtrącił James urażonym tonem. – Mam czarny pas drugiego stopnia w karate.

– To dobrze, że potrafisz walczyć, ale w celi nikt o tym nie wie – powiedział Scott. – Kiedy tam wejdziesz, zobaczą tylko, że jesteś młody i mały, co czyni cię łatwym celem dla bandziorów. Jeśli ktoś do ciebie wystartuje, reaguj ostro i próbuj zrobić wrażenie człowieka groźnego. W ten sposób zasłużysz na szacunek i sprawisz, że inni będą chcieli mieć cię po swojej stronie.

– A Curtis? – zainteresował się Dave. – Kto chroni jego?

– Ma obstawę w postaci dwóch siedemnastoletnich skinheadów. Elwood i Kirch dbają o to, by włos nie spadł mu z głowy. Krąży też plotka, że każdy, kto odważy się tknąć Curtisa, zostanie zadźgany przez bikera.

– To w celi są jacyś bikerzy? – spytał James.

Scott potrząsnął głową.

– Nie, w to zwykle bawią się ludzie powyżej dwudziestki i trzydziestki, ale wszystkie dzieciaki z waszej celi odsiadują długie wyroki. Po skończeniu osiemnastego roku życia przenosi się ich do bloku dla dorosłych, a tam siedzi wielu członków motocyklowych gangów, którzy są gotowi zabić dla Jane Oxford.

– Jak to? – zdziwił się James.

Odpowiedział John.

– Organizacja Jane jest tak silna między innymi dlatego, że opiekuje się każdym swoim członkiem, który trafi za kratki. Oznacza to pierwszorzędną obsługę prawną oraz wsparcie finansowe dla rodzin i fizyczną ochronę w więzieniu. Jane dba o ludzi, którzy są jej wierni. Jest to jeden z powodów, dla których wierzymy, że zechce wam pomóc, kiedy już uwolnicie jej syna.

– Oczywiście każdy kij ma dwa końce – dodał Scott. – W przeszłości ludzie próbowali układać się z FBI i sprzedawać informacje o Jane Oxford w zamian za odstąpienie

od oskarżenia albo łagodniejszy wyrok. Prawie wszyscy albo marnie skończyli, ulegając w więzieniu paskudnym wypadkom, albo wycofali zeznania zastraszeni groźbami pod adresem ich rodzin. Kiedyś zamknięto jednego faceta w areszcie prewencyjnym, to w końcu dorwał go snajper.

James odłożył kość i odepchnął od siebie niedojedzone frytki. Przyszło mu na myśl, że Kyle, Gabrielle i reszta pewnie już zaczęli swoje misje rekrutacyjne. Teraz, po wysłuchaniu relacji Scotta, zaczął się zastanawiać, kto tak naprawdę wyciągnął najkrótszą słomkę.

12. WYROK

W środę James od rana starał się nie rzucać nikomu w oczy. Siedział w sypialni, czytając dokumenty operacji i pielęgnując swoje poczucie winy. Materiały, jakie otrzymał, zawierały regulamin więzienia Arizona Max, akta funkcjonariuszy straży więziennej z oddziału dla nieletnich oraz teczki wszystkich dwudziestu dziewięciu więźniów dzielących celę z Curtisem Oxfordem.

John ostatecznie wygrał zmagania z filtrem i zdołał napełnić basen. Podczas lunchu, który zjedli nad wodą, jeszcze raz przepytał agentów ze znajomości legendy i szczegółów planu ucieczki. Kiedy nabrał przekonania, że każdy zna swoją rolę jak należy, wrócił do domu, by zadzwonić do kilku osób.

James i Dave usiedli obok siebie w płytkiej części basenu. Laura rozparła się na leżaku kilka metrów za nimi. Obrzuciła niechętnym spojrzeniem swoją zabandażowaną stopę i zaczęła leniwie wachlować się wielkim liściem, który skradła jednej ze zdobiących basen palm. Dave spojrzał na Jamesa.

– Nie wyglądasz najlepiej – zauważył. – Przestraszyłeś się?

– Trochę – przyznał James. – Szkoła gladiatorów... Brzmi groźnie.

Dave uśmiechnął się.

– Mną zawsze trzęsie na dzień przed akcją. Jechałeś kiedyś kolejką górską?

– Parę razy.

– Misje są jak kolejka górska. Kojarzysz początek, kiedy wsiadasz i wagonik robi klink-klink-klink na szczyt pierwszej górki? Wtedy myślisz: „Co mnie podkusiło, żeby się w to wpakować?". A po jeździe wysiadasz nakręcony jak budzik i od razu chcesz biec po następny bilet.

James pokiwał głową.

– Kiedy wróciłem z poprzedniej misji i wyłączyli mnie na kilka miesięcy z akcji, żebym nadrobił zaległości w szkole, byłem załamany.

– Nie wyobrażam sobie odejścia z CHERUBA i powrotu do normalnego życia – powiedział Dave. – To musi być strasznie nudne – mieć tylko szkołę, prace domowe i paru kumpli.

– Przepraszam, że wtedy nie zwolniłem. Dupek ze mnie.

Dave wzruszył ramionami.

– Wszyscy popełniamy błędy. Ja też nie jestem ideałem.

– Jaka była najgłupsza rzecz, jaką zrobiłeś na akcji?

– Dobre pytanie – zaśmiał się Dave. – Miałem parę wpadek. Raz o mało nie wywalili mnie z CHERUBA, po tej misji z Janet Byrne.

– Dlaczego?

Dave narysował dłonią półkole w powietrzu nad swoim brzuchem.

James kopnął nogami wodę i parsknął śmiechem.

– Aaa, to! – zawołał. – Janet to niesamowita laska. Nie mogę uwierzyć, że zrobiłeś jej dziecko.

Wizja Dave'a mającego dziecko była zabawna, jednak śmiech Jamesa wypływał przede wszystkim z ulgi, że David nie żywi do niego urazy z powodu kraksy.

– To nie jest śmieszne, wiesz? – powiedziała szorstko Laura, która nagle zawisła nad chłopcami niczym chmura gradowa. – Janet uczyła mnie hiszpańskiego. Całymi dniami płakała w swoim pokoju. Nie miała pojęcia, co robić.

James nie potrafił powstrzymać chichotu. Laura cięła go na odlew palmowym liściem.

– Auu! To bolało! – zawył James, uciekając poza zasięg liścia na głęboką stronę basenu.

– I dobrze! Obaj jesteście seksistowskimi świniami!

Laura cisnęła liść na ziemię i popędziła do domu. James odczekał chwilę, na wypadek gdyby postanowiła wrócić, po czym znowu usiadł obok Dave'a.

– Już mi żal tego nieszczęśnika, który za parę lat zabuja się w twojej siostrze.

– Mnie też – zgodził się James. – Wszystkie dziewczyny to świruski.

*

O piątej rano do pokoju Jamesa wkroczyła Laura. Obudziła brata, bezceremonialnie wykręcając mu ucho.

– John mówi, żebyś ruszył wreszcie ten swój bezwartościowy tyłek.

James usiadł i podrapał się w głowę. Od wypadku Laura prawie się do niego nie odzywała, więc ucieszył się, kiedy nagle przyskoczyła do niego i objęła rękami jego spocone plecy.

– A co to niby ma znaczyć? – uśmiechnął się.

– Spróbuj nie zrobić niczego głupiego podczas tej misji, co? Jesteś idiotą, ale też jedynym bratem, jakiego mam.

James roześmiał się. Laura poczuła wyrzut sumienia, kiedy jej palec przesunął się wzdłuż strupka po uderzeniu palmowym liściem.

– Robię śniadanie na ciepło – powiedziała łagodnie. – Chodź na dół.

Kiedy James wyszedł spod prysznica i zszedł do kuchni, widok, jaki tam zastał, wstrząsnął nim do głębi. Laura z miną osoby całkowicie panującej nad sytuacją właśnie zsunęła na talerz trzy idealnie przyrumienione naleśniki. Na kuchence skwierczała jajecznica na bekonie.

– Pamiętam, jak gotowałaś, kiedy żyła mama – powiedział James. – Zwęglone szczątki na patelni i totalny chaos na szafkach. Gdzie się tego nauczyłaś?

– W kampusie, na kursach.

– Robisz się taka dojrzała... – James pokręcił głową z podziwem. – Ciągle mnie zaskakujesz. I już w ogóle nie prosisz o pomoc albo radę.

Laura zaczęła się śmiać.

– No co? – zaniepokoił się James.

– Nic. – Laura wzruszyła ramionami. – Tylko że...

Przerwała, a po chwili wydała z siebie pogardliwe prychnięcie.

– Prosić ciebie o radę... Też mi! Znalazł się pan chodząca dojrzałość.

Jamesa to zabolało.

– Jestem dojrzały – powiedział urażonym tonem.

– Cóż, skoro tak twierdzisz... – Laura uśmiechnęła się złośliwie.

James nie podjął sporu, bo zainteresował go biały samochód, który właśnie zatrzymał się na podjeździe. Był to radiowóz arizońskiej policji stanowej. Auto zakołysało się i uniosło, jakby wzdychając z ulgą, kiedy za otwartymi drzwiami kierowcy wyrosła masywna sylwetka Marvina Tellera. Tym razem miał na sobie bladożółty mundur i białe skórzane oficerki. Marvin nacisnął na głowę kowbojski kapelusz, podszedł do bagażnika i uchylił klapę. Rzeczywistość spadła na Jamesa niczym tona cegieł, kiedy Amerykanin wyjął z kufra dwa jaskrawopomarańczowe kombinezony, a potem jeszcze dwa łańcuchy, które zarzucił sobie na ramię.

Wszyscy zasiedli do stołu. Dave, John i Marvin rozpływali się nad kuchnią Laury i wcinali, aż im się uszy trzęsły. James zdołał przełknąć zaledwie kilka kęsów. Czuł, że żołądek fika mu koziołki. Wreszcie pobiegł do toalety na górze i ukląkł nad sedesem, ale nawet nie zdołał zwymiotować. Wszystko, czego dowiedzał się o realiach pobytu w więzieniu, dopiero teraz zaczęło naprawdę działać mu na wyobraźnię. Opłukał twarz zimną wodą i wziął kilka głębokich wdechów, żeby jakoś się opanować.

Kiedy wrócił do kuchni, John spojrzał na niego z niepokojem.

– Co się dzieje?

– Nerwy – wyznał James.

– Znasz zasady. Możesz wycofać się w dowolnym momencie i nie zostaniesz za to ukarany.

Prawdą było, że James nie zostałby ukarany. Ale prawdą było także to, że gdyby katapultował się z ważnej misji i zawalił ją na tym etapie, już nigdy nie dostałby następnej takiej szansy. Resztę swej kariery w CHERUBIE spędziłby, odbębniając rutynowe obserwacje, pozorowane włamania i rozpoznania zabezpieczeń. Nie zamierzał zmarnować całego wysiłku, jaki włożył w szkolenie i misje, tylko dlatego, że nagle ogarnął go strach.

– Damy radę – powiedział James, siląc się na beztroski ton. – Kiedy się zacznie, nie będę miał czasu się bać.

Po śniadaniu John i Laura zajęli się wstawianiem naczyń do zmywarki, a Marvin zabrał chłopców do salonu. Kazał im rozebrać się do naga, zdjąć zegarki i wszelką biżuterię. Skarpetki, majtki i koszulki zastąpili kompletami z przydziału więziennego. Bielizna pachniała środkiem odkażającym, ale plamy i rozdarcia w nieprzyjemny sposób przypominały o jej poprzednich użytkownikach.

Workowate kombinezony stanowiące wierzchnie odzienie Jamesa i Dave'a miały jaskrawopomarańczowy kolor, żeby więzień, który ucieknie z transportu, był jak najlepiej widoczny. Dwie pary z napisem „Więzienie Stanowe w Omaha" ściągnięto do Arizony specjalnie na tę okazję. Dodatkowo chłopcy musieli założyć żółte odblaskowe plastrony, podobne do koszulek z numerami, jakie zakładało się przed treningiem piłkarskim. Wydrukowany na nich wielkimi literami napis głosił: „Uwaga! Ryzyko ucieczki". Jedyną normalną częścią ubioru, jaką Marvin pozostawił chłopcom, były ich buty.

– Kiedy wam to założę, nie będzie przerw na toaletę – powiedział Amerykanin, potrząsając łańcuchami.

James i Dave pognali do łazienki na górze. Kiedy wrócili, na dywanie leżały dwa zestawy kajdan. James syknął z bólu, kiedy Marvin zatrzasnął mu na kostkach dolne obręcze.

– Musi być tak ciasno?

– Mają wpijać się w skórę, żeby nie mogły się przesuwać. Gdybym założył je luźno, ktoś zacząłby zadawać kłopotliwe pytania... Niżej ręce.

James poczuł dotyk zimnej stali na nadgarstkach. Zgrzytnęły zapadki. Łańcuch łączący górne bransolety z dolnymi nie pozwalał na uniesienie rąk wyżej niż tylko do pasa.

– Przejdź się po pokoju, a ja zajmę się Dave'em – powiedział Marvin. – Przemieszczanie się w takim kompleciku wymaga przyzwyczajenia.

*

Jednoosobowa cela aresztancka sądu w Phoenix miała krok szerokości i niecałe trzy długości. Za całe wyposażenie służył kranik z wodą do picia i brudny stalowy sedes. James minął ponad tuzin takich dusznych małych klitek, zanim wepchnięto go do jednej z nich, a sądząc po krzykach i hałasach dochodzących ze wszystkich stron, w budynku były ich jeszcze setki.

Chłopcy mieli stanąć przed sądem z samego rana, ale z jakiegoś powodu rozprawa opóźniała się i James wkrótce stracił poczucie czasu. Aresztantom nie wolno było mieć zegarków, a w celach nie było okien. James zgadywał, że kiedy przez kratę podano mu zawiniętą w przezroczystą folię kanapkę i butelkę coli, było już po dwunastej, ale od tego czasu minęło kilka godzin.

– Rose James – zagrzmiał niski kobiecy głos.

Przy kracie stanowiącej drzwi celi stanęła przysadzista strażniczka z podkładką do pisania w ręku. Miała czerwoną zmęczoną twarz i posklejane od potu włosy. James zerwał się z podłogi. Nogi nadal miał spętane, ale ręce rozkuto mu po przybyciu do sądu.

– Kajdanki – rzuciła szorstko strażniczka.

James podniósł kajdanki, wciąż przymocowane do bransolet na jego nogach, i położył je na małej metalowej półce w drzwiach służącej do podawania jedzenia.

– No już. Ręce – warknęła ponaglająco kobieta.

James zrozumiał, że oczekuje się od niego, by wysunął ręce nad półką, żeby strażniczka mogła założyć mu kajdanki. Zacisnęła je o ząbek dalej niż Marvin Teller – tak ciasno, że ścięgna w nadgarstkach bolały go przy każdym poruszeniu palcem.

– No i po co ta wściekła mina, mały?

Strażniczka poprowadziła go wzdłuż szeregu mikroskopijnych celi, a potem po schodach na drugie piętro gmachu sądu. Ta kondygnacja była klimatyzowana. James z rozkoszą wciągnął do płuc rześkie powietrze. Ucieszył się na widok Dave'a czekającego przed drzwiami sali rozpraw.

– Co tak długo? – zapytał.

Dave wzruszył ramionami.

– Akurat nam powiedzą.

Strażniczka zapukała do drzwi, odczekała kilka sekund, po czym przeprowadziła chłopców przez próg. James spodziewał się wielkiej, majestatycznej sali z szeregami drewnianych ław i tłumem ludzi w środku – jak na filmach. Ujrzał obskurny gabinet bez okien, z wystrzępioną wykładziną na podłodze, niewiele większy od jego pokoju w kampusie.

Pod wielkim, zawalonym papierami biurkiem widać było dwie stopy odziane jedynie w pończochy. Należały do siwowłosej sędzi, ze skupieniem sączącej kawę z papierowego kubka. Jej buty i torebka leżały na podłodze za masztem z amerykańską flagą. Z boku, przy mniejszym biurku, siedziała stenotypistka. W sali był też strażnik uzbrojony w strzelbę oraz dwaj prawnicy, z których jednego Dave i James poznali rano, zanim odprowadzono ich do cel. Prawnik wyjaśnił im wówczas, że w Arizonie, jeżeli pozwany wyrazi chęć przyznania się do winy, sprawę rozwiązuje się w ramach tak zwanej ugody obrończej. Obrona zawczasu ustala z oskarżeniem i sądem, jakie będą zarzuty i jaki zapadnie wyrok. Rozprawa jest czystą formalnością.

James i Dave stanęli w tylnej części pokoju, za czerwoną linią. Znak na ścianie obiecywał dziewięćdziesiąt dni więzienia dla każdego aresztanta, który odważy się ją przestąpić.

– W porządku – westchnęła sędzia, zerkając szybko na zegarek. – Późno się zrobiło. Miejmy to już za sobą. James i David Rose'owie przeciwko stanowi Arizona, sprawa numer sześć-zero-jeden-dziewięć-dziewięć. Nieletni sądzeni jak dorośli za rabunek i zabójstwo. Obrona zaproponowała przyznanie się do rabunku i zabójstwa drugiego stopnia i wyrok osiemnastu lat więzienia. Czy oskarżenie akceptuje te warunki?

Oskarżyciel skinął głową.

– Tak, wysoki sędzie.

– Znakomicie – powiedziała sędzia. – A zatem skazuję Jamesa i Davida Rose'ów na osiemnaście lat pozbawienia wolności.

Stuknął młotek. Prawnicy pochylili się ku sędzi, żeby uścisnąć jej dłoń. James spojrzał na wiszący na ścianie zegar i uświadomił sobie, że pocił się w ciasnej celi przez cały dzień tylko po to, by wziąć udział w rozprawie, która nie trwała nawet trzech minut.

13. INICJACJA

Autobus do Arizona Max miał zakratowane okna i uchylną przegrodę z metalowej siatki blokującą dostęp do wyjścia. Dwaj klawisze uzbrojeni w strzelby siedzieli z przodu zwróceni twarzami do więźniów. Pasażerów był zaledwie tuzin, choć autobus bez trudu pomieściłby pięćdziesięcioro.

James i Dave jechali w tylnej części kabiny, dwie kobiety posadzono w środku, a mężczyzn z przodu pojazdu. Uwagę wszystkich przykuł olbrzym z długą rudą brodą, którego wprowadzono jako ostatniego i unieruchomiono za pomocą obejmy ze stalowej rury.

James obejrzał się na siedzącego za nim Dave'a.

– Ja cię sunę, ciekawe, co on zrobił.

Po drugiej stronie kabiny siedział ostatni z trzech nieletnich w autobusie: wątły chudzielec, który przedstawił się jako Abe. Nie był wyższy od Jamesa i tylko kępki zarostu na jego twarzy sugerowały, że chłopak może mieć już siedemnaście lat.

– To Chaz Wallerstein – oznajmił Abe takim tonem, jakby to powinno znaczyć coś więcej.

James i Dave patrzyli wyczekująco.

– No wiecie... Ten, który napadł na bank i wziął zakładników. Postrzelił piętnaście osób, zabił jedenaście. A wy skąd się urwaliście, z Marsa? Telewizji nie oglądacie?

James wygładził kombinezon tak, żeby było widać słowo Omaha.

– Trzymali nas w pojedynkach.

Abe uśmiechnął się.

– Mars, Nebraska, jeden pies... Ale wiecie co, jak klawisze zobaczą te odblaskowe śliniaczki, to nie będzie wam fajnie.

*

Więzienie Arizona Max wybudowano w 2002 roku w odpowiedzi na problem błyskawicznego wzrostu populacji więziennej. Była to uniwersalna placówka zdolna pomieścić sześć tysięcy pięciuset osadzonych w czternastu pawilonach w kształcie litery H. Dziewięć bloków zajmowali dorośli mężczyźni, dwa przeznaczono dla kobiet i dwa na oddział o dodatkowo zaostrzonym rygorze (supermax) dla najgroźniejszych przestępców, zawierający także korytarz śmierci. W ostatnim bloku mieścił się oddział dla nieletnich, gdzie siedziało blisko trzystu chłopców, którzy nie ukończyli jeszcze osiemnastu lat.

Rozległy teren więzienia zajmujący tysiące akrów pustyni otaczały trzy elektryczne płoty i dwa wysokie na dziesięć metrów zwoje drutu kolczastego. Do środka prowadziło tylko jedno wejście.

Autobus wiozący Jamesa i Dave'a przekroczył pierwszą bramę i zatrzymał się przed drugą na małym placyku otoczonym dwudziestometrowymi ścianami. Zewnętrzną bramą sterował personel strażnicy umieszczonej poza granicami więzienia; wewnętrzną otwierał dyżurny z wartowni na terenie Arizona Max. System ten dawał pewność, że więźniowie nie uciekną, nawet jeżeli zdołają obezwładnić wszystkich strażników wewnątrz więzienia.

Dopiero gdy wrota za autobusem zamknęły się na głucho, zwolniła się blokada, która umożliwiała strażnikom otwarcie bramy prowadzącej do więzienia. Kiedy pojazd przetoczył się obok wartowni, James przykleił nos do szyby, chcąc obserwować sunące za oknem głuche betonowe ściany więziennych bloków. Patrzył na więźniów na otoczonych drucianą siatką wybiegach wokół każdego budynku, czuwających na dachach strażników z bronią gotową do strzału i maleńkie sylwetki ludzi wewnątrz klimatyzowanych wież wartowniczych rozstawionych wzdłuż ogrodzenia w kilkusetmetrowych odstępach.

Autobus zatrzymywał się przy poszczególnych blokach, gdzie strażnicy wyprowadzali więźniów. Mężczyźni wysiedli pierwsi. Po nich znikły kobiety, a następnie przy oddziale supermax wysadzono Chaza Wallersteina, by pod silną eskortą odprowadzić go do pojedynczej celi przy korytarzu śmierci. Ostatnim przystankiem był oddział dla nieletnich położony ćwierć mili dalej, za rozległą połacią nagiej ziemi przeznaczonej pod budowę kolejnych bloków.

Nogi każdego więźnia były skute krótkim łańcuchem uniemożliwiającym sprawne poruszanie się. Oznaczało to także, że z autobusu można było wyjść, jedynie zeskakując obiema nogami ze stopnia. Abe, który zdecydowanie nie robił wrażenia wysportowanego, przy zeskoku stracił równowagę. Jeden z klawiszy podniósł go z ziemi i z furią cisnął na siatkę ogrodzenia.

– Trzymaj pion, do cholery, bo skopię ci dupę!

Dwaj klawisze pchnęli chłopców przez siatkową furtkę w stronę bloku. Dwukondygnacyjny budynek zbudowano z prefabrykowanych betonowych segmentów, pokryto płaskim blaszanym dachem i rozmyślnie wyposażono w okna węższe od ludzkiego ciała. Stalowe drzwi prowadziły do raczej spartańskiej recepcji z długą ladą ze sklejki na środku i prysznicami pod boczną ścianą. Za ladą stał czarnoskóry więzień, wyglądający mniej więcej na piętnaście lat.

Klawisz zdjął Jamesowi łańcuchy, po czym kazał mu się rozebrać i wejść pod prysznic. Drugi potrząsnął mu nad głową pudełkiem z zielonym proszkiem odkażającym i wręczył mocno zużyte mydło.

Jamesowi było trochę żal Abe'a, który dreptał w kółko pod sąsiednim natryskiem. Chłopak praktycznie nie miał mięśni, a jego ręce i nogi wyglądały jak kijki. W bójce nawet Laura rozłożyłaby go w trzy sekundy. Dla więziennych oprychów nie był nawet lekką przekąską.

– Nie mam całego dnia! – wydarł się strażnik, brutalnie wyciągając Jamesa spod natrysku i wciskając mu ręcznik.

James przyłożył ręcznik do twarzy i odkrył, że jest wilgotny i zatęchły, jakby używano go często i od dawna. Tymczasem strażnik naciągnął na dłonie cienkie gumowe rękawiczki i wyjął z kieszeni na piersi malutką latarkę.

– Twarzą do ściany!

Klawisz rozpoczął rewizję od dołu, każąc Jamesowi podnieść jedną, a potem drugą stopę, żeby obejrzeć podeszwy i sprawdzić przestrzenie między palcami. Następnie kazał mu rozchylić pośladki, po czym zaświecił mu latarką także pod pachy, a na koniec zajrzał za uszy i energicznie przeczesał palcami czuprynę, upewniając się, że osadzony nie ukrył niczego we włosach.

– Twarzą do mnie!

Klawisz poświecił Jamesowi w oczy, nos i usta, nie zapominając zajrzeć pod język i przejechać palcem wokół dziąseł. Potem kucnął, by zbadać zawartość pępka, kazał unieść penis, jądra i wreszcie ściągnąć napletek na wypadek, gdyby kryło się pod nim jakieś niebezpieczne narzędzie. Kiedy skończył, wstał i klepnął Jamesa w pośladek.

– Dobra, ubieraj się.

Czarny dzieciak za ladą położył na niej trzy komplety więziennych ciuchów. Ubrania, w których przyjechali, zniknęły. Drugi strażnik uniósł w wyciągniętej ręce dwa żółte „ryzyka ucieczki" i Jamesa ogarnęły złe przeczucia.

– Czy wiesz, ilu więźniom udało się zbiec z tego więzienia, Jamesie Rose? – zapytał tłusty, mały człowieczek o nazwisku Frey.

James nie chciał go drażnić, dlatego skłamał.

– Nie, proszę pana.

– Nikomu nigdy nie udało się uciec z Arizona Max – oznajmił Frey, robiąc krok naprzód i wbijając obcas w bosą stopę Jamesa. – Zrozumiano?

– Tak, proszę pana – powiedział James, zdecydowany nie okazać bólu.

Frey cofnął nogę, odsłaniając czerwony odcisk na stopie chłopca. James włożył poplamione więzienne bokserki i koszulkę. Wierzchnie odzienie stanowiły szare bawełniane szorty i workowata pomarańczowa koszulka polo z napisem: „Ryzyko ucieczki".

– Skoro zaklasyfikowano was jako stwarzających ryzyko ucieczki, musicie wkładać tę pomarańczową koszulkę zawsze, gdy wychodzicie z celi – wyjaśnił czarnoskóry. – Jeśli złapią was bez niej, wrzucą do dziury i zadepczą.

Po włożeniu koszulki James zerknął pod ladę i odkrył, że jego najki wymieniono na parę wiotkich bawełnianych kapci.

– Tylko więzienne manele – oznajmił chłopak za ladą. – Nie wolno wam mieć niczego z zewnątrz z wyjątkiem waszych papierów i dwóch rodzinnych fotografii. Wszystko inne musicie kupować w kwatermistrzostwie.

Chodziło o rodzaj sklepu wysyłkowego dla więźniów. James czytał o tym w regulaminie. Z ponurą miną zgarnął z blatu swoje skromne mienie: identyfikator ze zdjęciem i numerem więźnia, broszurkę z regulaminem, wyświechtany ręcznik, pościel, bokserki na zmianę, koszulkę, plastikowy kubek, szczoteczkę do zębów, pastę, kostkę mydła i rolkę papieru toaletowego.

14. CELA

Trzydziestu lokatorów celi T4 przerwało swoje zajęcia, by przyjrzeć się trzem nowym więźniom, którzy właśnie przekroczyli jej próg. Pomarańczowe koszulki „ryzyko ucieczki" wzbudziły wyraźne poruszenie. Ktoś krzyknął:
– To kiedy dzida za mur?
Dave uśmiechnął się krzywo.
– Za tydzień we wtorek. A co, chcesz się zabrać?
W celi było głośno. Osadzonym wolno było kupować radia i małe czarno-białe telewizorki. Każdy odbiornik grał coś innego, próbując zagłuszyć wszystkie pozostałe.
Jeszcze bardziej uderzał zapach. Dwa wentylatory w ścianach na obu końcach celi były bezradne wobec żaru bijącego od blaszanego dachu opiekanego słońcem przez cały dzień. Temperatura sięgała czterdziestu stopni. Było zupełnie jak pod pachą kogoś, kto nigdy się nie myje.
Na środku celi było sześć wolnych prycz. James i Dave znali nazwiska wszystkich współwięźniów, wiedzieli, jakie popełnili zbrodnie i jakie odsiadywali wyroki, ale jeden rzut oka na wnętrze celi dał im więcej istotnej wiedzy niż wszystkie materiały przygotowawcze, jakie przeczytali.
Curtis Oxford zajmował pryczę przy samym wejściu. Sąsiadowała ona z pryczami kilku napakowanych, ogolonych na łyso białych drabów. Przestrzeń wokół ich szafek była zawalona osobistymi rzeczami. Oprócz więziennych ciuchów, które wyglądały jak nowe, mieli na sobie markowe

buty i bluzy, co było naruszeniem regulaminu. Im bliżej środka celi, tym mizerniej wyglądali więźniowie i ich boksy, aż dochodziło się do zabiedzonych dzieciaków, które nie miały niczego prócz przerażonej miny i sfatygowanego więziennego wdzianka.

Puste łóżka w połowie długości pomieszczenia wyznaczały linię podziału rasowego. Za nią radia i głosy mówiły głównie po hiszpańsku. Tutaj wszyscy więźniowie byli Latynosami, a grupa boksów na końcu celi stanowiła śniadolice odbicie strefy przy wejściu, zaludniona przez największych i najgroźniejszych typów paradujących w markowych ciuchach.

Wyeksmitowanie kogoś z boksu nie wchodziło w grę, więc James i Dave nie mieli innego wyjścia, jak tylko zająć dwie sąsiadujące ze sobą prycze w środkowej części celi. Abe rozgościł się pod przeciwległą ścianą. James rozłożył prześcieradło i koc na plastikowym materacu, schował resztę swoich rzeczy w szafce i runął ciężko na łóżko.

*

Po kilku godzinach głośne rozmowy i głosy rywalizujących ze sobą odbiorników zaczęły rozmiękczać Jamesowi mózg. Była siódma wieczorem i jak dotąd za najbardziej ekscytujące wydarzenie należało uznać pojawienie się więźnia z kolacją na wózku. Każdy dostał papierową torbę zawierającą kanapki, kwartę mleka z nadwyżek żywnościowych i dwa czekoladowe ciasteczka.

Według Marka – dzieciaka z podbitym okiem, który zajmował pryczę obok Jamesa – lunch był jedynym gorącym posiłkiem w ciągu dnia. Aby zaoszczędzić na kosztach budowy dużej stołówki, jedzenie serwowano w dwudziestominutowych turach od jedenastej do czwartej po południu w niedużym budynku na blokowym wybiegu.

Tak jak większość nastoletnich chłopców James był wiecznie głodny. Teraz żałował, że rano zabrakło mu apetytu na naleśniki Laury. Kanapka w sądzie była tak odrażająca, że większość wyrzucił, a poczęstunek w Arizona Max okazał się jeszcze gorszy: spocony ser z brązową sałatą i rzadkim majonezem przeciekającym przez chleb.

– Nie jesz? – zapytał Dave i nie czekając na odpowiedź, zgarnął kanapkę ze ścianki pomiędzy pryczami.

– Ten majonez mnie przeraża.

Podczas gdy Dave opychał się kanapkami, James popatrzył smętnie do pustego wnętrza papierowej torby i odgryzł rożek swojego ostatniego ciastka.

– Dasz mi jedno ciastko za kanapkę? – zapytał po chwili.

– Nie da rady – odparł Dave, oblizując oleistą strużkę, która pociekła mu po brodzie.

– Hej, no co ty – nie ustępował James. – To dobry interes: jedno małe ciastko za całą kanapkę.

– Ale ja już je zjadłem – powiedział Dave.

James ze złością opadł na materac. Wszystko, co jadł tego dnia, to dwa ciasteczka i kilka wmuszonych w siebie kęsów podłej kanapki. Zaczynał dopadać go wilczy głód i wiedział, że w nocy będzie jeszcze gorzej.

– Dostałeś blankiet zamówienia? – spytał Dave. – Jest w torbie z żarciem.

James znalazł złożoną na czworo kartkę i ogryzek ołówka, zbyt krótki, aby można nim było kogoś dźgnąć. Zerknął na numer więźnia wypisany odręcznie w nagłówku, i zaczął czytać regulamin zakupów wydrukowany na odwrocie.

Aby ukrócić rozboje, hazard i handel narkotykami, więźniowie nie mogli posiadać gotówki. Każdemu osadzonemu zakładano konto, na które krewny bądź przyjaciel z zewnątrz mógł wpłacać do pięćdziesięciu dolarów tygodniowo. Co tydzień więzień otrzymywał formularz, na którym zaznaczał rzeczy, które chciał zamówić. Oczywiście wartość zamówienia nie mogła przekroczyć sumy na koncie.

Lista artykułów liczyła setki pozycji: od minitelewizorów za dziewięćdziesiąt dziewięć dolarów po karty telefoniczne, papierosy, pianki do włosów, ciastka z truskawkami i czekoladowe babeczki z masłem orzechowym.

Według wpisu na blankiecie Jamesa stan jego konta wynosił sto trzy dolary i siedemnaście centów. Na kwotę tę składało się dwadzieścia dolarów przyznawanych każdemu młodocianemu przez Towarzystwo Pomocy Więźniom oraz osiemdziesiąt trzy dolary i siedemnaście centów przelanych z więziennego konta w Nebrasce – przynajmniej według oficjalnej wersji.

Przy łóżku Jamesa wyrósł Abe z ciastkiem w jednej dłoni i formularzem w drugiej.

– Nie jestem głodny – oświadczył, uśmiechając się znacząco, jakby potrzebował przysługi.

– Dzięki – rzucił James, przełamując ciastko i wpychając sobie połówkę do ust.

– Nic z tego nie kumam – powiedział Abe, machając formularzem.

James wyjął mu papier z ręki i zaczął objaśniać zasadę składania zamówień w kwatermistrzostwie. Na koncie Abe'a było tylko dwadzieścia dolarów od Towarzystwa.

– Musisz pogadać z mamą, czy kogo tam masz, i powiedzieć, żeby co tydzień wpłacała ci na konto pieniądze – powiedział James. – Na początek zamów kartę za dziesięć dolarów, żebyś mógł do niej zadzwonić.

– A to? – spytał Abe, przesuwając palcem wzdłuż listy artykułów.

– Odhaczasz rzeczy, które chcesz mieć, oddajesz formularz, a parę dni później odbierasz paczkę.

– Pomożesz mi wybrać? Nie czytam zbyt dobrze.

James wziął do ręki ołówek i zaznaczył pole przy karcie telefonicznej. Kiedy znów spojrzał w górę, zobaczył dwóch osiłków najwyraźniej zmierzających w jego stronę. Bezgotówkowy system zakupów miał zapobiegać rabunkom i wymuszeniom, ale w rzeczywistości jedyne, czego dokonał, to przemiana formularzy w specyficzny rodzaj waluty.

Na Raymonda i Stanleya Duffów widok dwóch świeżaków z formularzami zakupowymi podziałał tak samo jak zapach krwi na rekina. Rudowłosi bracia raczej nie należeli do blokowej elity, ale byli wystarczająco twardzi, aby trzymać się blisko pierwszych miejsc w kolejności dziobania. Raymond miał piętnaście, Stanley szesnaście lat, wielcy, z obwisłymi brzuchami wylewającymi się z przymałych szortów. Odsiadywali dożywocie za uprowadzenie i zamordowanie ośmioletniej dziewczynki. Niemal wszyscy współwięźniowie Jamesa byli zabójcami, ale ta zbrodnia, kiedy o niej czytał, poruszyła go wyjątkowo mocno.

– Pomożemy chudemu z jego formularzem – wyszczerzył się Raymond i wyciągnął rękę, chcąc wyrwać Jamesowi papier.

– Raczej obrobicie go do czysta – odparł James, zabierając papier z zasięgu napastnika i szybko przeskakując na drugą stronę łóżka.

Raymond zacmokał i pokręcił głową.

– Nie radzę ci z nami zadzierać.

Dave wstał i zastąpił drogę rudzielcom.

– Tylko spróbujcie tknąć mojego brata.

Na pierwszy rzut oka było widać, że tam, gdzie Dave ma muskuły, Stanley jest wyłącznie obrośnięty sadłem, ale wyciąganie logicznych wniosków nie było mocną stroną braci. Stanley zamachnął się obwisłym ramieniem. Uderzenie mogłoby zaboleć, ale zanimby nastąpiło, wyszkolony agent CHERUBA zdążyłby usiąść i obciąć paznokcie. Dave bez trudu uniknął ciosu, po czym wbił łokieć w brzuch napastnika, a kiedy ten zgiął się wpół z bólu, kopnięciem ściął go z nóg.

Przypomniawszy sobie, co Scott mówił o ostrym reagowaniu, James bez namysłu rzucił się na Raymonda. Grubas zaczął cofać się przez alejkę, zasłaniając się rękami przed gradem celnie wymierzonych ciosów. Wreszcie potknął się i z krwawiącym nosem i rozciętą wargą runął na łóżko Abe'a. James skoczył na niego i nogami przycisnął mu ręce do boków. Przed oczami miał piegowatą twarzyczkę zamordowanej dziewczynki. Kipiąc wściekłością, jedną dłonią ścisnął przeciwnikowi szyję i uniósł pięść ze szczerym zamiarem strzaskania mu szczęki.

– Dość! – krzyknął Dave.

Do Jamesa dotarło, że przesadził. Nie stawiał oporu, kiedy Dave odciągał go na jego łóżko. Po drodze musieli przestąpić nad Stanleyem, który wciąż leżał na podłodze, nie mogąc wyjść z szoku.

– Przepraszam – sapnął James.

– Na górze – zawołał ostrzegawczo jeden z Latynosów.

James spojrzał w górę i ujrzał klawisza wychodzącego na metalowy pomost, który biegł przez całą długość celi nad pryczami po stronie Abe'a.

– Obchód na baczność! – wrzasnął strażnik.

James i Dave nie wiedzieli, co to znaczy, ale w celi nagle się zagotowało. Wszyscy zerwali się na równe nogi, wyłączyli radia i telewizory i stanęli przed swoimi pryczami gotowi do liczenia. Zrozumiawszy, co się dzieje, James i Dave zrobili to samo. Stanley Duff zdołał dowlec się do siebie, ale Raymond wciąż kulił się na łóżku Abe'a, chowając twarz w dłoniach i jęcząc z bólu. Klawisz wychylił się przez barierkę pomostu i uważnie przyjrzał się leżącemu.

– Wszyscy na baczność! – krzyknął. – Kto się poruszy albo otworzy mordę, idzie na dwa dni do dziury.

Klawisz energicznym krokiem podszedł do końca pomostu i złapał słuchawkę telefonu. Gdyby groźba wtrącenia do malutkiego karceru nazywanego dziurą okazała się niewystarczająca do utrzymania posłuchu wśród więźniów, przy wejściu na pomost wisiała szafka zawierająca granaty

ogłuszające oraz strzelby przystosowane do miotania po-
jemników z gazem łzawiącym i gumowych pocisków.

Chłopcy stali na baczność przez kwadrans, czekając na
dwóch więźniów z obsługi szpitala. Kiedy Raymond został
przełożony na nosze i znikł za drzwiami, strażnik rzucił ko-
mendę: „Spocznij". Do celi wrócił ruch, zagadały radia i telewizory.

James spojrzał na plamy krwi na swoich rękach, a potem
na Dave'a, spodziewając się czegoś na kształt reprymendy.

– Cóż... – odezwał się Dave, unosząc jedną brew. – No
to chyba wszyscy już wiedzą, że przybyliśmy.

15. TAKTYKA

Wyjście do łazienki oznaczało przeprawę przez terytorium Latynosów. James i Dave przeszli alejką między pryczami, po drodze przestępując nad partyjką kości i grzecznie przepraszając tych, którzy stali im na drodze. Mały śniady czternastolatek utrzymywał łazienkę w nienagannej czystości. Wszyscy wołali na niego Wim, co było skrótem od wiadro i mop. W zamian za te usługi Wima otaczali opieką najtwardsi Latynosi, którzy spali blisko wejścia do łazienki i nie chcieli, żeby nękały ich nieprzyjemne zapachy.

James skorzystał z pisuaru, umył ręce i twarz, po czym przypomniał sobie, że miał sprać krew także z koszulki. Ściągnął ją przez głowę, nie zwracając uwagi na nadąsanego Wima, który burczał coś na temat rozbryzgów wokół pisuarów. James nie wziął ze sobą mydła, więc jedyne, co mógł zrobić, to zaprać plamy zimną wodą. Kiedy skończył, wyżął koszulkę i ruszył w stronę wyjścia.

– Lubimy, kiedy nasze kible są czyste – powiedział uśmiechnięty Latynos.

Cezar był ogromny. Nosił czarną bluzę FILA i złoty łańcuch na szyi. Oparte o framugę włochate ramię blokowało wyjście z łazienki.

– Szanujcie nasze kible, to my będziemy szanować was – powiedział Cezar.

Dave skinął głową.

– Nie mamy z tym problemu.

– A ty... – Cezar złapał Jamesa za nagie ramię i przyjaźnie uścisnął. – Nieźle poskładałeś tego dzieciobójcę. I dobrze. Daj koszulkę Wimowi, to ci ją upierze. Ma proszek mydlany. Powiesi przy wiatrakach i na rano będziesz miał suchą.

James wręczył mokrą koszulkę Wimowi i skinieniem głowy podziękował Cezarowi, który zdjął dłoń z framugi, żeby wypuścić chłopców z łazienki.

Cezar obejrzał się na swoich adiutantów.

– Mamy jeszcze cytrynową miękkość?

Adiutant sięgnął pod łóżko i wydobył dwie cytrynowo-żółte rolki papieru toaletowego.

– Wielkie dzięki, Cezar – powiedział Dave, przyjmując podarunek.

– Więzienny to masakra dla tyłka – wyszczerzył się olbrzym. – Potrzebujecie czegoś jeszcze?

Dave potrząsnął głową.

– Jest spoko.

– Twarda z was parka – ciągnął Cezar. – Nie czepiajcie się moich ziomków, to nie będzie między nami prob...

– Nie macie może czegoś do żarcia? – wypalił James. – Oddam, jak dostanę paczkę z zamówieniem.

Dave rzucił Jamesowi ostrzegawcze spojrzenie mające znaczyć: „Nie przeciągaj struny", ale Cezar tylko roześmiał się hałaśliwie, po czym wyjął ze swojej szafki na wpół roztopionego snickersa i małą puszką pringlesów o smaku kwaśnej śmietanki.

– Cudnie – jęknął James z zachwytem.

James ściągnął pokrywkę z pudełka pringlesów, jeszcze zanim dotarli do swoich boksów.

– Wygląda na miłego gościa – powiedział, z ustami pełnymi chipsów waląc się na pryczę.

Dave się uśmiechnął.

– Nie daj się zwieść. Cezar chce tylko rozdrażnić skinów.

– Jak to?

– Chodź tutaj.

James przeskoczył ściankę działową i usiadł obok Dave'a, żeby nikt nie mógł słyszeć ich rozmowy.

– Widzisz... Wygląda na to, że odbywa się tu nieustający konkurs sikania w dal pomiędzy Latynosami z tej strony a białasami z tamtej.

– To widać. – James skinął głową. – Trudno to nazwać przykładem harmonii rasowej, co?

Twarz Dave'a rozjaśnił przelotny uśmiech.

– Elwood i Kirch to przywódcy białego stada, a my stanowimy dla nich zagrożenie. Wkrótce zobaczą Wima piorącego twoją koszulkę, zobaczą naszą miękką srajtaśmę i ciebie napychającego sobie gębę przysmakami od Latynosów. Jeśli Elwood i Kirch pomyślą, że kumplujemy się z Cezarem, przestraszą się, że możemy zacząć podkopywać ich władzę w białej części celi.

– Nie możemy po prostu do nich podejść, wyciągnąć ręki i powiedzieć, że nie chcemy kłopotów?

Dave potrząsnął głową ze zniecierpliwieniem.

– Jeśli tam podejdziemy, będzie wyglądało, że się boimy. Jeżeli mamy przekonać Curtisa, żeby z nami uciekł, musimy zdobyć jego szacunek, a to może się nam udać tylko pod warunkiem, że Elwood i Kirch też będą nas szanować.

– No to co robimy? – zapytał James po chwili milczenia.

– Cóż... – powiedział Dave, uśmiechając się z przekąsem. – Nie trzeba być taktycznym geniuszem, żeby się tego domyślić, nie sądzisz?

James westchnął z irytacją.

– No więc nie jestem taktycznym geniuszem. Po prostu mi powiedz.

– Posłałeś do szpitala młodszego braciszka Stanleya Duffa. Możesz być pewien, że ten głąb spróbuje się na nas odegrać, i wątpię, żeby Elwood i Kirch wyłożyli karty, zanim zobaczą, jak sobie z tym poradzimy.

– Jasne – uśmiechnął się James. – Czyli musimy załatwić Stanleya.

– Nie. Jeśli będziemy zbyt agresywni, Elwood i Kirch mogą się spłoszyć. Poczekamy, aż Stanley sam do nas przyjdzie. Wie, że w otwartym starciu nie da nam rady, więc spróbuje podejść nas z zaskoczenia. Pewnie z nożem.

– Myślisz, że uda mu się zdobyć kosę?

Dave kiwnął głową.

– To raczej nie sprawi mu trudności. Nie widzisz, ile tu kontrabandy?

– Jak myślisz, kiedy spróbuje?

– Prawdopodobnie dziś w nocy. Trzeba będzie spać na zmianę. Jak dziś uda się zdjąć Stanleya, to jutro na spacerniaku wyjaśnimy sobie parę spraw z Elwoodem i Kirchem. Damy do zrozumienia, że nie zamierzamy wskakiwać do łóżka Latynosom i chcemy dla siebie tylko należny kawałek tortu. Potem możesz zaprzyjaźniać się z Curtisem.

– Zakładając, że do jutra nikt nie wypruje nam flaków – powiedział James, po czym przechylił puszkę po chipsach, by wsypać sobie do ust okruchy.

– Na wszelki wypadek zaostrz koniec szczoteczki do zębów o beton i nie wypuszczaj jej z ręki nawet w łóżku.

16. ŚPIOCH

Po liczeniu więźniów o wpół do jedenastej zgaszono światła. Żeby strażnicy widzieli, czy osadzeni nie kopią tunelu
albo nie zabijają się nawzajem, świetlówki w rzędzie bieg-
nącym przez środek sufitu zawsze pozostawiano włączone.
Dawały wystarczająco dużo światła, by można było przy
nich czytać. Większość telewizorów i radioodbiorników
wciąż działała, a ich głosy mieszały się z gwarem rozmów
i odgłosami sprzeczek przy grze w kości.

Hałas ucichł dopiero po północy, ale James wciąż miał
wrażenie, że jest w piekle. Siedział na łóżku oparty plecami o ścianę, wpatrując się tępo w krople potu spływające
mu po piersi. W każdej chwili po skórze łaziła mu przynajmniej jedna skrzydlata kropka, podczas gdy setki większych insektów wolało spędzić noc na tłuczeniu głową we
fluorescencyjne lampy pod sufitem.

James przez chwilę mocował się z prześcieradłem, ale
było już tak mokre i beznadziejnie splątane, że cisnął je
w końcu na podłogę. Zgrzany i zły wbił wzrok w białe ślady na lśniącym plastiku materaca. Wcześniej na to nie
wpadł, ale teraz uświadomił sobie z obrzydzeniem, że to
zaskorupiała sól z wyschniętego potu poprzednich lokatorów boksu. Wyciągnął głowę, żeby zerknąć ponad przegrodą
między pryczami. Dave przykrył oczy ręcznikiem i chrapał
w najlepsze od za kwadrans jedenasta. James przypomniał
sobie, że jego mama nazywała takich ludzi śpiochami. Lau-

ra też taka była: zasypiała w mgnieniu oka, czy to na tylnym siedzeniu samochodu, czy na kanapie w jakimś obcym domu. James tego nie potrafił, chyba że był skrajnie wyczerpany albo chory. Potrzebował przyzwoitego łóżka z miękką poduchą i kołdrą, której rożek mógłby wcisnąć sobie pod brodę.

– Dave... – szepnął James, szturchając palcem swojego niby-brata.

Dave uniósł się na łokciu, postękując cicho. Z półotwartych ust zwisała mu nitka śliny.

– Dave, obudź się na chwilę. Muszę się odlać.

Podczas gdy Dave wciąż przecierał zaspane oczy, James włożył zaostrzoną szczoteczkę do zębów za gumkę szortów i ruszył w stronę łazienki. Alejka między pryczami była pusta, ale jeszcze nie wszyscy spali. Nad kilkoma pryczami ściany migotały od ekranów minitelewizorków, tym razem albo emitujących dźwięk przez słuchawki, albo ściszonych do szmeru.

Upłynęła dłuższa chwila, zanim oczy Jamesa przyzwyczaiły się do jasnego światła w łazience. Przy środkowym zlewie stał jeden z młodszych Latynosów, który jedną ręką opierał się na dźwigni kranu, a drugą ochlapywał sobie pierś. Kiedy James stanął nad pisuarem, wydało mu się, że słyszy chlipnięcie. Kiedy podszedł do zlewu, żeby umyć ręce, dzieciak chlipnął znowu.

– Nic ci nie jest...? Jezu! – James cofnął się o krok, kiedy chłopak odwrócił się do niego.

Latynos miał na piersi paskudną oparzelinę otoczoną kręgiem czarnej spalenizny o średnicy plastikowego kubka w dłoni Jamesa. Skóra wewnątrz była cała w ociekających ropą pęcherzach.

– Mojego młodszego brata rozbolał ząb – wyjaśnił dzieciak, łykając łzy. – Babcia zapłaciła dentyście, zamiast uzupełnić moje konto, no i nie oddałem Cezarowi mojego długu.

Jamesa ogarnęło przerażenie, kiedy uświadomił sobie, że ten koszmar wydarzył się tego wieczoru zaledwie o kilka metrów od niego. W całym tym zgiełku można krzyczeć w agonii i nikt by tego nie usłyszał.

– Ale... jak? – wykrztusił James.

– Specjalność Cezara. Odcina dno kubka i wsypuje zapałki. Potem dociska ci kubek do skóry i podpala.

– Jezu...

James przypomniał sobie, że jest na terytorium Latynosów. Gdyby do łazienki wszedł jeden z kumpli Cezara, na pewno chciałby wiedzieć, dlaczego ktoś wtyka nos w nie swoje sprawy. James nacisnął kran, spryskał się wodą dla ochłody, a na koniec napełnił kubek, żeby mieć co pić w łóżku.

– Przykro mi – powiedział niepewnie, zatrzymując się na chwilę przy drzwiach.

Dzieciak zdobył się na słaby uśmiech.

– Nie tak bardzo jak mnie.

Wracając do łóżka, James wzdrygnął się na myśl o tym, jak straszliwie musiało boleć to oparzenie. Nagle coś wielkiego i ciężkiego runęło mu na plecy. Miękkie ramiona oplotły mu brzuch i James gruchnął na posadzkę między dwiema pryczami. Stanley Duff usiadł mu na piersi.

– Za mojego brata – oznajmił teatralnie, wyciągając z szortów dwudziestocentymetrowe ostrze wykonane z metalowej płytki.

– Pomocy! – zawył James, uświadamiając sobie, że Dave musiał zasnąć na posterunku.

Ostrze ugodziłoby Jamesa w szyję, gdyby nie znalazł w sobie siły, żeby w ostatniej chwili szarpnąć się w bok. Przed następnym ciosem zdołał złapać Stanleya za nadgarstek. Zaczęli się siłować.

– Dave, na miłość boską, pomóż mi...

W przelocie mignęły mu nogi Abe'a pędzącego przez alejkę do pryczy Dave'a. Stanley, który był znacznie cięższy od Jamesa, zaczął wygrywać walkę o uwolnienie nadgarstka z uścisku i zadanie drugiego pchnięcia. W końcu udało mu się. Uwolnione ostrze drasnęło Jamesa w dłoń. Twarz Stanleya rozciągnęła się w złym uśmiechu. James sięgnął po swoją zaostrzoną szczoteczkę, ale gdy ostrze uniosło się po raz trzeci, dostrzegł lukę, o jakiej marzył za każdym razem, kiedy leciał na matę podczas treningu walki wręcz. Wyrzucił dłoń przed siebie, wbijając jej nasadę w podbródek przeciwnika. Głowa Stanleya odskoczyła do tyłu z suchym trzaskiem zderzających się kręgów.

Dave był już przytomny i właśnie zrywał się do szarży. Runął na Stanleya i zmiótł go z Jamesa w tej samej chwili, w której świetlówki nad pryczami zaczęły migotać. Zaraz potem rozległ się dźwięk, jaki mógłby wydać olbrzymi korek strzelający z gigantycznej butelki szampana. Huk odbił się echem od ścian celi, pociągając za sobą krzyk bólu, z jakim Dave potoczył się na łóżko za sobą. Z góry dobiegał tupot biegnących po pomoście strażników.

– Rozejść się!

Kątem oka James zauważył strażnika i wielką strzelbę na gumowe pociski cofającą się od odrzutu po drugim wystrzale. Pocisk trafił Stanleya w pośladek, rzucając go głową naprzód na ścianę celi, po czym odbił się rykoszetem od ramy łóżka i rąbnął Jamesa w udo.

– Z dala od siebie! Ale już!

Bojąc się, że zostanie kolejnym celem, James podniósł się i walcząc z bólem zdrętwiałego uda, pokuśtykał na środek alejki.

– Zliczanie na baczność! Zliczanie na baczność! – rozwrzeszczała się jakaś strażniczka.

Strzały obudziły już całą celę i wszyscy zaczęli ustawiać się przed swoimi pryczami – wszyscy z wyjątkiem Dave'a i Stanleya, którzy zainkasowawszy po trafieniu gumową kulą, nie byli w stanie ustawić się gdziekolwiek. James spojrzał w górę, na pomost, niepewny, czy może się poruszyć, czy nie. Strażnik ze strzelbą wskazał mu drogę ruchem głowy i odprowadził wzrokiem przez cztery kroki dzielące go od jego pryczy. James wiedział, że wystarczy jeden fałszywy ruch, by trzeci, nieprawdopodobnie bolesny pocisk, tym razem spadł na niego.

James spodziewał się wizyty ekipy medycznej, tak jak wcześniej, ale strażnicy wcisnęli przycisk alarmu, co sprowadziło zespół interwencyjny służby więziennej, zwany przez więźniów atandą. Sześcioosobowy oddział wparował do celi w pełnym biegu. Strażnicy wyglądali groźnie, odziani od stóp do głów w czarne kuloodporne ochraniacze, w rękawiczkach, kaskach, z tarczami i pałkami w dłoniach. Dowódca wrzeszczał, jakby chciał wypluć sobie płuca:

– Na prycze, ręce na głowę!

James poszedł w ślady współwięźniów, którzy pospiesznie skakali na łóżka i siadali plecami do ściany z dłońmi opartymi na głowie. Kirch, który spał najbliżej drzwi, nie zdążył się nawet poruszyć. Cios tarczą powalił go na podłogę, kostkę zmiażdżył wojskowy glan.

Pierwszy strażnik, który dobiegł do Dave'a i Stanleya, rzucił swoją tarczę na podłogę i wyrwał zza pasa puszkę pieprzowego aerozolu. Dave wrzasnął i zwinął się w kłębek, podczas gdy dowódca oddziału metodycznie spryskiwał mu głowę parzącą cieczą. James wciągnął w nozdrza odrobinę pieprzowego koncentratu unoszącego się w powietrzu i natychmiast łzy napłynęły mu do oczu. Dave musiał cierpieć milion razy bardziej.

Oddział interwencyjny działał w sposób doskonale skoordynowany. Podczas gdy dowódca opróżniał pieprzowy spray na głowę Stanleya, czterej funkcjonariusze wywlekli Dave'a do alejki, położyli na brzuchu i łapiąc każdy po jednej kończynie, rozciągnęli w wielkie X. Wtedy piąty członek oddziału rozłożył mu na plecach plastikową uprząż.

Dave rozpaczliwie walczył o oddech, wprawiając w nerwowe podrygi sople pieprzowej mazi zwisające mu z długich włosów. Dwaj mężczyźni trzymający go za ramiona wepchnęli je pod gruby nylonowy pas. Po unieruchomieniu rąk wykręcono mu nogi w taki sposób, że piętami prawie dotykał pośladków, po czym zostawiono w tej rozdzierającej pozycji.

Następnie oddział przeniósł swoją uwagę na Stanleya. Ktoś złapał go za kostki, by wywlec na środek celi, ale wtedy rozległ się okrzyk dowódcy:

– Stać! Spójrzcie na głowę.

Wystarczył rzut oka na nienaturalnie wykręconą do tyłu głowę Stanleya, by domyślić się, że jest z nim bardzo źle. Najmniejszy z funkcjonariuszy zdjął rękawice i kask, zdradzając, że w istocie jest funkcjonariuszką. Kobieta przykucnęła przy nieprzytomnym chłopcu. Skrzywiła się i pomachała ręką przed twarzą, by odpędzić resztki aerozolu, po czym spojrzała na dowódcę.

– Może mieć skręcony kark. Trzeba go szybko zanieść do szpitala.

Dowódca zwrócił się do strażników na pomoście:

– Sprowadźcie sanitariuszy.

Następnie wskazał na Dave'a.

– A z tym do dziury.

Dwaj funkcjonariusze wzięli Dave'a pod pachy i dźwignęli go z podłogi. Wyglądał żałośnie. Ciekło mu z oczu i z nosa, a na żebrach miał czerwoną pręgę pozostawioną przez gumowy pocisk.

James drżał, patrząc, jak wywlekany z celi Dave trze nagimi kolanami o betonową posadzkę. Dobrze wiedział, że niewiele brakowało, by to jego wynoszono teraz w agonalnym stanie.

A co by było, gdyby ostrze Stanleya trafiło w cel?

17. SPACERNIAK

Bez Dave'a James czuł się dziwnie bezbronny. Senność ostatecznie pokonała strach około czwartej rano, całą godzinę po tym, jak Stanley Duff wyjechał z celi na noszach.

Drzwi celi i bramę spacerniaka otwierano o dziewiątej, ale większość więźniów jeszcze spała, kiedy James pokuśtykał w stronę łazienki z mydłem i rolką papieru pod pachą. Za gumkę szortów zatknął swoją szczoteczkę do zębów z zaostrzoną rączką – tak na wszelki wypadek.

Poranną kupę zrobił w towarzystwie Wima, który kręcił się po łazience ze swoim mopem. Stalowe muszle klozetowe zamontowano na ścianach bez żadnych przepierzeń i ścianek, zatem nie można było liczyć nawet na odrobinę prywatności. Natryski były jeszcze gorsze. Woda leciała tylko wtedy, gdy trzymało się wciśnięty przycisk, ale nawet wówczas wyciekająca przez sitko letnia strużka nie wystarczała do opłukania włosów z mydła.

James pospiesznie osuszył się ręcznikiem, marząc o wydostaniu się z cuchnącej celi i odetchnięciu świeżym powietrzem. Korytarz wyprowadził go obok trzech innych cel na krótką pochylnię. Żeby wyjść na wybieg, należało zaczekać w kolejce do oklepującego wszystkich strażnika, a potem przejść przez wykrywacz metalu.

Kiedy tylko postawił płócienny kapeć na piasku, inny więzień wręczył mu papierową torbę ze śniadaniem. Jednak zanim zobaczył, co dostał, ktoś wywołał go po jego więziennym nazwisku.

– Rose!

Naczelnik Bob Frey był brzuchatym żółtozębym człowieczkiem, który poprzedniego dnia nadepnął Jamesowi na stopę w sali recepcyjnej. Frey odciągnął chłopca pod werandowe zadaszenie przy ścianie bloku i przycisnął plecami do muru.

– Jesteś w moim bloku mniej niż piętnaście godzin, tak?

– Mniej więcej, sir.

– Dwóch braci z twojej celi trafiło w tym czasie do szpitala. Jeden ma tylko rozbity nos i wstrząśnienie mózgu, ale drugiemu strzeliło coś w szyi i leczenie będzie nas kosztowało dziesiątki tysięcy dolarów.

James przestąpił z nogi na nogę, nie wiedząc, co odpowiedzieć.

– No i jest jeszcze twój brat. W dziurze – wyszczerzył się Frey. – Byłeś ty kiedy w dziurze, chłopcze?

– Nie, sir.

– Zero światła, zero wentylacji, zero ubrania i zero kibla. Raz dziennie spłukujemy ją wężem jak klatkę dla zwierząt. Jeszcze jeden numer, a ty też tam wylądujesz, zrozumiano?

– Tak jest, sir – skinął głową James. – Jak długo Dave będzie tam siedział?

– Wystarczająco długo – uśmiechnął się Frey. – A teraz zejdź mi z oczu.

James wyszedł na oświetlony słońcem wybieg i otworzył torbę ze śniadaniem. Mleko było ciepłe, trzy owoce nieco zleżałe, a babeczka czerstwa, ale niewątpliwie było to jedzenie, a James umierał z głodu. Jego ostatnim przyzwoitym posiłkiem był smażony kurczak, którego zjadł dwa dni wcześniej.

Wybieg więzienny miał owalny kształt, rozmiary trzech boisk piłkarskich i otaczał tylną połowę bloku. Wyposażenie było skromne: wiaty, gdzie można było schronić się przed słońcem, kilka obręczy do koszykówki, kilka drążków do podciągania się i mały barak, w którym podawano lunch. Za siatkowym ogrodzeniem ciągnął się pięciometrowy pas betonu odgrodzony wymalowaną czerwoną linią. Zwano go strzelnicą. Więźniom nie wolno było postawić tam stopy, do czego zresztą skutecznie zniechęcały porozwieszane na ogrodzeniu znaki. Na każdym widniał kreskowy ludzik wewnątrz celownika oraz napis: „Strażnicy strzelają ostrą amunicją".

– Hej! – zawołał Abe, podbiegając do Jamesa z bananem w dłoni.

James uśmiechnął się.

– Bardzo mi wczoraj pomogłeś. Dave miał mnie osłaniać... Mogę mieć tylko nadzieję, że nie natknę się na jakichś kumpli Stanleya.

– Ci dwaj wielcy skini byli pod prysznicem, kiedy poszedłem się odlać. Pytali o ciebie.

– Którzy? – zaniepokoił się James.

– Elwood i ten, no... Ma takie niemieckie nazwisko...

– Kirch. Czego chcieli?

– Pytali, gdzie jesteś.

– Wyglądali na wnerwionych?

Abe wzruszył ramionami.

– Właściwie zadali tylko jedno pytanie: „Widziałeś tego małego psychopatę?". Powiedziałem, że chyba już jesteś na dworze.

– Nazwali mnie psychopatą? – mruknął James, nie wiedząc, czy traktować to jako zły znak, czy wyraz szacunku.

– Koleś ma chyba złamany kark.

– Tylko się broniłem. Chciał poderżnąć mi gardło.

James odrzucił ogryzek jabłka i pociągnął łyk mleka z kartonu. Bał się. Gdyby miał obok siebie Dave'a, Elwood i Kirch nie stanowiliby poważniejszego zagrożenia, ale teraz był sam i gdyby sytuacja zaczęła się paprać, nie miałby większych szans.

– Poczekam, aż wyjdą – oświadczył James. – Tutaj przynajmniej jest dokąd uciekać.

James i Abe znaleźli miejsce pod wiatą, skąd było widać cały wybieg, i usiedli obok siebie na piasku.

Pierwszy przez bramkę wykrywacza przeszedł Kirch. Był krzepkim siedemnastoletnim dryblasem o łysej głowie i wielkiej klatce piersiowej rozsadzającej przepoconą koszulkę. Elwood był wyższy i chudszy. Również ogolony na łyso, na szyi miał wytatuowaną swastykę z napisem MAMA pod spodem. Jako trzeci pojawił się Curtis. Nie był wątlejszy ani niższy od Jamesa, ale przy swoich masywnych ochroniarzach robił wrażenie niedożywionego.

Trzej chłopcy dołączyli do grupy podobnie przerażających skinheadów z innej celi ćwiczących na zmianę na zestawie drążków. Gang był liczniejszy i groźniejszy, niż James przypuszczał. Nie ulegało wątpliwości, że gdyby chcieli zrobić mu coś złego, nie mieliby z tym najmniejszych problemów.

Kilka minut później, podczas gdy Kirch podciągał się na drążku, Elwood z nudów pochwycił przechodzącego dzieciaka. Ścisnął mu głowę pod pachą, prawie pozbawiając go przytomności, po czym powalił na ziemię potężnym prawym hakiem. Chłopiec odbiegł, potykając się i trzymając za twarz, odprowadzany chóralnym rechotem łysoli.

– Eee... Muszę spadać – powiedział Abe przerażony sceną, której był świadkiem.

James zdawał sobie sprawę z tego, że Abe nie ma zamiaru pomagać mu w walce z Elwoodami i Kirchami tego świata, ale był wdzięczny choćby za przyjazną gębę, do której mógł się odezwać.

– Z czym masz problem? – spytał.

– Pytali mnie już, gdzie jesteś. Jak zobaczą nas razem, mogą nie być zadowoleni.

– Zdaje się, że i tak nie uniknę dziś tego spotkania – westchnął James. – Równie dobrze możesz tam pójść i trochę zapunktować, mówiąc im, że tu jestem.

Pamiętając, co przytrafiło się chłopcu, który znalazł się zbyt blisko skinów, Abe odniósł się do pomysłu bez entuzjazmu.

– Dlaczego sam do nich nie pójdziesz?

James wskazał palcem uzbrojonego klawisza stojącego na dachu bloku niespełna dziesięć metrów dalej.

– Tu czuję się bezpieczniej.

Abe z ociąganiem ruszył w stronę Elwooda i jego kumpli. W miarę zbliżania się do nich szedł coraz wolniej i coraz mniej pewnie. W pewnej chwili całkowicie zboczył z kursu i James przeklął go w duchu, przekonany, że chłopak stchórzył.

Ostatecznie uszedł cało, nagrodzony za swoją usłużność niegroźnym skinieniem głowy. Elwood spojrzał w stronę Jamesa i natychmiast ruszył ku niemu wraz ze wsparciem w postaci Kircha i dwóch młodszych skinheadów. Na końcu orszaku wlókł się Curtis. James kontrolnie zerknął w górę i z przerażeniem odkrył, że strażnik na dachu zniknął.

– Coś blado wyglądasz, Rose – zagaił Elwood.

– Sam przeciw sześciu to żadna frajda – powiedział James, starając się opanować drżenie głosu.

– Prawda? – ucieszył się Elwood, patrząc na swoją świtę.

– Czego od mnie chcecie?

– Podobało mi się, jak skasowałeś Stanleya Duffa.

– To oni zaczęli. Ja nie szukałem kłopotów.

– Nie mam wątów o tych złamasów – powiedział spokojnie Elwood. – Ale przyznasz, że kiedy tacy dwaj jak ty i twój brat zjawiają się w mojej celi i zaczynają fikać, to się robi moja sprawa, nie?

James przytaknął skinieniem głowy.

– No to mamy dwa wyjścia – ciągnął Elwood. – Kosa albo zostajemy kompanami. No, chyba że masz już układ z czarnuchami.

James pokręcił głową. Dostrzegł cień szansy na wyjście z tego w jednym kawałku i poczuł nagły przypływ pewności siebie.

– Mój brat mówi, że Cezar próbuje zamieszać między nami – powiedział szybko. – Ale Cezara obchodzą tylko Latynosi.

Elwood skinął głową.

– Niegłupi ten twój brat.

– Owszem, kiedy nie śpi – mruknął James z goryczą.

– Ale prezenty wziąłeś.

– Bo byłem głodny.

Elwood zaniósł się sztucznym śmiechem przy wtórze ponurego rechotu stojących za nim zbirów.

– W sumie racja, darmowa szama to darmowa szama... A co u twojego braciaka? Wiesz coś?

James potrząsnął głową.

– Ten klawisz Frey straszył mnie dzisiaj, ale nie powiedział, kiedy go wypuszczą.

Elwood znów się roześmiał.

– Byłem w dziurze nieraz, ale jak nie masz osiemnastki, mogą cię wsadzić najwyżej na czterdzieści osiem godzin. Potem albo idziesz do izolatki, albo wracasz do ludu.

– Jasne.

Wiadomość, że Dave zapewne niedługo wróci, przyniosła Jamesowi ulgę.

– Dobra, przejdźmy do interesów – powiedział Elwood. – W celi rządzimy ja i Kirch, co znaczy, że każdy płaci nam haracz. Wy też.

James tylko skinął głową. Nie był na pozycji pozwalającej na negocjowanie.

– Ty i twój brat będziecie oddawać mi po dziesięć dolców z zamówienia, a za to oddam wam Abe'a.

– Abe'a? – James zmarszczył brwi.

– Jest wasz. Możecie patroszyć go z forsy, wyciskać mózg przez uszy, co tam chcecie. Ale reszty nie ruszacie. Reszta jest Kircha i moja. Poza tym załatwię wam lepsze ciuchy i koce, no i puszczę cynk, że jestem po waszej stronie, kiedy wrócą Duffowie.

– Uczciwy układ – powiedział James, ściskając wyciągniętą dłoń skinheada.

– Rabnęli ci coś cennego na wejściu? – zapytał Elwood.

– Tylko najki.

– Za dychę z zamówienia mogę ci je odzyskać. Chcesz?

– Jasne, że chcę – powiedział James, patrząc na swoje płócienne kapcie. – W tym nie da się chodzić.

– I lepiej trzymaj się blisko nas, dopóki nie wróci twój brat – dorzucił Elwood, drapiąc się w swastykę na szyi. – Nie każdy tutaj jest taki słodziutki jak ja.

18. BESTIE

Kiedy James był mały, uwielbiał zwierzęta: puszyste plu-
szaki na swoim łóżku, rozśpiewanych bohaterów filmów
animowanych i grubego kota, który odwiedzał ogród babci, dobrze wiedząc, że dostanie spodek mleka tylko za to,
że był łaskaw się pojawić.

W wieku siedmiu lat James przygotował swój pierwszy
referat – o lwach. Mama nagrała mu film przyrodniczy
nadawany na Discovery późno w nocy. James patrzył, jak
lwice liżą swoje małe i wylegują się w cieniu drzewa. Potem stado wyruszyło na łowy.

Lwice ścigały stado antylop. Wreszcie powaliły jakiegoś
marudera i zaczęły rozszarpywać go na strzępy. Obgryzały
mu nogi, rozszarpywały skórę na brzuchu, a potem zanu-
rzały głowy w podrygującej galarecie flaków, żeby wydzie-
rać stamtąd mokre strzępy ciała i oblizywać krew ze swoich pysków. Do tamtej chwili James nie miał pojęcia, że
natura potrafi być tak brutalna.

Dotarł aż do drzwi salonu, chcąc odnaleźć mamę i roz-
płakać się, ale nagle zmienił zdanie. Wrócił na kanapę, lekko zalękniony przewinął taśmę i obejrzał scenę jeszcze raz.
Obejrzał ją potem jeszcze wiele razy, wstrząśnięty, ale też
dogłębnie zauroczony zachowaniem lwów.

Szczere, bezrozumne bestialstwo młodych skinheadów
z Arizona Max po raz pierwszy od wielu lat przypomnia-
ło Jamesowi o tamtym filmie. Budzili podobne skojarzenia

– kult siły i dzika bezwzględność połączone w przewrotnie fascynującą całość.

James pokazał, ile jest wart, podciągając się na drążku prawie do omdlenia, po czym zaległ na ziemi obok Elwooda, żeby słuchać jego wynurzeń na temat wyczynów gangu skinheadów. Elwood wskazywał palcem przerażone dzieciaki, które co tydzień oddawały mu swoje blankiety zakupowe w zamian za taryfę ulgową przy zadawaniu im cierpień. Wspominał ludzi, których torturował, dźgał nożem, oblewał wrzątkiem i zastraszał, doprowadzając do takiego stanu, że próbowali popełnić samobójstwo. Jednak nie wszyscy próbowali zabić siebie. Elwood z dumą prezentował blizny na swoich nogach, piersiach i plecach – pamiątki po trzech różnych napadach. Powiedział Jamesowi, że nie sposób rozpoznać wcześniej, kto nie wytrzyma i rzuci się z nożem na swojego oprawcę. Nerwy mogły puścić zarówno wychudzonemu molowi książkowemu, jak i ponuremu psychopacie z barami jak legary.

James był przerażony, ale nie dawał tego po sobie poznać i starał się śmiać w odpowiednich momentach. W istocie był to śmiech ulgi. Minione czterdzieści osiem godzin należały do najbardziej traumatycznych w życiu Jamesa i dopiero układ ze skinami oferującymi ochronę uwolnił go od strachu, który od dwóch dni ściskał mu żołądek. Po raz pierwszy poczuł, że ma szansę na wykonanie zadania. Następnym krokiem było zdobycie przyjaźni Curtisa.

*

Laura nie narzekała na nadmiar zajęć. Do akcji miała wkroczyć dopiero po ucieczce Jamesa i Dave'a z więzienia. Skwapliwie skorzystała z okazji nadrobienia zaległości snu i wypoczynku po szkoleniu podstawowym, ale czułaby się znacznie lepiej w towarzystwie kogoś takiego jak Bethany.

John zabrał ją do centrum handlowego, a nawet pozwolił poprowadzić samochód, żeby przyzwyczaiła się do jaz-

dy w normalnym ruchu. Niestety, oboje mieli zupełnie od-
mienne podejście do zakupów.

Laura mogłaby pół dnia wałęsać się po sklepach, oglądając, przebierając, czasem kupując ubrania i drobiazgi do
swojego nowego pokoju w kampusie, aby wreszcie zakoń-
czyć spacer lunchem w jednej z restauracji. John wolał
wziąć wrogą twierdzę szturmem: sporządzić listę rzeczy do
kupienia, opracować najkrótszą trasę za pomocą mapki
przy wejściu i wreszcie przypuścić serię błyskawicznych
szarż na kolejne sklepy. Kiedy Laura zasugerowała, że
przed wyjściem mogliby się trochę rozejrzeć, popatrzył na
nią jak na trójgłowego kosmitę i pogalopował na parking.

Lateksowe skarpety pływackie były jedyną dobrą rzeczą,
jaka przytrafiła się Laurze podczas tej wycieczki. Mogła za-
kładać je na zranioną stopę i chłodzić się w basenie bez
obawy, że bandaż przemoknie. Zakupy zakończyły się
w najgorętszej porze dnia i Laura wypróbowała swój prezent natychmiast po przyjeździe do domu. Zaczęła od le-
niwego przepłynięcia kilku długości basenu, ale potem
rozłożyła się na nadmuchiwanym leżaku, aby naśmiewać
się z bzdurnych tekstów z pisma dla nastolatek, które kupiła w centrum handlowym.

John zagroził, że przyrządzi lunch, ale kiedy po godzinie oczekiwania Laura weszła do kuchni, zastała go mó-
wiącego do słuchawki telefonu.

– Jeżeli o mnie chodzi... Cóż, nie jestem pewien, czy da
sobie radę... Wiem, że ma głowę na karku, ale mówimy tu
o trzynastoletnim chłopcu... No a co na to Scott Warren?
Dobra, dobra... Jeżeli da radę mnie wcisnąć, podjadę natychmiast.

– To był Marvin? – domyśliła się Laura. – U chłopców
wszystko w porządku?

– Jamesowi nic nie jest – powiedział John. – Ale doszło
do bójki i Dave trafił do karceru. Przeżył tam ciężką noc

i teraz... Posłuchaj, na razie jeszcze nic nie wiadomo. Mogę zostawić cię tu na kilka godzin? Tylko nie siedź już na dworze. Masz jasną skórę, nieprzyzwyczajoną do tutejszego słońca.

– A jeśli ktoś zadzwoni?

– Mam komórkę – rzucił John, zgarniając z kuchennej szafki kluczyki i fałszywą odznakę FBI. – Nie wychodź z domu. Przywiozę coś na kolację.

*

Lunch składał się z rozgotowanej fasolki i prostokątnego plastra klopsa, który wszyscy łącznie z kucharzem nazywali pieczonym balasem. Na deser podano stosunkowo jadalny budyń owocowy i obowiązkowe mleko z nadwyżek żywnościowych.

– Niezłe w porównaniu z szajsem, jaki dostawaliśmy w Omaha. Powiedziałbym nawet... wykwintne – zażartował James.

– Chcesz drugi deser? – zapytał Kirch, unosząc wzrok znad talerza.

– Mmm, jasne. Myślisz, że dadzą mi dokładkę?

Pięciu skinheadów przy stole zarechotało obleśnie.

– Po prostu skonfiskuj coś – powiedział Curtis.

James spojrzał przez ramię na sąsiedni stół. Uprzytomnił sobie, że wyjdzie na mięczaka, jeżeli teraz nie ograbi kogoś z budyniu, ale los znowu zwrócił się przeciwko niemu: spośród czterech chłopców przy stole tylko Abe jeszcze nie napoczął deseru.

James wstał.

– Abe, stary... – zaczął niepewnie. – Jesz ten budyń, bo ja...

– Pewnie, że jem – powiedział Abe, przysuwając budyń do siebie.

Grupa skinheadów zagrzmiała pomrukami oburzenia.

– Uuu, tak się nie mówi – powiedział Elwood, kręcąc głową. – To karygodny brak szacunku.

Abe zrozumiał swój błąd i pchnął miskę z budyniem w stronę Jamesa. Za późno. Kirch wychylił się, złapał go za kołnierz koszulki i zwalił z krzesła.

– Masz fatalne maniery, chłopcze! – zawołał, po czym uderzył go pięścią w usta, cisnął na posadzkę i brysnął na włosy mieszaniną mleka i klopsa, której nie zdążył przełknąć.

James zerknął nerwowo na strażnika za bufetem, ale było dokładnie tak, jak mówił Scott Warren: klawisze nie interweniowali, dopóki kogoś nie zabijano.

– Lepiej naucz się szacunku – wycharczał Kirch.

Elwood i inni rżeli z uciechy, patrząc, jak Abe ucieka na czworakach, z twarzą ociekającą mlekiem. James też zaczął się śmiać. Zabrał osierocony budyń i usiadł na swoim miejscu. Naprawdę jednak czuł się podle. Przed kilkoma godzinami Abe ocalił mu życie. Teraz on sam musiał poświęcić tę przyjaźń dla dobra operacji.

Był już środek dnia, kiedy wyszli z powrotem na wybieg. Temperatura sięgała czterdziestu stopni, więc Kirch zaprowadził swój gang do celi. W środku nie było chłodniej niż na zewnątrz, ale przynajmniej nie miało tam dostępu oślepiające słońce.

Nowy status Jamesa oznaczał prawo do zajęcia pryczy bliżej drzwi. Kirch potrzebował tylko pięciu sekund na wyłamanie drzwi szafki w boksie naprzeciwko własnego łóżka. Wyrzucił stamtąd rzeczy Stanleya Duffa, podczas gdy James przyniósł swoje.

Stanley miał trochę niezłych gratów. James przywłaszczył sobie dezodorant, szampon i radio, a po namyśle także trochę przekąsek. Rzeczy, których nie chciał, rzucono do rozdrapania więziennemu plebsowi. Abe z oporami przyjął elektryczną golarkę, trochę ryżowych sucharów i pół rolki papieru toaletowego.

– Tam, w stołówce, wszystko się popieprzyło – szepnął mu do ucha James z miną winowajcy.

– Tacy jak ty i tacy jak ja nigdy nie grają zbyt długo w tej samej drużynie – powiedział Abe, rozciągając spuchnięte wargi w smutnym uśmiechu.

Ta pokorna akceptacja swojego niskiego statusu zrobiła na Jamesie przygnębiające wrażenie. Abe odsiadywał dwadzieścia lat i wyglądało na to, że większość tego czasu spędzi bity i poniewierany przez silniejszych od siebie. James rozpaczliwie chciał wymyślić jakiś niesamowicie sprytny plan, który wszystko by wyprostował i uporządkował, ale w głębi duszy wiedział, że świat nie działa w ten sposób, a już na pewno nie w takich miejscach jak Arizona Max.

Nowa prycza Jamesa okazała się bardzo wygodna, a to dzięki trzem materacom ułożonym jeden na drugim. Dodatkowe materace wydawano tylko więźniom mającym kłopoty z kręgosłupem, ale nieuchronną koleją rzeczy takie luksusy trafiały ostatecznie do bezwzględnych oprychów.

Dzięki znajomościom Elwooda w więziennej pralni James dostał kilka zapasowych prześcieradeł i dodatkową poduszkę, a także ręcznik i trochę bielizny wyglądającej na całe lata nowszą od szmat, które dostał w recepcji. Jego czarne najki podobno były już w drodze.

James leżał na pryczy, czytając książkę o mafii znalezioną w rzeczach Raymonda Duffa. Nie była aż tak ekscytująca, jak zapowiadała okładka, ale wystarczała, aby odciągnąć uwagę Jamesa od skwaru i hałasu, dopóki strażnik na pomoście nie wykrzyknął jego nazwiska.

– Rose! Idziesz na SKE!

– Na co?

– Sprawdzian kwalifikacji edukacyjnych – wyjaśnił Curtis, przekrzykując gwar ponad dzielącą ich pryczą. – Musieli wreszcie ogarnąć ten swój bajzel. Normalnie trwa to tygodnie, zanim wezmą się do nowego więźnia. Jak chcesz, to cię zaprowadzę. Przy okazji zapytam, czy przyszły już moje książki.

19. CURTIS

Sekcję oświatową urządzono nad celami, ale żeby tam dotrzeć, trzeba było wyjść na zewnątrz i okrążyć budynek
ścieżką zamkniętą pod klatką z metalowej siatki. Dla Jamesa wyprawa na górę była pierwszą okazją na bliższe pozna-
nie Curtisa, który w towarzystwie skinheadów był raczej
małomówny.

– Na jakie lekcje chodzisz? – zapytał James, zrównując
się ze swoim przewodnikiem.

– Przepisy mówią, że każdy powinien mieć trzy godziny
szkoły dziennie, ale nauczycieli jest za mało, żeby urządzać
normalne lekcje, więc po prostu dają nam podręczniki do
czytania. Chodzę tam tylko po to, żeby móc kupować dodatkowe książki. Teoretycznie mają być związane z twoim
przedmiotem, ale w praktyce cenzor zatrzymuje tylko te,
które mówią, jak zrobić bombę, albo jeśli to porno czy coś
w tym guście.

– Nie zmuszają nas do chodzenia na lekcje?

Curtis roześmiał się.

– Nauka jest obowiązkowa, ale wyobraź sobie, że jesteś
nauczycielem i masz w klasie dwudziestu bandziorów w ty-
pie Elwooda. Jak bardzo starałbyś się, żeby nie opuszczali
lekcji?

– Rozumiem, do czego zmierzasz – wyszczerzył się James.

– Chciałbym chodzić na plastykę – ciągnął Curtis. – Kiedy byłem mały, cały czas rysowałem i malowałem. Tutaj

pozwalają mieć tylko ogryzki ołówków jak te, które dają do zamówień. Raz skołowałem sobie pudełko kredek, ale klawisze nie pozwalają na nic poważniejszego.

Kiedy minęli róg budynku, James spróbował skierować rozmowę na tory bliższe kwestii ucieczki.

– Wyjdziesz stąd kiedyś? – zapytał.

– Nic na to nie wskazuje. A ty?

– Osiemnaście lat.

– Nieźle – powiedział Curtis. – Wyjdziesz około trzydziestki. Będziesz miał jeszcze szansę na jakieś tam życie.

– Znikam stąd o wiele wcześniej. – James uśmiechnął się łobuzersko.

– Nikt stąd nie ucieknie, James. To nowa placówka. Supernowoczesna.

– Ja i Dave wymyśliliśmy plan, jeszcze kiedy trzymali nas w Nebrasce. Gdyby tylko wypuścili nas z izolatek, już bylibyśmy wolni. Ale słuchaj, jaki numer: więzienie stanowe w Omaha i ta dziura są takie same. Pewnie budowali je ci sami ludzie.

Była to prawda. Stanowe więzienie w Omaha i Arizona Max były bliźniaczymi ośrodkami zaprojektowanymi przez tego samego architekta, wybudowanymi przez tę samą firmę i otwartymi w odstępie zaledwie sześciu miesięcy. Był to ważny szczegół w legendzie stworzonej na potrzeby operacji. Tłumaczył, jak Dave i James mogli uciec z Arizona Max w ciągu kilku dni od swojego przybycia.

– Dokładnie takie same? – upewnił się Curtis.

– W zasadzie tak. Te same systemy zabezpieczeń, takie same bloki, takie samo wyposażenie i instalacje. Kiedy siedzieliśmy z Dave'em w izolatkach, jeden klawisz z naszego piętra był strasznie gadatliwy. Opierał się o drzwi mojej celi i nawijał. Chyba było mu mnie żal, bo jestem młody, ale przede wszystkim to był ten typ, co to uwielbia słuchać własnego głosu. Marudził bez przerwy. Czaisz? Ja tu siedzę w pojedynce, zamknięty przez dwadzieścia trzy godziny na dobę, a ten narzeka na życie: na żonę, na dzieci, na naczelnika, który daje mu do pieca i trzyma na nockach... No więc kiedy tylko zaczynał sapać na pracę, ja go subtelnie podpuszczałem. Zadawałem zamaskowane pytania, na przykład ilu strażników zostaje na nocnej zmianie i jakich używają przepustek. Cela Dave'a była tuż obok i on zaczął robić to samo. W ciągu kilku tygodni pan Długi Jęzor wypaplał nam o wiele więcej, niż powinien.

– Naprawdę wierzysz, że potrafisz zwiać?

– Jestem pewien, że wydostanę się za mur. Podstawowe pytanie brzmi jednak: co dalej? Żeby zorganizować sobie papiery i nowe życie, potrzebne są kasa i znajomości. Nie ma sensu uciekać tylko po to, żeby za parę tygodni wylądować w izolatce z dziesięcioma latami dodanymi do wyroku. Jak się nie ma patentu na unikanie glin do końca życia, to nie ma co startować.

– Jak chcesz to zrobić? – zapytał Curtis. – Na początek musisz wydostać się z zamkniętej celi.

– Bez obrazy – powiedział James, unosząc rozpostartą dłoń. – Tego dowiedzą się tylko ci, którzy pójdą ze mną.

Curtis najwyraźniej rozumiał potrzebę zachowania dyskrecji. Zresztą chłopcy dotarli już do metalowych drzwi działu oświaty. Strażnik oklepał ich od stóp do głów i przepuścił przez kolejny wykrywacz metalu. Potem wspięli się jeszcze na dwa ciągi schodów i przeszli obok trzech niedużych klas, żeby w końcu stanąć przed drzwiami z napisem „Oficer oświatowy".

– Mogę wejść pierwszy? – poprosił Curtis. – Chcę tylko spytać pana Hainesa, czy przyszły moje książki.

Chłopiec zapukał i do środka zaprosił go głos, który James rozpoznał jako należący do Scotta Warrena.

– Nie ma pana Hainesa? – zdziwił się Curtis, otworzywszy drzwi.

Scott, który siedział przy biurku, nerwowo potrząsnął głową.

– Dzisiaj go zastępuję.

James wychylił się zza Curtisa i ujrzał Johna Jonesa zastygłego w oszołomieniu obok biurka. Curtis wskazał palcem za siebie.

– Przyszedłem pokazać mu drogę i przy okazji sprawdzić, czy są już moje książki.

– Ach tak. Ehm... – zająknął się Scott. – Przepraszam, jak się nazywasz, synu?

– Curtis Oxford.

– Curtis, myślę, że będzie najlepiej, jeżeli poczekasz na powrót swojego oficera oświatowego... To znaczy do jutra. Nie jestem zbyt biegły w procedurze wydawania książek.

Curtis wycofał się z gabinetu, patrząc na Jamesa.

– Wrócisz sam?

James skinął głową.

– To na razie.

James wszedł do gabinetu i zamknął za sobą drzwi. John i Scott wciąż byli w stanie szoku. W milczeniu wpatrywali się w czarno-biały monitor podglądu korytarza, dopóki nie ujrzeli na nim Curtisa schodzącego po schodach.

– Ożeż kurrde... – wypuścił powietrze Scott, łapiąc się za serce. – Ale się przestraszyłem. W życiu bym się nie spodziewał, że nasz cel przyczłapie tu z tobą.

– Mogłeś się domyślić, po co cię wzywają – powiedział opryskliwie John.

– Powiedziałeś, że spotykamy się tylko w sali widzeń – odciął się James.

– Ale... Nieważne – nadąsał się John.

James przeciągnął dłonią po swojej lepkiej od potu czuprynie, czując narastające wzburzenie.

– Wiecie co? – powiedział gniewnie. – Ja tu zdycham z gorąca, nie mogę się wyspać ani porządnie umyć, jem gówno, patrzę, jak jakieś bydlaki tłuką ludzi, sprejują pieprzem, przypalają... Zniosłem nawet atak świra, który rzucił się na mnie z nożem! Jak się wam nie podoba moja robota, to jak słowo daję, możecie wziąć całą tę misję i wsadzić ją sobie głęboko gdzieś!

John osłupiał zaskoczony tym nagłym wybuchem.

– Wiemy, że pracujesz w ogromnym stresie, James – zaczął ostrożnie Scott, próbując uspokoić chłopca.

– James, przepraszam cię – powiedział John suchym, rzeczowym tonem. – Nie miałem zamiaru ci dokuczać. Straciłem głowę po tym, jak Curtis wszedł tu i zobaczył nas wszystkich razem. Zwołałem to nadprogramowe spotkanie, ponieważ mamy poważny problem z Dave'em.

– Może usiądziesz? – zaproponował Scott, podchodząc do automatu z chłodzoną wodą. – Chcesz się napić?

James usiadł, a Scott napełnił papierowy kubek. John podjął przerwany wątek.

– Dziś rano wyciągnęli Dave'a z karceru na badanie. Gumowa kula złamała mu trzy żebra, w tym jedno dość paskudnie. Kawałek kości przebił płuco, powodując krwotok wewnętrzny.

– Czy to poważne? – zaniepokoił się James.

– Gdyby go prześwietlono i poddano leczeniu od razu, nie byłoby tak źle, ale w czasie, który przeleżał w karcerze, w płucach utworzył mu się skrzep. Dave ma kłopoty z oddychaniem i pozostanie w szpitalu co najmniej przez dwa tygodnie. Potem będzie musiał brać leki na rozpuszczenie skrzepu. Krótko mówiąc, jest wyłączony z akcji na dwa miesiące. Co najmniej.

– No to koniec – westchnął James. – To jak, wyciągacie mnie stąd?

John skinął głową.

– Tak szybko, jak będzie to możliwe. Nam również jest przykro, że plan nie wypalił, James. Siedzę w tej branży od dwudziestu lat i obawiam się, że takie skomplikowane operacje mają tendencję do zbaczania z kursu.

James opróżnił swój kubek i skinął głową, kiedy Scott zaproponował dolewkę. Część jego duszy z ulgą witała perspektywę powrotu do kampusu, ale znacznie większa jej część była po prostu rozczarowana. To znaczy, że znosił wszystkie te męczarnie i stres na marne?

– Nie ma żadnego sposobu, żebym mógł pociągnąć to dalej bez Dave'a? – zapytał James.

– Nie wydaje mi się – powiedział John. – Potrzebujesz ochrony.

– A skąd! Przyprowadził mnie tu Curtis, pamiętasz? A Elwood przez cały ranek opowiadał mi historię swojego życia. Z takimi kumplami nikt mi tu nie podskoczy.

To była nowość dla Scotta i Johna, którzy wymienili długie spojrzenia.

– Hmm... – mruknął Scott, bębniąc palcami w podbródek. – Nie traciłeś czasu, co? To stawia sprawę w trochę innym świetle.

– Ale jak poradzi sobie z ucieczką bez Dave'a? – zapytał John. – Dave jest świetnym kierowcą, a poza tym tylko on jest dość duży, żeby przebrać się w twój mundur.

– Ja też nieźle prowadzę – wtrącił James. – Laura może pilotować, a tutejsze drogi są proste jak drut.

– Po naszym pierwszym spotkaniu jakoś trudno mi uwierzyć w twój talent – powiedział Scott z przekąsem.

– Jeżdżę od półtora roku i to jedyny wypadek, jaki dotąd miałem... No, może poza jeszcze jednym na samym początku, kiedy prawie zabiłem psa tamtej babki.

– Tak naprawdę, mimo tej idiotycznej przygody, parę dni temu James zaliczył kurs dla średnio zaawansowanych z najwyższymi ocenami – powiedział John, kiwając głową. – Nadal jednak nie wiem, w jaki sposób miałby uciec przebrany za strażnika.

Scott oparł łokieć na biurku i pokiwał palcem na Jamesa.

– Zaraz, zaraz... Wstań na chwilę, dobrze? Ile ty masz wzrostu?

– Metr sześćdziesiąt dwa – powiedział James, wstając.

Scott stropił się.

– No, a ile to będzie po amerykańsku?

John uśmiechnął się.

– Niecałe pięć stóp i cztery cale. Masz tak małych strażników?

– Strażników nie, ale więzienie bierze udział w programie Pracodawca Równych Szans i w naszym bloku pracuje młoda strażniczka, wcale nie wyższa od Jamesa.

Twarz Johna rozjaśnił uśmiech.

– Dasz radę zmienić grafik tak, żeby miała służbę w noc ucieczki?

Scott skinął głową.

– Z tym nie powinno być problemów. Będziemy musieli wprowadzić kilka zmian w planie, ale z całą pewnością jest to wykonalne.

– Zatem wracamy do gry? – zapytał John.

– Nie widzę przeciwwskazań – odrzekł Scott. – Jeżeli tylko James jest pewien, że da sobie radę.

20. CZAS

„Oczywiście, że dam sobie radę". Słowa tak łatwo wypłynęły z ust. Misja ocalona. James poczuł się jak bohater, kiedy Scott złapał jego dłoń i krzepko nią potrząsnął.

Rzeczywistość dopadła go już na zewnątrz, za drzwiami sekcji oświatowej. Z nieba lał się okrutny żar. Góry drutu kolczastego wyznaczające granice więzienia zdawały się drżeć w gorącym powietrzu. Słońce grało refleksami na spoconych bicepsach drapieżników grasujących na wybiegu i oksydowanych lufach strzelb strażników na dachu pawilonu.

James poczuł się mniejszy niż ziarenko piasku pod jego płóciennym łapciem. Nagle dotarło do niego, w co się wpakował: trzynastoletni chłopiec sam przeciwko bezwzględnej machinie stworzonej dla okiełznania najczarniejszych charakterów pod słońcem. Naszła go przemożna ochota, żeby pobiec z powrotem do gabinetu i powiedzieć Johnowi, że zmienił zdanie. Przystanął, wziął głęboki wdech i przesunął językiem po wysuszonych ustach. Przypomniał mu się krytyczny moment jego misji w Miami, kiedy wystrzelił do człowieka przerażony do utraty zmysłów. To było koszmarne doświadczenie, ale teraz mógł czerpać z niego siłę.

Wrócił myślą do swojego szkolenia podstawowego, do wszystkich tych pozornie niewykonalnych rzeczy, których dokonywał, gdy trenerzy przepychali go poza barierę, jaką stawia ból. Kiedy tylko jakiś rekrut zaczynał myśleć o kapitulacji, pan Speaks wrzeszczał mu do ucha: „To twardy orzech, ale członek CHERUBA jest twardszy!". Wtedy James miał już tego tekstu po dziurki w nosie i nie chciał go słyszeć nigdy więcej. Teraz słowa Speaksa wydały mu się krzepiące.

– Twardy orzech, ale członek CHERUBA jest twardszy – szepnął do siebie James i ruszył naprzód.

*

Na wybiegu robiło się najprzyjemniej na godzinę przed jego zamknięciem. Słońce wisiało nisko, a delikatna bryza łagodziła upał do prawie znośnego poziomu. James siedział z Curtisem przy drążkach do podciągania, podczas gdy Elwood i reszta polowali na jakiegoś nieszczęśnika, który spóźniał się z dostarczeniem Kirchowi paczki z haraczem. Dwaj chłopcy rozmawiali już od godziny, wylegując się na piasku, wymieniając się opowieściami i poznając nawzajem.

– Znaczy... stuknąłeś trzy osoby, a potem próbowałeś odstrzelić sobie czerep? – upewniał się James, wytrzeszczając oczy w ciężkim szoku, jakby cokolwiek w tej historii było dla niego nowiną. – Rany! Gdybym cię poznał poza więzieniem, w życiu nie przyszłoby mi do głowy, że możesz nie być normalnym dzieciakiem.

Curtis uśmiechnął się wyraźnie zadowolony, że nareszcie może porozmawiać z kimś bystrzejszym od Elwooda i Kircha.

– Kiedy dorastałem, ciągle byliśmy w trasie: Kanada, Meksyk, nawet Ameryka Południowa. Było fajnie, tylko ja i mama... Tyle że czasem było nam nie po drodze z prawem. Zacząłem się bać. Ciągle myślałem o tym, co będzie, jeśli mama trafi do paki. Czasem dopadał mnie taki dół, że nie wiem. Takie mroczne uczucie, jakby cały świat zawalił się i pogrzebał mnie pod gruzami.

– Byłeś u lekarza czy gdzieś?

Curtis skinął głową.

– Brałem wszelkie możliwe prochy. W wielu miejscach, w których mieszkaliśmy, mama zabierała mnie do psychiatrów. Wszyscy kiwali głowami, jakby wiedzieli, co jest grane, ale każdy gadał coś innego. W ogóle uważam, że psychiatrzy to banda szarlatanów. Dwa lata temu zrobiło się naprawdę źle. Czasem całymi dniami nie wychodziłem spod kołdry. Mama zabrała mnie do jednego sławnego speca z Filadelfii. Przeczytała o nim artykuł. Powiedział, że moje problemy biorą się z braku struktury w moim życiu: no bo ciągle jeżdżę z miejsca na miejsce, nie chodzę do normalnej szkoły i mam zaburzone kontakty z rówieśnikami. No i wpadł na genialny pomysł, żeby mnie posłać do szkoły wojskowej. Błagałem mamę, żeby tego nie robiła, ale odwalało mi już na poważnie, a ona próbowała już wszystkiego innego i była zdesperowana. Ta szkoła to był syf. Pobudka skoro świt i bieganie do upadłego. A oprócz tego ścielenie łóżek, polerowanie butów, inspekcje, wrzaski i cała ta żołnierska, odmóżdżająca jazda. Raz komendant zjechał mnie za krzywo zawiązany krawat. Wręczył mi szczoteczkę do paznokci i kazał wyczyścić nią natryski. Robiłem to przez jakieś dziesięć minut, a potem wkurzyłem się, włamałem do szafki z bronią i ukradłem kluczyki do samochodu komendanta. Dwie godziny później miałem trzy trupy na koncie, a na karku całą policję stanową.

– To się nazywa odlot – wyszczerzył się James notując w pamięci, by przy najbliższej okazji wspomnieć Johnowi lub Scottowi o wizycie Curtisa u znanego dziecięcego psychiatry z Filadelfii. – Ciągle masz takie doły?

– Nie za często – odrzekł Curtis. – Ale czasem bywa tu okropnie nudno.

*

152

James spędził wieczór przed telewizorem Curtisa, pojadając przekąski Stanleya Duffa. Pobity brat Stanleya wrócił już ze szpitala. Raymond prawie się rozpłakał, kiedy zobaczył, że Kirch opróżnił jego szafkę. Teraz nie miał nawet bielizny na zmianę ani poduszki.

James ocknął się w środku nocy z szyją przyciśniętą do pryczy czyjąś ciężką dłonią. Przed oczami mignęła mu brzytwa. Przez sekundę był pewien, że to Raymond Duff, ale się mylił.

– Jesteś jednym z nas?

James zarejestrował odór niemytych pach, błysk wyszczerzonych zębów i poczuł przypływ czystej grozy, jaka zwykle towarzyszy oczekiwaniu na ból.

– Pytam, czy jesteś jednym z nas? – zawarczał Elwood.

Skinheadzi, którzy stali wokół pryczy, zarżeli z uciechy. Był wśród nich Curtis.

– No pewnie – zaskrzeczał James przez zgniecione gardło.

Kirch wychylił się z sąsiedniego boksu, żeby dźgnąć Jamesa w policzek wilgotnym pędzlem do golenia.

– Trochę jesteś za włochaty, Rose.

James poczuł, że ostrze wciska mu się w skórę na szyi, prawie ją przecinając.

– No co wy, chłopaki... – wykrztusił przerażony. – O co wam chodzi?

Elwood uśmiechnął się złowrogo.

– Jak chcesz być jednym z nas, to musisz pozbyć się tej pedalskiej fryzury.

Kirch znów wyciągnął dłoń z mokrym pędzlem i przejechał nim Jamesowi po twarzy.

– Dobra, ostrzyżcie mnie – zgodził się James, kiedy Elwood wreszcie go puścił i pozwolił mu usiąść. – Ale nie możecie użyć elektrycznej golarki, którą dałem Abe'owi?

Keith, Curtis i trzej skini, którzy wstali z łóżek, by wziąć udział w ceremonii, gruchnęli śmiechem.

– Co to za frajda golić kogoś elektryczną golarką? – zarechotał Elwood. – Chyba się nie boisz, co?

– Kogo miałbym się bać, ciebie? – prychnął James z miną twardziela, na którym przebudzenie się o trzeciej w nocy pod łysym, wymachującym brzytwą świrem, nie robi najmniejszego wrażenia.

Do akcji wkroczył Kirch, który pędzlem do golenia zaczął mydlić Jamesowi włosy. Po kilku pociągnięciach znudziło mu się, więc po prostu wylał cały kubek cieplawych mydlin na głowę swojego klienta. James skrzywił się, gdy piekący płyn dostał mu się do oczu.

– Lepiej się nie ruszaj – zachichotał Elwood, przykładając mu brzytwę do czoła.

Pociągnął do góry i na kolano Jamesa spadł mokry jasny kłaczek. Elwood ciął tu i tam, dopóki głowa Jamesa nie przemieniła się w szokującą mozaikę łysych placków, kępek włosów i gdzieniegdzie krwawych ranek od brzytwy.

– Perfecto – oznajmił wreszcie, cofając się o krok i przekrzywiając głowę niczym artysta podziwiający swój obraz.

Skinheadzi wracali do łóżek, skręcając się ze śmiechu. Kiedy układali się do snu, przy pryczy Jamesa wyrósł Curtis z maszynką na baterie.

– Mam to poprawić?

Chłopcy poszli do łazienki. James zmoczył ręcznik i dokładnie wytarł głowę z mydła i krwi. Potem ukląkł na podłodze, pozwalając, by Curtis dokończył golenie go na łyso.

– Mówiłeś, że twój brat już nie wraca, tak? – zapytał Curtis, opłukując noże maszynki pod kranem.

James potrząsnął głową.

– Bez szans. Ma na koncie próbę ucieczki i skręcił Stanleyowi kark. Ten klawisz Warren powiedział, że złożył wniosek o zakwalifikowanie go do grupy wysokiego ryzyka. Przenoszą go do izolatki na supermaksie.

– Czyli nici z ucieczki.

– Bez Dave'a będzie ciężko – wyszeptał James. – Ale ja muszę się stąd wyrwać, chociażby ze względu na siostrę, zanim wujaszek zakatuje ją na śmierć. Chodzi o to, że Dave mógł znaleźć jakąś pracę czy coś, ale my? Nie wiem, jak ktoś w naszym wieku mógłby przetrwać na zewnątrz bez pomocy.

– Pamiętasz, co opowiadałem ci o mojej mamie? Ukrywanie się, fałszywe papiery, te rzeczy...

James skinął głową.

– Nie wiem, gdzie ona jest teraz, ale znam ludzi, którzy mogą nawiązać z nią kontakt. Jeśli wyrwiemy się stąd razem, stać ją, żeby zafundować ci nowe życie.

– Aaa, teraz tobie zachciało się ucieczek – zadrwił James, starając się nadać głosowi cyniczne brzmienie, a jednocześnie powstrzymać dziesięciometrowy uśmiech cisnący mu się na usta.

– Nie mam nic do stracenia – powiedział Curtis. – Do dożywocia nie da się dodać ani dnia wyroku, a jeśli mnie zastrzelą, to co z tego? Czy życie w Arizona Max jest cokolwiek warte?

– Jeżeli zgodzę się wziąć cię ze sobą, to będziesz tylko ty, ja i moja młodsza siostra – powiedział twardo James. – To moje przedstawienie i nie życzę sobie, żeby Elwood ani żaden z tych popaprańców wchodził mi w paradę.

Curtis skinął głową.

– Będę trzymał gębę na kłódkę. To jak, weźmiesz mnie?

– Ty nie wydostaniesz się stąd beze mnie, a ja bez ciebie nie poradzę sobie za murami – uśmiechnął się James. – Zabawne, jak to życie się plecie. To pewnie przeznaczenie... czy coś.

21. ŚRODA

PIĘĆ DNI PÓŹNIEJ

James wystarał się o dodatkowe prześcieradło. W nocy, kiedy uznał, że wszyscy już zasnęli, zaczął je ciąć na metrowe paski za pomocą zaostrzonego końca szczoteczki do zębów. Ostrożnie rozdzierał tkaninę, zatrzymując się od czasu do czasu, żeby kontrolnie zerknąć na pomost dla strażników. Uporawszy się z cięciem, zaczął splatać po trzy paski naraz, aby były bardziej wytrzymałe.

Kiedy skończył, ukrył gotowe odcinki liny w szafce i zerknął na wentylatory na wschodniej ścianie celi. W śmigłach migotały już promienie wschodzącego słońca. James wzdrygnął się myśl o czekającym go kolejnym śliskim od potu dniu w Arizona Max. Pocieszała go świadomość, że jeśli wszystko pójdzie zgodnie z planem, ten dzień będzie ostatni.

*

Kiedy skinheadzi wychodzili na wybieg, James dał znak Curtisowi, żeby zaczekał. Cela nigdy nie opróżniała się całkowicie, ale nikt nie zwracał na niego uwagi, kiedy wyciągnął z kieszeni szortów pasek tektury.

– Dziś mam widzenie – wyjaśnił James. – Jeśli uda mi zamienić z Laurą słówko na boku, powiem jej, żeby się spakowała i czekała na nas w domu jutro o trzeciej nad ranem.

Curtis skinął głową.

– A ta tekturka?

– To otworzy nam drzwi celi.

– Tektura? – Curtis spojrzał na Jamesa, jakby miał przed sobą szaleńca.

James podszedł do jednego z dwóch wejść rezerwowych umieszczonych między boksami w środkowej części celi. Zamknięte przesuwnymi drzwiami miały umożliwiać strażnikom wtargnięcie do celi, w wypadku gdyby więźniowie zabarykadowali główne wejście, albo służyć jako wyjścia ewakuacyjne w razie pożaru.

– Może mi powiesz, jak zamierzasz otworzyć drzwi z litej stali za pomocą strzępka wydartego z pudełka po chusteczkach higienicznych?

James uśmiechnął się tajemniczo.

– Patrz i ucz się.

Upewniwszy się, że na pomoście nie ma strażników, James podszedł do drzwi. Tam stanął na palcach, wsunął kartonik w szczelinę pomiędzy górną częścią drzwi a framugą, poruszył nim szybko, po czym schował go do kieszeni i wrócił do Curtisa.

– Teraz czekamy – oświadczył, siadając na pryczy.

– I to ma być ten twój genialny plan? – zaśmiał się urągliwie Curtis.

Pół minuty później przez pomost pod sufitem przemaszerował klawisz, który znikł w bocznym wyjściu prowadzącym na spiralne schody za ścianą z przesuwnymi drzwiami. Po chwili drzwi uchyliły się o trzydzieści centymetrów, a w szczelinie pojawiła się głowa strażnika. Klawisz dokładnie obejrzał framugę, szukając śladów manipulacji, po czym cofnął się i zatrzasnął drzwi.

– Co...? – zachłysnął się Curtis, podczas gdy klawisz wspinał się po schodach na pomost. – Co się stało?

– Pamiętasz, co ci mówiłem o gadatliwym strażniku z Omaha?

– No.

– Ciągle skarżył się na drzwi wyjść awaryjnych. Każde drzwi w Omaha miały układ antysabotażowy. Kiedy ktoś zaczynał przy nich dłubać, na konsoli w blokowej wartowni włączał się alarm. Wtedy któryś z klawiszy musiał sprawdzić drzwi z obu stron i zresetować mechanizm. Chodzi o to, że układ jest bardzo czuły. Żeby się włączył, wystarczy silniejszy podmuch wiatru albo walnięcie w drzwi. Tamten klawisz skarżył się, że spędził pół życia na włóczeniu się po bloku i resetowaniu alarmów.

– A tutaj drzwi są takie same – domyślił się Curtis.

– Dokładnie takie same. A najlepsze jest to, że alarmy tego rodzaju zdarzają się tak często, że klawisze z założenia traktują wszystkie jak fałszywe.

Curtis pokiwał głową.

– To widać. Ten nawet nie wyjrzał przez barierkę na pomoście, żeby sprawdzić, czy za drzwiami ktoś na niego nie czeka.

– W ciągu minuty po załatwieniu strażnika możemy być na pomoście uzbrojeni w granaty ogłuszające i gaz pieprzowy.

– A co potem?

– Wiesz, jak mało strażników zostaje tu na noc. Jeśli zabierzemy klawiszom przepustki i mundury, mamy szansę przedostać się do głównej bramy, zanim włączy się alarm.

– Na pewno dzisiaj?

James skinął głową.

– Jeśli tylko uda mi się pogadać z siostrą. Chodźmy na zewnątrz.

Poprzedniego ranka doszło do bitwy na noże pomiędzy rywalizującymi ze sobą gangami, po której wszystkich zagoniono do cel i zamknięto na resztę dnia. Być może dlatego, kiedy James i Curtis stanęli w kolejce do wykrywacza metalu, pozostali więźniowie byli dziwnie spięci, jak gdyby w każdej chwili coś paskudnego mogło wybuchnąć im prosto w twarz.

Kiedy szli do swojego ulubionego miejsca przy drążkach, James dostrzegł dygocącego, skulonego na ziemi chłopca. Elwood właśnie skatował go przed tuzinem rozradowanych skinheadów.

– James! – zawołał Elwood, pokazując na chlipiącą kulkę. – Chcesz go skończyć?

James machnął ręką.

– Nie dzisiaj.

Ofiarą był Mark, przyjazny dzieciak z podbitym okiem, który pierwszej nocy spał obok Jamesa. Mark nie miał żadnych krewnych, którzy mogliby wpłacać pieniądze na jego konto zakupowe, więc nie było go z czego okradać, ale to nie powstrzymywało Elwooda od bicia go dla zabawy.

– Zglanuj go – wycedził Elwood. – Straszna z ciebie ciota, James.

James odwrócił się szybko i z rozmachem kopnął Marka w pośladek. Wiedział, że rozbawi tym tłum, nie czyniąc swojej ofierze większej krzywdy.

Skinheadzi zawyli z uciechy, kiedy Mark potoczył się w tumanie pyłu. James rozkraczył się nad nim i wydobył z szortów przyrodzenie.

– A teraz zawijaj się, bo cię obsikam – wysyczał.

Mark z trudem wstał i pokuśtykał w stronę celi, żegnając Jamesa nienawistnym spojrzeniem.

– No i dlaczego go puściłeś? – zdenerwował się Elwood.

James wzruszył ramionami. Stale łamał sobie głowę, jak uniknąć nurzania się w przemocy, nie wychodząc przy tym na mięczaka, ale w gruncie rzeczy wiedział, że im dłużej przebywa z psychopatami w rodzaju Elwooda, tym większe ma szanse na to, że zostanie zamieszany w wypadek, w którym kogoś skatują do nieprzytomności albo zadźgają nożem.

– No to będzie ten bunt czy nie? – zapytał James, rozpaczliwie łaknąc zmiany tematu.

Kwestia ta była tej nocy tematem gorących dyskusji. Zawsze po większej awanturze strażnicy zamykali wybieg i nie wypuszczali nikogo z cel. Jednak przedłużony pobyt w zamknięciu powodował tylko zaognienie nastrojów.

– Uwielbiam bunty – powiedział Kirch, czyniąc niespotykaną wycieczkę w świat komunikacji werbalnej.

– No – przytaknął Elwood entuzjastycznie. – Szkoda, że nie widziałeś ostatniego, James. Gumowe kule nasuwały ze wszystkich stron. Bam, bam, bam! Biegłem do celi prawie na końcu i normalnie ludzie leżeli wszędzie. Zadźgani albo połamani.

Kirch spojrzał w niebo z radosnym uśmiechem na zakazanej gębie.

– Szczęśliwe czasy – westchnął. – To było warte miesiąca bez spacerniaka.

James usiadł ciężko na spieczonej ziemi. Po tygodniu spędzonym w towarzystwie Kircha i Elwooda, zajmujących się wyłącznie poniewieraniem ludzi albo mówieniem o tym, z rozkoszą porozwalałby im łby w zamian za pięć minut spokoju.

– Ten bunt to były najbardziej przerażające chwile mojego życia – wyznał cicho Curtis, nachylając się nad uchem Jamesa. – Myślałem, że zginę. Elwood schował się pod jedną z wiat. Był tak samo przerażony jak ja.

James uśmiechnął się.

– A Kirch?

– Kirch to prawdziwy psychol. Pewnie rozkoszował się każdą chwilą.

– Uciekajmy stąd – westchnął James, kręcąc głową. – To miejsce mnie dobija.

*

Gdyby tego dnia znów zamknięto wybieg, widzenia zostałyby odwołane, James nie zobaczyłby się z Laurą i plan ucieczki wziąłby w łeb. Z godziny na godzinę James coraz bardziej się niepokoił. Tuż po jedenastej, kiedy rozpoczęto serwowanie lunchu, przy stołach wybuchła bójka. Stołówkę zamknięto do czasu usunięcia szkód, a na wybiegu gruchnęła plotka, że dziś lunchu nie będzie. Rozdrażnieni więźniowie, z których większość z powodu zamknięcia cel straciła jedyny ciepły posiłek także poprzedniego dnia, zgromadzili się wokół betonowego baraku, by szukać tam kłopotów. Naczelnik Frey przechadzał się po dachu bloku, obserwując zamieszanie przez lornetkę. James z lękiem śledził jego gesty, wypatrując oznak zapowiadających powtórne zamknięcie cel, ale stołówka wkrótce otwarła swoje podwoje i głodnych stopniowo nakarmiono.

Kiedy nadszedł czas, James radośnie wkroczył do recepcji we frontowej części bloku. Przed wejściem do sali widzeń musiał rozebrać się do naga i włożyć swoje rzeczy do kartonowego pudełka. Po rewizji otrzymał żółty, pozbawiony kieszeni kombinezon – dyżurny ciuch, którego praniem nikt nie zawracał sobie głowy.

W sali widzeń stało sześć stolików, ale jedynymi osobami w środku była Laura i chudy, sztywny jak parasol agent FBI, którego James widział po raz pierwszy w życiu. James przeszedł boso po lepkiej od brudu posadzce i usiadł naprzeciw swoich gości. Laura pochyliła się, by go uścisnąć.

– Co ci się stało w głowę? – jęknęła, przyglądając się pięciodniowej szczecinie.

– Wlazłeś między wrony, krakaj jak i one – powiedział filozoficznie James. – Jeśli wkrótce się stąd nie wyrwę, mogę skończyć z tatuażem.

– Więzienne tatuaże są bardzo niebezpieczne – zauważył agent, przemawiając z kamienną twarzą i najbardziej wyszukanym amerykańskim akcentem, jaki James kiedykolwiek słyszał. – Igły używane do ich wykonania rzadko są sterylizowane i mogą być skażone zarazkami wielu groźnych chorób, z zapaleniem wątroby i AIDS włącznie.

– Czytałem materiały – mruknął James. – Zakładam, że jest pan moim nowym wujkiem Johnem.

– Teodor Monroe – przedstawił się człowiek-parasol, wyciągając dłoń do Jamesa. – Możesz mi mówić Teo. Obawiam się, że John Jones jest spalony, odkąd Curtis zobaczył go w gabinecie oficera oświatowego. Scott Warren pracuje tutaj, Marvin... Cóż, sądzę że Afroamerykanin nie byłby zbyt wiarygodny w roli waszego wujka.

James uśmiechnął się przelotnie.

– Będziemy tu sami? – upewnił się.

– Scott ustawił grafik tak, by dziś przypadała kolej tylko na więźniów, których nigdy nikt nie odwiedza.

– Jesteśmy podsłuchiwani?

Teo pokręcił głową.

– W sali jest sprzęt rejestrujący, ale do jego uruchomienia potrzebna jest zgoda sędziego. Musimy się o nią starać za każdym razem, kiedy do Curtisa przyjeżdżają jego rzekomi wujkowie.

– Pamiętasz tę notkę o psychiatrze, którą przekazałeś Warrenowi? – wypaliła Laura. – FBI poszło tym tropem i zdobyło zdjęcie Jane Oxford.

– Przynajmniej sądzimy, że to ona – przerwał Teo, sięgając do kieszeni nienagannie skrojonej marynarki po niewyraźną kolorową fotografię.

James wpatrywał się w twarz zupełnie zwyczajnej kobiety w średnim wieku, w dużych, prostokątnych okularach. Chłopcem stojącym u jej boku był bez wątpienia Curtis.

– Zdjęcie wykonała kamera stanowiska odprawy pierwszej klasy międzynarodowego portu lotniczego w Filadelfii. Dwa tygodnie potem Curtis trafił do szkoły wojskowej. Co interesujące, psychiatra, który badał Curtisa, okazał się członkiem zarządu tejże placówki edukacyjnej.

James zaśmiał się ponuro.

– Curtis miał rację, że psychiatrzy to banda złodziei. Założę się, że facet zgarniał słuszną premię za każdego biednego gnojka, którego tam posłał.

– FBI prześledziło także historię transakcji dokonanych za pomocą karty kredytowej, której Jane użyła przy rezerwacji lotów. Słowem: dzięki twojej czujności zdobyliśmy wyborny materiał wywiadowczy. John Jones i Marvin Teller prosili, abym przekazał ci najserdeczniejsze gratulacje.

James nie wierzył, by zwrot „najserdeczniejsze gratulacje" mógł kiedykolwiek przejść przez usta Johnowi albo Marvinowi, ale zrozumiał sedno przekazu.

– Czy to wszystko pchnie śledztwo chociaż trochę naprzód?

– Możliwe – odrzekł agent, długimi palcami strzepując niewidzialny pyłek z klapy marynarki. – Nawet jeśli wasza ucieczka się nie powiedzie, ta fotografia stanowi znaczący przełom.

– A właśnie, co z ucieczką? – zapytał James. – Błagam, nie przekładajmy jej. Nie zniosę tego dłużej. Na początku bałem się tego, co może stać się mnie. Teraz bardziej martwi mnie to, co mogę zrobić innym, kiedy ci zwyrodnialcy znów mnie do czegoś zmuszą. Sytuacja robi się napięta.

– Po naszej stronie nie ma opóźnień – zapewnił Teo. – Dziś w nocy w twoim bloku będą miały służbę trzy osoby: Scott Warren, rzecz jasna, a także Amanda Voss i niejaki Golding, który zasiądzie przy konsoli sterującej. W okolicy wartowni musicie działać bardzo ostrożnie i z rozwagą, bo Golding będzie miał w zasięgu przycisk alarmu, który unieruchamia wszystkie drzwi w całym więzieniu, nawet te otwierane kartą magnetyczną. Kiedy wydostaniecie się z bloku i dotrzecie do budynku zaplecza, raczej nie zastaniecie tam nikogo z personelu. Skądinąd wiem, że panują tam raczej... niezdrowe warunki. W każdym razie nie jest to miejsce, w jakim chciałoby się spędzać czas po powrocie ze zmiany. Poza Warrenem jedyną osobą w więzieniu, która wie o waszej próbie ucieczki, będzie strażnik o nazwisku Shorter. Pracuje w centralnej wartowni i obsługuje między innymi wyjście dla personelu. Jak wiecie, Dave wykazuje pewne fizyczne podobieństwo do Scotta Warrena i według pierwotnego planu przy głównej bramie miał pokazać twarz kamerze nadzoru. Niestety, ani ty, ani Curtis nie jesteście wystarczająco duzi, by móc udawać dorosłego mężczyznę, dlatego uruchomiliśmy Shortera, naszą polisę ubezpieczeniową. Pracuje dla stanowego departamentu więziennictwa od prawie czterdziestu lat i spodziewamy się, że śledztwo w sprawie ucieczki uczyni zeń kozła ofiarnego. Shorter zdaje sobie z tego sprawę. W zamian za współpracę FBI opłaci jego wcześniejszą emeryturę.

– No dobrze, czyli jesteśmy za bramą – powiedział James. – Co dalej?

– Udajecie się na spotkanie z Laurą, zgodnie z planem. Szybkość ma pierwszorzędne znaczenie. Arizona jest mało zaludnionym stanem i nie ma zbyt wielu dróg. Możecie spodziewać się, że policja zablokuje główne szlaki w okolicy więzienia w ciągu zaledwie trzydziestu minut od wykrycia ucieczki.

– Nastroiłam już radio w samochodzie na lokalną stację z wiadomościami – wtrąciła Laura. – Kiedy ogłoszą alarm, dowiemy się od razu.

– Przy założeniu, że do tego etapu wszystko pójdzie zgodnie z planem, dalej to Curtis musi znaleźć drogę do swojej matki – ciągnął Teo. – Zarejestrowaliśmy rozmowę Curtisa podczas jego sobotniego widzenia, ale nie wspomniał o ucieczce ani słowem. Czy masz jakiekolwiek pojęcie, dokąd zechce się udać?

James przytaknął.

– Powiedziałem mu, że powinniśmy uciekać tam, gdzie jest dużo ludzi i gdzie trudniej będzie nas znaleźć. Curtis powiedział, że zna kilka osób w Los Angeles, które pracowały dla jego mamy, więc tam właśnie pojedziemy. Nie wspomniał o ucieczce swoim wujkom, bo wie, że sala jest na podsłuchu. On przecież spędził pół życia na ucieczkach. Może i ma tylko czternaście lat, ale założę się, że wie więcej o metodach policji i FBI niż większość dorosłych przestępców.

– Zapewne masz rację – skinął głową Teo. – Czy Curtis przedstawił ci konkretny plan? Czy wspomniał, gdzie mieszkają jego łącznicy albo jak nawiązali współpracę z jego matką?

– Odniosłem wrażenie, że to gangsterzy motocyklowi albo byli gangsterzy – odrzekł James. – A plan jest prosty: uciekamy z Arizony najszybciej, jak się da, jedziemy do Los Angeles, a tam znajdujemy budkę telefoniczną i dzwonimy po wsparcie.

James i Teo rozmawiali jeszcze przez kilka minut, omawiając szczegóły planu ucieczki. Potem agent FBI życzył chłopcu powodzenia i skierował się w stronę wyjścia. James jeszcze raz uściskał siostrę.

– Uważaj na siebie – powiedziała Laura. – Nie daj się dzisiaj zabić, dobrze?

22. DRZWI

Scott Warren wziął na siebie nocny obchód o wpół do trzeciej. W przeciwieństwie do obchodu na baczność, przy którym więźniowie musieli stać przy swoich pryczach, w nocy strażnik wychylał się tylko przez barierkę pomostu i liczył głowy. Więźniów budzono jedynie wtedy, gdy kogoś nie było widać.

Uporawszy się z liczeniem, Scott ruszył w stronę wartowni, przerywając ciszę szczękaniem stalowego pomostu pod wojskowymi butami. Jeżeli wszystko pójdzie zgodnie z planem, ucieczka pozostanie niezauważona aż do następnego obchodu, który odbędzie się dopiero za cztery godziny.

Wkraczając do wartowni umieszczonej w samym centrum pawilonu, Scott zerwał formularz ze swojej tabliczki do pisania. Podał go Goldingowi, którego olbrzymia postać tkwiła na krześle za trzymetrową konsolą upstrzoną monitorami, lampkami i przełącznikami. Podczas gdy Golding przebiegał wzrokiem dokument, do wartowni weszła Amanda Voss i wręczyła mu taki sam papier.

– Żadnych ucieczek, szefie – wesoło powiedziała drobna dwudziestotrzylatka.

Golding podniósł słuchawkę i połączył się z centralną wartownią.

– Hej, Keith, tu blok T jak trumna. Melduję dwustu pięćdziesięciu siedmiu więźniów o drugiej trzydzieści siedem. Sytuacja w normie.

Warren przysunął sobie krzesło na kółkach tak, by móc oprzeć stopy na konsoli, rozsiadł się i sięgnął po gazetę. W następnej chwili rozległ się brzęczyk i zapłonęła czerwona lampka alarmowa. Golding cisnął swoją gazetę na podłogę.

– Cholerne drzwi... Cela T4, wejście B. Niech któreś z was pójdzie i to uciszy.

– Muszę do kibla – Scott spojrzał na koleżankę z miną winowajcy. – Zajmiesz się tym, Amando?

*

Żeby dopaść złoczyńców, czasem trzeba skrzywdzić kogoś, kto stoi po właściwej stronie barykady. Kiedy drzwi zaczęły się przesuwać, James stłumił w sobie przypływ wyrzutów sumienia. Powodzenie misji zależało od zachowania przez niego zimnej krwi.

Jego pięść trafiła Amandę w skroń z taką siłą, że druga strona głowy odbiła się z hukiem o krawędź stalowych drzwi. Wprawdzie nie ma czegoś takiego jak dobry uraz głowy, ale czyste trafienie w najcieńszy fragment czaszki pozwalało liczyć na to, że Amanda wykpi się z tego zaledwie lekkim wstrząśnieniem mózgu i dwudniowym bólem głowy.

James odciągnął nieprzytomną strażniczkę do tyłu i złożył na podłodze u stóp spiralnych schodów.

– Pospiesz się – szepnął nerwowo do Curtisa.

Chciał zamknąć drzwi, zanim któryś z więźniów zauważy szczelinę i postanowi pójść z nimi.

Curtis przekroczył próg i zatrzasnął drzwi. James włożył czarną koszulę, którą ściągnął z Amandy, a na głowę wcisnął służbową baseballówkę. W czarnych sportowych butach i czarnych spodniach od dresu Curtisa mógł od biedy ujść za strażnika, pod warunkiem że nikt nie przyglądałby mu się zbyt uważnie.

– Zwiąż ją, zanim się ocknie – polecił James. – Kostki, knebel, a potem przywiąż ręce do poręczy schodów. Zrób węzeł zaciskowy, tak jak ci pokazywałem.

Curtis ściągnął sobie z ramienia dwa kawałki liny splecionej ze strzępów prześcieradła. Podczas gdy krępował Amandę, James szybko wspiął się po spiralnych schodach na pomost i zakradł do gabloty z bronią. Zgarnął puszkę gazu pieprzowego, a kiedy wtykał sobie do kieszeni granat ogłuszający, w drzwiach wychodzących na korytarz pojawił się Scott. James obejrzał się szybko, sprawdzając, czy na pomoście nie ma Curtisa.

– Wszystko w porządku? – zapytał szeptem.

Scott skinął głową.

– Przywal mi w nos, ale tak, żeby było dużo krwi. I uważaj na Goldinga. Grał kiedyś w rugby. Weź kajdanki z niebieskiej szafki za konsolą.

James cofnął się o krok i nasadą dłoni uderzył Scotta w nos. Czekając, aż ułoży się na pomoście, wytarł rękę z krwi, po czym wyrwał zawleczkę z puszki z gazem pieprzowym, by pobieżnie spryskać twarz i włosy leżącego. Na koniec wepchnął mu w usta zrolowaną szmatę.

– Przepraszam, stary – mruknął, przetaczając Scotta na brzuch i krępując mu nadgarstki.

Zdaniem Jamesa Curtis wchodził po spiralnych schodach trochę zbyt głośno. Scott zwiotczał, udając, że stracił przytomność.

– Ciszej – syknął James. – Dobrze ją związałeś?

– Tak jak kazałeś.

– Masz jej identyfikator i kartę magnetyczną?

– Jasne, że mam – szepnął Curtis, po czym uśmiechnął się i wychylił za barierkę pomostu. – W życiu nie przypuszczałem, że kiedyś spojrzę na celę z tego miejsca.

James wyszarpnął Scottowi zza paska elektryczny paralizator i opróżnił mu kieszenie, zabierając też klucze i portfel. Klucze rzucił Curtisowi.

– Jeden z nich jest do szafki z bronią – wyjaśnił i zabrał się do krępowania Scottowi nóg.

168

Kiedy kończył przywiązywać spętane kostki strażnika do nadgarstków, przezroczyste drzwi szafki wreszcie ustąpiły. Curtis wyjął jedną z pneumatycznych strzelb na gumowe pociski.

– Wygląda na skomplikowane urządzenie – mruknął.

– Pomóż mi go przenieść, to zaraz cię nauczę tego używać.

Chłopcy przesunęli Scotta na wewnętrzną stronę pomostu, gdzie nie był widoczny z dołu. James wyjął z szafki mały pojemnik ze sprężonym gazem i odebrał strzelbę Curtisowi.

– Patrzyłem, jak to robią klawisze – wyjaśnił. – Najpierw przykręcasz zbiornik od góry... O tak. Przekręcasz zawór, otwierasz... Daj pocisk.

Curtis wyjął z szafki gruby walec z twardego tworzywa. James wsunął pocisk do lufy, zabezpieczył i wręczył broń koledze.

– Strzelaj tylko wtedy, kiedy będziesz musiał. Wiesz, jak to hałasuje.

Podczas gdy James przygotowywał drugą strzelbę dla siebie, Curtis wypychał sobie kieszenie puszkami z pieprzem, granatami i pociskami. Wreszcie James uchylił drzwi na końcu pomostu. Wychodziły na korytarz prowadzący do wartowni. Chłopcy zaczęli się skradać z plecami przyciśniętymi do ściany i bronią gotową do strzału.

Dotarłszy do wartowni, James ostrożnie wetknął głowę do środka i zmierzył wzrokiem Goldinga, który siedział z nogami na konsoli, czytając dział sportowy. Upiorną ciszę zakłócał tylko szum klimatyzacji.

– Musimy odciągnąć go od konsoli, bo włączy alarm – wyszeptał James prosto do ucha Curtisa.

Curtis skinął głową. James wyjął z kieszeni jedną z monet, które odebrał Scottowi. Pieniążek potoczył się na środek wartowni i upadł z cichym stuknięciem. Golding opuścił gazetę.

– Coś ci wypadło, Scott! – zawołał w przestrzeń.

Golding wpatrywał się w monetę jeszcze przez kilka sekund, po czym wzruszył ramionami i wrócił do lektury.

James popatrzył na Curtisa, pokręcił głową z irytacją i potoczył następną monetę. Golding uniósł brwi ze zdumienia. Zbyt leniwy, żeby wstać, odepchnął się nogami od konsoli i na krześle podjechał do pieniążka.

– Co się dzieje, Scottie, masz dziurawą kieszeń czy co? – zapytał Golding, podnosząc monety, po czym obrócił się i zaczął wstawać, żeby wyjrzeć na korytarz.

Chłopcy wypalili jednocześnie, trafiając w klatkę piersiową i brzuch. Pociski wgniotły Goldinga w krzesło, które przejechało kawałek do tyłu i runęło z łomotem, zawadziwszy o jakiś kabel. Rozwścieczony olbrzym zaryczał, uwolnił się od krzesła potężnym wierzgnięciem i przetoczył na brzuch, usiłując wstać.

James, któremu wciąż dzwoniło w uszach od huku wystrzałów, przyskoczył do strażnika i obficie spryskał mu twarz pieprzowym koncentratem. Golding znów osunął się na podłogę.

– Marny wasz los, kiedy was dorwę – zasapał, rozpaczliwie trąc twarz i oczy. – Scott...! Amanda...! Co z wami, do diabła!

– Dziś już raczej nie przyjdą – zarechotał Curtis.

– Kiedy traficie do dziury, dam wam taki wycisk, że nie zostanie wam ani jedna niezłamana kość.

Golding wciąż był pełen wigoru, a James wolał nie siłować się z kimś tak ciężkim. Wepchnął w gardziel strzelby kolejny pocisk i trącił lufą twarz swojego jeńca. Choć zaklasyfikowana jako broń niezabijająca, gumowa amunicja mogła ranić śmiertelnie, jeśli strzelano we wrażliwe części ciała z małej odległości.

– Ręce, spaślaku! – wrzasnął James z furią.

Golding posłusznie uniósł ręce, pozwalając Curtisowi je związać. Podczas gdy Curtis zajmował się kneblowaniem jeńca, James odszukał szafkę z kajdankami, o której mówił Scott.

Chłopcy z niemałym trudem przeciągnęli Goldinga przez kilka metrów wypastowanego korytarza. Przy schodach prowadzących w dół do recepcji James wyciągnął kajdanki i przykuł strażnika do wspornika poręczy. Curtis z okrutnym uśmieszkiem nadepnął na bransoletę, zaciskając ją o dwa ząbki dalej.

– Pamiętasz, jak zakładałeś je mnie? – wycedził, nachylając się nad jeńcem. – Lubisz, jak są ciasne, co, Golding?

Stek przekleństw ugrzązł w kneblu. Kiedy chłopcy wrócili do wartowni po broń, James wypatrzył pod konsolą plecak Goldinga. Wyrzuciwszy na podłogę pismo baseballowe i pudełko na kanapki, wypchał worek pociskami, granatami i puszkami z gazem pieprzowym, po czym zarzucił go sobie na plecy.

Curtis znalazł dla siebie czarną kurtkę Stanowego Departamentu Więziennictwa w rozmiarze sugerującym, że należy do Amandy Voss. Zarzucił ją na swój czarny T-shirt – pasowała doskonale.

Chłopcy zbiegli po schodach i przez niezablokowane drzwi wpadli do recepcji na parterze. James doskoczył do wyjścia i starannie przeciągnął kartę Amandy przez czytnik. Uśmiechnął się z ulgą, słysząc charakterystyczne kliknięcie zamka.

– Teraz spokojnie – powiedział James, kiedy wyszli na zewnątrz. – Pamiętaj, nie biegniemy. Nie chcemy zwracać na siebie uwagi.

James przeciągnął kartę przez kolejny czytnik, otwierając metalową bramę prowadzącą do głównej części więzienia. Wyasfaltowana droga biegła prosto jak strzelił do samej głównej bramy. Ciemność rozpraszały tylko nieliczne lampy na blokowych płotach i odległe światła wież wartowniczych wyznaczające granicę więzienia.

Przejeżdżający wózek z odpadkami i gest pozdrowienia od klawisza, który wyszedł na papierosa, były najbardziej ekscytującymi przygodami, jakie przytrafiły się chłopcom podczas ośmiominutowej wędrówki do bramy. Jednak spokój nie przeszkadzał Jamesowi w torturowaniu się wizjami syren, strzałów i gradu ciosów, jaki niewątpliwie spadłby na nich, gdyby zostali rozpoznani.

Sto metrów przed bramą wznosił się olbrzymi znak nakazujący nadchodzącym podążać za kolorowymi liniami na asfalcie: transportowanym więźniom za czerwoną, gościom za żółtą, a personelowi więzienia za zieloną. Za znakiem zaczynała się strefa zalana potokami oślepiającego światła i naszpikowana kamerami.

Curtisowi łamał się głos.

– Nigdy się nam nie uda.

– Zachowuj się naturalnie – szepnął James. – Wyglądamy jak strażnicy i mamy karty magnetyczne. Dopóki nie wyją syreny, nikt nie ma powodu, żeby przyglądać się nam zbyt uważnie.

Zielona linia urwała się tuż przed wejściem do niedużego blaszanego baraku. Tabliczka na drzwiach głosiła: „Tylko dla personelu". James zajrzał przez okno do ciasnego pokoiku z szeregiem automatów z produktami spożywczymi. Mizernie wyglądający strażnik siedział na plastikowym krześle i popijał coś z maleńkiej filiżanki. James otworzył drzwi kartą, wspiął się na dwa stopnie schodków przed budynkiem i ostrożnie zajrzał na wąski korytarz pachnący pastą do podłogi.

– Pusto – powiedział do Curtisa.

Chłopcy weszli do środka, minęli oszklone drzwi sali z automatami i wkrótce stanęli przed wyjściem. Kiedy James przeciągnął kartę Amandy przez czytnik, głośnik nad drzwiami przemówił męskim głosem. James miał nadzieję, że to głos przekupionego pana Shortera.

– Patrz do kamery. Nazwisko, imię, numer.

– Voss Amanda, Y465 – wyrecytował James, starając się nadać głosowi dziewczęce brzmienie.

– A kolega? – zapytał głośnik.

Curtis spojrzał bojaźliwie w obiektyw kamery.

– Warren Scott, KT318.

– Cześć, Scottie. Coś nie brzmisz mi dziś zbyt zdrowo. Masz grypę czy co?

– Chy... chyba tak.

– Przykro to słyszeć, stary. Idź do domu i zafunduj sobie solidny wypoczynek.

Zabrzęczał zamek. James i Curtis wyszli na ścieżkę otoczoną z dwóch stron drutem kolczastym. Ścieżka doprowadziła ich do masywnych drzwi nieopodal wewnętrznej bramy, które już zaczęły się uchylać z głuchym dudnieniem przekładni. Czerwony znak nakazywał czekać, dopóki nie otworzą się całkowicie. Kiedy to nastąpiło, wkroczyli do oświetlonego tunelu.

Kiedy drzwi za ich plecami zawarły się na głucho, na drugim końcu tunelu zapłonęła zielona lampka. James domyślił się, że to kolejny czytnik kart. Nie pamiętał, czy mieli być przepytywani jeszcze raz, czy nie, i odetchnął z ulgą, kiedy usłyszał łoskot mechanizmu drzwi.

Za zewnętrzną bramą James wypatrzył znak wskazujący drogę do parkingu dla personelu i szybkim krokiem ruszył w tamtą stronę. Curtis szedł za nim wstrząśnięty do tego stopnia, że ledwie mógł mówić.

– Nie do wiary – wyjąkał. – Nie-do-wia-ry. Jesteś geniuszem, James.

Szli w milczeniu żwirowaną alejką, słuchając chrzęstu kamyków pod stopami i z rozkoszą wciągając do płuc chłodne nocne powietrze.

– Nie ciesz się jeszcze – powiedział James. – To dopiero początek.

23. SAMOCHODY

James wiedział, że powinien się spieszyć, ale na parkingu było co najmniej pięćdziesiąt samochodów i gdyby podszedł od razu do właściwego, Curtis mógłby to uznać za podejrzane. Celował pilotem w różne strony, dopóki nie usłyszał podwójnego gwizdnięcia alarmu. Honda civic, stojąca dwa rzędy dalej, zamrugała na chłopców kierunkowskazami. Ruszyli w jej stronę, ale w następnej chwili przez garb przy wjeździe na parking przetoczył się z hałasem rozklekotany pikap. Zbiegowie odruchowo zanurkowali między samochody i obserwowali z ukrycia, jak półciężarówka parkuje o kilka miejsc od hondy. Umilkł silnik. Kierowca wystawił nogi na zewnątrz, ale znieruchomiał na chwilę na krawędzi fotela, żeby zapalić papierosa. Płomień zapałki oświetlił twarz.

– Frey! – szepnął nerwowo Curtis.

James czytał akta osobowe Freya. Naczelnik był typem nadgorliwca, który traktował blok T jak swoją własność, ale nikt nie oczekiwał, aby pojawiał się w pracy na trzy godziny przed swoją zmianą. To była bardzo niefortunna okoliczność i James musiał szybko coś wymyślić.

Frey był w koszulce sportowej i dżinsach, ale nawet gdy doliczyło się czas potrzebny mu na przebranie się w mundur, może szybką kawę w baraku dla personelu i marsz do bloku T, nie ulegało wątpliwości, że odkryje związanych strażników i podniesie alarm w ciągu najwyżej pół godziny. Oczywistym rozwiązaniem było unieszkodliwienie go, ale chłopcy byli na otwartym terenie obserwowanym przez dziesiątki kamer. James postanowił pozwolić Freyowi odejść. Był daleki od pewności, że to właściwa decyzja, ale pamiętał, jak atanda potraktowała Dave'a, i nie chciał, żeby spełniły się proroctwa Goldinga. Im dalej od więzienia zostaną złapani, tym większa szansa, że John Jones i zespół FBI zdążą wyciągnąć Jamesa z opresji, zanim dopadną go klawisze.

Kiedy Frey zamknął samochód i zniknął w mroku na obsadzonej kaktusami ścieżce wiodącej do wejścia dla personelu, chłopcy przyskoczyli do małej hondy i wsiedli do środka. Był to egzemplarz po tuningu, z wyścigowymi fotelami, dziesięcioszprychowymi alufelgami i podrasowanym silnikiem. James przeciągnął przez pierś czerwony pas bezpieczeństwa i przekręcił kluczyk. Pamiętał, jak zakończyła się jego ostatnia jazda, ale adrenalina w żyłach nie pozwoliła jego myślom zatrzymywać się nad tym dłużej. Miał zadanie do wykonania.

Na drodze prowadzącej do więzienia utrzymywał umiarkowaną prędkość, ale na międzystanowej nie mógł się już powstrzymać. Żwawe małe autko miało twarde zawieszenie i precyzyjny układ kierowniczy. James lawirował pomiędzy trzema pasami ruchu ogarnięty poczuciem niezniszczalności.

Dwanaście mil do zjazdu na bitą drogę pokonali w niespełna dziesięć minut. Kilkaset metrów za skrzyżowaniem stał wielki ford explorer z orurowanym przodem. Miał włączone światła.

– Weź broń – rzucił James, parkując hondę obok forda i otwierając drzwi.

Laura zdążyła już włączyć silnik czteronapędówki i przypiąć się pasem do przedniego fotela dla pasażera. James wspiął się na miejsce kierowcy i wdusił gaz, kiedy tylko Curtis zatrzasnął za sobą drzwi.

– Nie miałaś problemów z wyciągnięciem samochodu? – zapytał James, rozpędzając auto na piaszczystej drodze.

Laura pokręciła głową.

– Wujek John się nie obudził. Wzięłam jego mapy i opracowałam trasę do Los Angeles. – Laura obejrzała się przez ramię. – Ty pewnie jesteś Curtis.

– Hej – uśmiechnął się Curtis. – Miło cię poznać, Laura. Gdzie nauczyłaś się prowadzić?

– Ja i Dave ją nauczyliśmy – wyjaśnił James. – Wzięliśmy ją parę razy, jak jeździliśmy poszaleć.

– Ciężko mi dosięgnąć pedałów – dodała Laura – ale na tej drodze właściwie nie ma ruchu.

– Co masz w plecaku? – zapytał Curtis.

– Ciuchy, forsę, kosmetyki, udało mi się nawet wślizgnąć do sypialni i zwinąć wujkowi czterdziestkę czwórkę.

– Mamy normalną spluwę? – Curtis wytrzeszczył oczy. – Gdzie jest?

Nie potrzebował odpowiedzi, bo w tej samej chwili jego wzrok padł na wielki rewolwer na podłokietniku między przednimi fotelami.

Po zwinnej małej hondzie terenowy olbrzym sprawiał wrażenie naszprycowanego pigułkami nasennymi. Na międzystanowej James wcisnął pedał gazu do oporu, ale odniósł wrażenie, że samochód nie bardzo się tym przejął.

– Magnum czterdzieści cztery – wyszczerzył się Curtis, ujmując rewolwer. – Broń Brudnego Harry'ego. Można tym przerąbać człowieka na pół.

Laura obejrzała się gwałtownie, kiedy za oknem mignęła cukiernia z pączkami.

– James, głupolu, jedziesz w złą stronę!

– Co? – zachłysnął się James.

– Skręciłeś w złą stronę, jak wjeżdżałeś na międzystanową.

– Diabli!

Przeciwbieżne nitki szosy rozdzielała stalowa barierka. James zaczął wypatrywać skrzyżowania, na którym mógłby zawrócić.

– Przestawiłaś radio? – zapytał.

– Pewnie. – Laura sięgnęła do deski rozdzielczej i włączyła odbiornik.

– Na parkingu natknęliśmy się na kierownika naszego bloku – wyjaśnił James. – To znaczy, że nici z czterech godzin na ucieczkę. Będziemy mieli sporo szczęścia, jeśli dostaniemy dwadzieścia minut, zanim policja usiądzie nam na ogonie.

James wypatrzył przerwę w barierce i skręcił tam, posyłając auto szerokim łukiem przez pas suchych zarośli na drugą nitkę szosy. Jakiś samochód zaryczał klaksonem, wykonując rozpaczliwy unik, by nie wbić się w tył forda.

– Ups... – powiedział James, wduszając gaz. Terenówka zaczęła leniwie nabierać prędkości. – Jak daleko mamy do granicy Kalifornii?

– Niecałe sześćdziesiąt mil – powiedziała Laura. – A Los Angeles jest jeszcze dwieście mil dalej. To pięć godzin jazdy, jeśli nie będziemy się zatrzymywać.

– Musimy stanąć przynajmniej raz, po benzynę.

Ruch był niewielki, a nieoświetlona droga prawie idealnie prosta. Prędkościomierz wskazywał osiemdziesiąt mil na godzinę. Jechali szybciej, niż pozwalały przepisy, ale zgodnie z tendencją panującą na drodze o tej porze nocy. Gdyby James przyspieszył jeszcze bardziej, zaczęliby zwracać na siebie uwagę.

Lokalne radio nadawało audycję z udziałem słuchaczy: dyskusję na temat „Czy żyją wśród nas istoty nie z tego świata?" oraz „Kto jest najwybitniejszym muzykiem wszech czasów?". James odniósł wrażenie, że zdaniem większości dzwoniących odpowiedź na oba pytania brzmiała Elvis Presley.

Zegarek na desce rozdzielczej pokazywał za siedemna-ście czwarta, kiedy prezenter przerwał rozmowę ze słucha-czem i podnieconym głosem oświadczył:

– Właśnie przed chwilą otrzymaliśmy sensacyjną wia-domość o ucieczce z Arizona Max. Uciekli dwaj więźnio-wie płci męskiej, obaj w wieku czternastu lat. Tak jest, moi drodzy, czternastu, nie czterdziestu... Jeden ze strażników więziennych zginął, próbując powstrzymać uciekinierów. Policja stanu Arizona rozpoczęła pościg i rozstawiła blo-kady drogowe w strategicznych miejscach wokół więzie-nia. Zbiegowie to biali skinheadzi, nazywają się James Rose i Curtis Oxford. Obaj są skazanymi zabójcami i polic-ja radzi, aby w razie spotkania z nimi zachowywać się tak samo jak wobec groźnych dorosłych przestępców... To by-ła wiadomość z ostatniej chwili. Zostańcie z nami, będzie-my trzymać rękę na pulsie i informować was na bieżąco o przebiegu pościgu.

– Zabiliście kogoś? – wykrzyknęła Laura.

Udawana śmierć Scotta Warrena była częścią planu, ale przed Curtisem musieli udawać zaskoczenie.

– Nikogo nie zabiliśmy – powiedział Curtis.

– Jeden z klawiszy musiał dostać zawału czy coś – dodał James.

– Paskudna sprawa. Jak zabijesz klawisza, masz przerą-bane. Trafiasz do izolatki, a strażnicy urządzają ci piekło na ziemi: plują do jedzenia, puszczają głośną muzykę, która przestawia ci mózg...

– No to lepiej nie dajmy się złapać – przerwał James.

– O Boże... – jęknął Curtis i zaszlochał.

– No to co chcesz zrobić, do cholery? – zdenerwował się James. – Wrócić tam i grzecznie przeprosić?

– A jak trafimy na blokadę? Mamy tylko jedną normal-ną spluwę. Jak spróbujemy się przebić, poszatkują nas na drobno.

– Uspokój się i daj mi pomyśleć. Laura, jak daleko mamy do granicy?

Laura pochyliła się nad rozłożoną na kolanach mapą.

– Jakieś trzydzieści pięć mil.

– W Kalifornii też mogą być blokady, wiesz? – powiedział ponuro Curtis.

– Jasne, że tak, ale tu, na pustyni, na pewno nie ma zbyt wielu gliniarzy, a policja nie wie, dokąd jedziemy. Im dalej od więzienia, tym więcej dróg muszą zablokować, dlatego jeżeli mamy trafić na blokadę, to stanie się to raczej wcześniej niż później.

Przez kilka minut nikt się nie odzywał. James wpatrywał się w szeregi odblaskowych kocich oczek przemykających obok samochodu. Jakaś kobieta zadzwoniła do radia i oświadczyła, że zbiegów należałoby ukarać śmiercią, nie zważając na ich młody wiek. Dzwoniący po niej słuchacze podzielali tę opinię.

– ...A teraz, drodzy słuchacze, kolejne wieści z pościgu. Policja poszukuje srebrnej hondy civic IS. Podobno to nieduża japońska sportowa fura na alufelgach, ze skrzydłem nad tylną szybą...

James uśmiechnął się.

– Wyprzedzamy ich o krok.

– Tylko patrzeć, jak gliny przetrzepią dom waszego wujka. Zorientują się, że brakuje samochodu.

– Ale zyskaliśmy trochę czasu.

– Uwaga! – pisnęła Laura.

Siedząc po prawej stronie, zauważyła niebieskie błyski o pół sekundy wcześniej niż James. Blokady drogowe ustawia się zazwyczaj za zakrętami, żeby nadjeżdżający nie mieli już gdzie zawrócić, ale zostawiając trochę miejsca na hamowanie, inaczej rozpędzone auta wbijałyby się w blokadę. Kolejka około tuzina samochodów zajmowała jeden pas ruchu. Pozostałe dwa były zablokowane przez dwa radiowozy z włączonymi kogutami. Każdy samochód był zatrzymywany i policjant z latarką dokładnie oglądał twarze podróżnych.

James zjechał na pobocze i gwałtownie zahamował. Spojrzał w lusterko. Wszystkie cztery koła zaprotestowały głośnym piskiem, gdy wdusił gaz, żeby zawrócić na wstecznym, wbijając się tyłem między jadące auta. Jeżeli gliniarze nie dostrzegli tego manewru, to z pewnością usłyszeli klaksony uskakujących na boki samochodów. Jeden z nich przytarł bokiem metalową barierę i zatrzymał się, ciągnąc za sobą gasnący snop iskier.

– Cholera! – krzyknął James, przekładając dźwignię z powrotem i ruszając pod prąd, prosto na nadjeżdżające światła.

Radiowozy blokujące szosę włączyły syreny i zaczęły wykręcać w stronę uciekających. W tej samej chwili James dostrzegł przerwę w barierce; ford przeorał pas zieleni, przeskakując na właściwą stronę drogi.

– Laura, gdzie ten plecak, który przyniosłem? – zapytał James, prawie krzycząc.

– Mam pod nogami.

– Weź go, jest pełen broni. Ciebie nie szukają. Kiedy stanę, wyskocz, ale tak, żeby cię nie widzieli.

Laura skinęła głową.

– Spróbuję.

– Nie możesz się zatrzymać! – wrzasnął Curtis. – Przez nas klawisz odwalił kitę; jak nas teraz złapią, nasze życie będzie gówno warte!

– Zamknij się! – odkrzyknął James ze złością. – Dociągnąłem nas aż tutaj, więc uspokój się i zaufaj mi.

– Odwal się – wysyczał Curtis, sięgając między fotele po magnum.

Ford zatrzymał się z chrzęstem w piasku obok pobocza. Laura wyskoczyła z plecakiem i stoczyła się z niewysokiego nasypu między zarośla. Po chwili przed terenówką i za nią zatrzymały się dwa radiowozy. Z jednego wyskoczył policjant, z drugiego policjantka, oboje z pistoletami w dłoniach.

– Nie wrócę do więzienia! – zawył Curtis łamiącym się głosem.

Policjant stanął za fordem, chcąc osłaniać swoją koleżankę. Policjantka przemknęła w świetle reflektorów wielkiego forda i stanęła przy drzwiach, mierząc z pistoletu w kierowcę.

– Wyłączyć silnik, dłonie na kierownicę!

James wypełnił polecenie, ale w tej samej chwili usłyszał odgłos odciąganego kurka. Z powodu przyciemnianych szyb policjantka dostrzegła Curtisa dopiero teraz, kiedy podeszła bliżej.

– Nie rób tego, synu.

James był przekonany, że Curtis trzyma na muszce policjantkę, ale zerknięcie w lusterko uświadomiło mu, że chłopiec celuje w siebie.

– Curtis, nie!

Kliknął spust.

Biały błysk i ogłuszający huk rozdarły noc, kiedy granat obezwładniający rozerwał się przy kole pierwszego radiowozu, rozrywając oponę na strzępy. Cztery kolejne eksplodowały na poboczu, a ostatni zniszczył oponę radiowozu stojącego z tyłu. James, Curtis i policjanci byli chwilowo ogłuszeni i oślepieni. Wybuchy zaskoczyły też kilku przejeżdżających kierowców, ale na szczęście ruch był niewielki i skończyło się na kilku ostrych hamowaniach i jednym poślizgu, który omal nie spowodował wypadnięcia auta z drogi.

Ułożywszy ostatni granat, Laura schowała twarz w piasku. Liczyła eksplozje z palcami wetkniętymi głęboko w uszy. Po szóstej zerwała się z ziemi i pognała w stronę policjanta. Zanim odzyskał wzrok, poczęstowała go dzie-więćdziesięcioma tysiącami woltów z paralizatora Scotta. Mężczyzna runął na ziemię, przemieniając się w podrygu-jącą kupkę nieszczęścia, jaką miał pozostać co najmniej przez dwie minuty. Zanim upadł, Laura wyrwała mu z dło-ni pistolet i wystrzeliła w powietrze, nad głową policjant-ki, która odzyskała słuch na tyle, by w odruchu obronnym przypaść do ziemi. Wziąwszy kobietę na muszkę, Laura zmusiła ją do położenia się, po czym ją także potraktowa-ła paralizatorem.

Dziesięciolatka wytrząsnęła z policyjnych pistoletów magazynki i odrzuciła broń na pustynię. Następnie przypad-ła do forda i gwałtownym szarpnięciem otworzyła drzwi kierowcy.

– James! – krzyknęła.

James ledwie ją słyszał przez uporczywy gwizd wypeł-niający mu uszy, ale białe plamy tańczące mu przed ocza-mi zaczęły powoli ustępować.

– To ile było tych granatów? – zapytał.

– Wszystkie – stęknęła Laura, gramoląc się przez kolana brata na fotel pasażera. – Widzisz wystarczająco dobrze, żeby prowadzić?

– Jest coraz lepiej.

James uruchomił silnik i zaczął trzeć pięściami oczy. Laura obejrzała się na Curtisa, który leżał na tylnym sie-dzeniu z oczami pełnymi łez.

– Co się, do diabła, stało? – wyszeptał, wpatrując się w otwór lufy.

– Bo widzisz, ja nie przepadam za bronią – wyjaśniła Laura z uśmiechem. – Nie naładowałam magnum, bo nie chciałam, żeby ktokolwiek zginął czy został zraniony. To miał być tylko straszak.

– Ty wariatko! – wrzasnął Curtis. – Gliny ładują swoją broń, wiesz, debilko jedna?

– Tak, żeby tacy idioci jak ty mogli się pozabijać! – odkrzyknęła Laura.

– Ja wcale nie chcę żyć – chlipnął Curtis.

– Zamkniecie się wreszcie czy nie? Próbuję się skupić – zdenerwował się James.

Zaczekał, aż przejedzie zbliżający się samochód, po czym wyprowadził forda spomiędzy radiowozów i przez przerwę w barierce wrócił na pas ruchu wiodący w stronę Kalifornii. Kiedy wcisnął gaz do oporu, kierownica gwałtownie zadygotała, prawie wyrywając mu się z dłoni. Zmniejszył nacisk i dygot osłabł. Samochód powoli nabierał prędkości.

– Co się dzieje? – zainteresowała się Laura.

– Nie mam pojęcia, ale pamiętam, że coś strzeliło, kiedy ostatnio przejeżdżaliśmy przez barierę.

James walczył z kierownicą, rozpaczliwie usiłując utrzymać kierunek. Wyciągali mniej niż trzydzieści mil na godzinę, a z tyłu zbliżała się ciężarówka pędząca co najmniej dwa razy szybciej. Kolos przeskoczył na środkowy pas i rycząc klaksonem, zabrał się do wyprzedzania. James jeszcze raz spróbował wcisnąć gaz mocniej. Kierownica omal nie urwała mu ręki, a samochód niebezpiecznie zatoczył się w stronę przemykającej obok ciężarówki.

– Jest dobrze, póki jadę wolno, ale jak wcisnę gaz, zaczyna szaleć.

– Co robimy? – zapytała Laura.

– Nie wiem – powiedział James, wzruszając ramionami. – Jedno jest pewne: ten złom nie dowiezie nas do Los Angeles.

24. BAGAŻNIK

Szosa międzystanowa biegła przez bezkresną pustynię, gdzie opuszczony samochód bardzo szybko zostałby zauważony. Na szczęście co kilka mil wyrastały przy niej przydrożne sklepy, zajazdy i fast foody, o tej porze na ogół zamknięte. James zjechał z drogi przy pierwszym takim miejscu, na jakie natrafił. Ramiona bolały go od zmagań z kierownicą. Przerzucił dźwignię biegów na luz, zgasił światła i w blasku rozsiewanym przez wielki neonowy deser wiszący nad szosą, wtoczył się cicho na parking lodziarni. Zatrzymał się na tyłach, za szeregiem śmietników, i włączył lampkę pod sufitem. Obejrzał się na Curtisa. Chłopak raz po raz pociągał za spust rewolweru, chichocząc pod nosem, ale po twarzy spływały mu łzy.

– Myślisz, że kiedyś uda mi się dorwać spluwę, która będzie działała, jak postanowię strzelić sobie w czerep?

Sposób, w jaki Curtis przeistoczył się w emocjonalny wrak, wstrząsnął Jamesem do głębi. Było to żałosne, a jednocześnie przerażające. Po raz pierwszy James naprawdę dostrzegł w nim człowieka zdolnego do zamordowania trzech obcych osób z powodu sprzeczki z nauczycielem.

– Gdzie dokładnie jesteśmy? – zapytał James, pochylając się nad kolanami Laury.

– Jeżeli dobrze czytam mapę, za jakieś dwie mile międzystanowa omija małe miasteczko Nix.

– I tam właśnie pójdziemy – zadecydował James. – Gliny nie wiedzą, że mamy problemy techniczne. Zakładając, że nikt nie odkryje samochodu, powinniśmy mieć godzinę lub dwie, zanim ktokolwiek zacznie nas tam szukać.

– Co zrobimy, jak już się tam dostaniemy? – zapytała Laura.

James rozłożył ręce.

– Albo znajdziemy miejsce, gdzie zaczekamy, aż policja zdejmie blokady, albo ukradniemy samochód i spróbujemy się przebić. Musimy improwizować.

Laura złożyła mapę, a James poszedł do bagażnika po plecak z pieniędzmi i ubraniami. Curtis wciąż kulił się na tylnym siedzeniu. James otworzył tylne drzwi.

– Idziemy – rzucił twardo.

– Niby po co? – chlipnął Curtis. – Po co ja cię w ogóle słuchałem. W celi przynajmniej miałem opiekę.

James musiał postawić chłopaka na nogi, ale nie miał czasu na poważne rozmowy. Sięgnął do środka i wywlókł Curtisa na zewnątrz za kołnierz kurtki. Choć chłopcy byli podobnego wzrostu, James był sprawniejszy fizycznie i znacznie silniejszy.

– Słuchaj no – warknął, rzucając Curtisa plecami na samochód. – Prosiłeś mnie, żebym cię zabrał, i wiedziałeś, że będzie niebezpiecznie. Za późno na zmianę zdania.

Curtis gapił się w przestrzeń, jakby James był przezroczysty.

– Pójdziemy do miasta, zdobędziemy wóz, a potem pojedziemy do Los Angeles, gdzie skontaktujesz się ze swoją mamą, dokładnie tak, jak planowaliśmy.

Curtis nie odpowiadał, dopóki James nie zwinął dłoni w pięść.

– Okej – chlipnął cicho.

James zmienił ton głosu z grożącego na uspokajający.

– Dotarliśmy już bardzo daleko. Potrzebujemy siebie nawzajem i wciąż może się nam udać, jeśli tylko nie stracimy głowy.

Curtis wyglądał, jakby chciał uwierzyć Jamesowi, ale nie mógł. Miał minę jak przerażony dzieciak, którego rodzice próbują przekonać, że pod jego łóżkiem nie ma żadnych potworów.

Laura założyła plecak z bronią i czekała gotowa do drogi. W oknie forda mignęło jej własne odbicie. Spojrzała uważniej i zdumiała się na widok swoich potarganych włosów i wymiętego, zapiaszczonego ubrania. Dopiero teraz dotarło do niej, że przed chwilą własnoręcznie obezwładniła dwoje policjantów. To była najdziksza noc w jej życiu, ale Laura czuła dziwny spokój, jakby jej umysł nie wierzył, że to wszystko dzieje się naprawdę.

Otrząsnęła się z zamyślenia i spojrzała na chłopców.

– Lepiej zrzućcie te ciuchy – rzuciła szorstko.

James uświadomił sobie, że wciąż ma na sobie czarną służbową koszulę Amandy Voss. Odpinając ją, z ulgą spostrzegł, że Curtis robi to samo, tym razem bez żadnej zachęty. Najwyraźniej zaczął się uspokajać. James zarzucił sobie na ramię plecak z ubraniami i żwawo ruszył w stronę szosy. Po chwili zrównała się z nim Laura.

– Myślisz, że jeszcze mamy szansę? – zapytała szeptem, żeby Curtis nie mógł usłyszeć.

James wzruszył ramionami.

– Plan zakładał, że dotrzemy do Kalifornii przed ogłoszeniem alarmu. Prawdopodobnie mamy przerąbane, ale nie poddamy się, dopóki nas nie zmuszą... Tylko pamiętaj, cokolwiek się stanie, nie dawaj temu frustratowi broni do ręki.

Curtis podbiegł do Jamesa z drugiej strony.

– O czym tam szepczecie?

– A ty co, wróciłeś już na łono ludzkości? – zapytał go opryskliwie James.

– Przykro mi, naprawdę. Ale nie ma mowy, żebym znów trafił za kratki.

– Myśl pozytywnie. Jutro o tej porze będziesz tulił się do mamy.

Drogą przemknął samotny samochód policyjny. Chwilę później zbiegowie zanurkowali w krzaki na widok całego szeregu radiowozów. Nie mieli za sobą nawet jednej trzeciej drogi do Nix, kiedy natknęli się na rząd drewnianych słupków podtrzymujących zardzewiałą siatkę, która dekadę wcześniej mogła uchodzić za ogrodzenie.

– Przyczepowe slumsy – mruknął Curtis, patrząc z odrazą na pogrążone w półmroku zbiorowisko przerośniętych aluminiowych przyczep kempingowych, które Amerykanie nazywają mobilnymi domami.

Laura spojrzała na brata.

– Myślisz, że znajdziemy tu furę?

– Kradłeś już samochody? – zapytał Curtis.

– Dam radę odpalić stary model, ale nowsze mają za dużo elektroniki. Do takich potrzebne są specjalne narzędzia.

– W przyczepach raczej nie mieszkają zamożni ludzie – zauważył Curtis. – Jak szukasz starych złomów, to właśnie w takich miejscach.

– Potrzebny nam wóz, który dojedzie do Los Angeles – przypomniała Laura.

Zbiegowie ruszyli wzdłuż siatki, oddalając się od szosy. Przez pierwszą napotkaną wyrwę przeszli na teren parkingu-osiedla. Większość domów na kołach stała w grupie w pobliżu wjazdu, ale tam ryzyko zauważenia przez kogoś było zbyt wielkie. Laura objęła dowodzenie i brnąc przez zarośla, poprowadziła chłopców na tyły parkingu, w stronę samotnej przyczepy, której jedynym towarzyszem był wypalony szkielet mobilnego domu wrośnięty w ziemię o kilka miejsc dalej.

Wewnątrz przyczepy paliła się lampa, a na dachu szumiał klimatyzator. James podkradł się do zaparkowanego obok dodge'a i zajrzał przez okno po stronie kierowcy. Choć samochód był zaniedbany, miał poduszkę powietrzną i odtwarzacz CD, co oznaczało, że jest zbyt nowoczesny, by można go było uruchomić poprzez proste spięcie kabli.

– Bez szans – wyszeptał James, oglądając się przez ramię.

– Ale w przyczepie pewnie wszyscy śpią. Mogę spróbować tam wejść i znaleźć kluczyki.

W chwili gdy to powiedział, usłyszał trzask otwieranych kopnięciem aluminiowych drzwi, a zaraz potem charakterystyczny podwójny trzask przeładowywanej strzelby typu pompka. Obrócił się na pięcie w samą porę, by zobaczyć koniec lufy pod własnym nosem.

– To wy, gówniarze, rozwalacie nam samochody – krzyknęła kobieta. – Gadać mi, skąd jesteście! Nie widziałam was w okolicy.

Wyglądała najwyżej na dwadzieścia lat. Miała długie brązowe włosy, koszulę nocną i kapcie.

– Nie chcemy kłopotów – zapewnił James, podnosząc ręce nad głowę. – Bez obaw, już nas tu nie ma.

– Myślisz, że was tak po prostu puszczę? Tamte podziurawione opony kosztowały mnie dwieście dolców. Właźić do środka i dzwonię po gliny!

– Jesteśmy tu pierwszy raz. My nigdy...

Kobieta zacmokała, kręcąc głową.

– Nie wciskaj mi kitu, mały. Niektórym sąsiadom z przyczep przy drodze tak zależliście za skórę, że chętnie sami by się z wami rozprawili, zamiast wzywać policję.

Laura wyszła przed Jamesa i zaszlochała teatralnie.

– Proszę, niech pani nie zabija mojego brata.

Kobieta wyglądała na zbitą z tropu. Laura przysunęła się o krok bliżej. Kobieta cofnęła się do drzwi przyczepy.

– Nie zbliżaj się, dziewczyno.

– Pro... o... o... szę! – załkała Laura.

– Słuchaj no... – zaczęła kobieta, rozglądając się niespokojnie.

James zrozumiał, że mieszkanka przyczepy nie byłaby w stanie nikogo zastrzelić, a już z pewnością nie dziesięcioletnią dziewczynkę. Zanurkował pod lufę i chwycił ją, podczas gdy Laura błyskawicznie wycofała się za samochód. James naparł na obróconą w bok strzelbę, przyciskając kobietę do ściany.

– Puść! – rozkazał, odrywając szczupłe palce od drewnianej kolby.

Kobieta zaszlochała, kiedy James odebrał jej broń.

– Błagam, nie krzywdź mojego maleństwa!

– Do środka – warknął James.

Kobieta wspięła się po dwóch metalowych stopniach i weszła do przyczepy.

– Jest tu z tobą ktoś jeszcze? – zapytał James, pstrykając włącznikiem światła.

– Tylko moja córka.

Laura i Curtis weszli za Jamesem do przyczepy i szybko zamknęli drzwi.

– Laura, znajdź radio i nastaw na tamtą stację. Musimy wiedzieć, co robią gliny – powiedział James.

Wnętrze przyczepy nosiło ślady intensywnego używania, ale było czyste. Wszędzie poniewierały się dziecięce zabawki. Pod jedną ścianą stała kanapa, pod drugą – rząd kuchennych szafek, a pod oknem leżał materac, na którym spała trzyletnia dziewczynka.

– Usiądź na kanapie – rozkazał James.

Laura włączyła radio. James uświadomił sobie, że widok strzelby paraliżuje nieszczęsną kobietę. Zdjął magazynek i wysypał naboje na dywan.

– Nie chcę cię skrzywdzić, ale potrzebujemy twojej pomocy. Jak masz na imię?

– Paula.

– Słuchaj, Paula. Mamy drobne kłopoty. Jesteśmy zbiegami i padł nam samochód.

– Zbiegami?

– Z więzienia. Ja i ten tutaj, Curtis, nawialiśmy z Arizona Max.

Paula ukryła twarz w dłoniach i wzięła głęboki wdech. Radio potwierdziło wersję chłopaka.

– ...Dwaj policjanci zostali zaatakowani i obezwładnieni przy blokadzie drogowej, sześć mil od miasteczka Nix. Zdaniem policji dwaj nastoletni zabójcy zmierzają do Kalifornii drogą krajową numer sześćdziesiąt trzy. Najprawdopodobniej podróżują niebieskim fordem explorerem i są uzbrojeni w broń palną i materiały wybuchowe. Jeden z uciekinierów – James Rose – ma już na koncie jedną próbę ucieczki. Policja radzi, by w razie zauważenia zbiegów zachować najwyższą ostrożność... Drodzy słuchacze, miejmy nadzieję, że tej nocy nie stracimy już ani jednego z naszych stróżów prawa. Pamiętajcie, by znaleźć dla nich miejsce w swoich modlitwach, i zostańcie z nami. Radio Western Arizona: wiadomości, opinie...

Laura zajrzała do lodówki i rozdała wszystkim napoje w puszkach.

– To w końcu zostajemy czy jedziemy? – zapytał Curtis, sadowiąc się na krześle przy kuchence.

– Daj mi chwilę pomyśleć – odparł James.

Czuł nieznośną presję. W poprzednich misjach zawsze mógł liczyć na pomoc swoich koordynatorów albo bardziej doświadczonych agentów. Tym razem był sam i musiał przechytrzyć całą policję stanu Arizona.

Nagle wpadł na pomysł. Spojrzał na Paulę.

– Ten twój samochód, duży ma bagażnik?

– Bo ja wiem? Normalny.

– Zmieściłby się tam człowiek?

– Chyba tak. Jak wywalić moje graty, to będzie całkiem sporo miejsca.

– Co ty knujesz? – zainteresowała się Laura.

– Nie możemy się tutaj kręcić – powiedział James.

Laura pokiwała głową.

– Kiedy gliny znajdą samochód, najpierw przyjdą węszyć tutaj. Problem w tym, że w drodze do Kalifornii prędzej czy później musimy natknąć się na blokadę.

– I dlatego ja albo Curtis pojedziemy w bagażniku – powiedział James. – Paula poprowadzi, jedno z nas usiądzie z przodu, a jedno z tyłu, z dzieckiem.

Laura pokiwała głową z uznaniem.

– Niegłupi plan, braciszku. Będziemy wyglądać jak rodzina na wycieczce. Gliny mogą to kupić.

– Albo zajrzeć do bagażnika i nas załatwić – zauważył Curtis.

Paula wyglądała na zdruzgotaną.

– Chcecie, żebym przewiozła was przez blokady?

– I zawiozła do Los Angeles.

Kobieta nerwowo potarła oko.

– Pomoc w ucieczce... Wiecie, ale za to się strasznie długo siedzi.

– Proszę, Paula – zaskomlała Laura. – Jeśli złapią mojego brata, będzie siedział do końca życia.

– A jak gliny zaczną strzelać? A co, jak postrzelą małą?

– Dlaczego my ją w ogóle prosimy? – zirytował się Curtis. – Dźgnij ją lufą w plecy i rozkazuj.

– No bo... – zaczął James, zmagając się z nieprzyjemną świadomością, że tak właśnie postąpiłby naprawdę zdesperowany zbieg.

– Co jeszcze możemy zrobić? – zapytał Curtis. – Jeśli ją zostawiamy, musimy związać ją i szczeniaka, żeby nas nie podkablowały.

Do tej pory James nie planował angażowania w ucieczkę osób trzecich, zwłaszcza w roli zakładników. Miał przed sobą trzy wyjścia, a żadne nie było dobre: związać Paulę i ukraść jej samochód, zmusić ją do przewiezienia ich albo obezwładnić Curtisa i zawiadomić Johna Jonesa, że wycofuje się z akcji.

– Posłuchaj – westchnął James, patrząc na Paulę. – Wolałbym nie grozić ci bronią, ale jeśli gliny złapią Curtisa i mnie, jesteśmy trupami. Kiedy dotrzemy do Los Angeles, możesz zadzwonić na policję i opowiedzieć, do czego cię zmusiliśmy. Nie wsadzą cię. Mało tego, możesz sprzedać swoją historię gazetom i jeszcze zarobisz na całej tej aferze.

– Albo to, albo nas zwiążecie, tak? – zapytała Paula.

Jej noga podrygiwała nerwowo.

James zauważył niegustowną biało-różową sukienkę wiszącą na drzwiach toalety.

– Pracujesz w tej lodziarni przy szosie? – zapytał, celowo ignorując pytanie. – Ile ci płacą?

– Sześć dolców za godzinę.

– Laura, zabrałaś oszczędności wujka. Ile tego jest?

Laura skinęła głową.

– Około czterech tysięcy, w dużym plecaku.

– Jeżeli nas zawieziesz, dostaniesz połowę tego szmalu – powiedział James, znowu zwracając się do Pauli. – Pomyśl, ile ton lodów musiałabyś przeszuflować, żeby zarobić dwa tysiące zielonych. Tysiąc zostaje w przyczepie, drugą połowę dostaniesz w Los Angeles.

Curtis pokręcił głową z niedowierzaniem.

– Dlaczego ty to robisz? – denerwował się. – Elwood dobrze mówił, że jesteś ciotą.

James podszedł do Curtisa i spojrzał mu głęboko w oczy.

– Niepotrzebny nam jest kierowca, któremu puszczają nerwy, kiedy tylko gliniarz zaświeci mu w twarz latarką – wycedził dobitnie przez zaciśnięte zęby. – Gdybym cię słuchał, już dawno zrobiliby z nas sito w jakiejś bezsensownej strzelaninie.

Laura usiadła na kanapie i pociągnęła nosem.

– Błagam, pomóż nam – poprosiła, podnosząc na Paulę wzrok smutnego spaniela. – Mój wujek ciągle mnie bije... Błagam, nie każ mi do niego wracać.

Wyraz twarzy Pauli gwałtownie się zmienił. Kobieta spojrzała na Laurę ze współczuciem i uśmiechnęła się smutno.

– Jak byłam w twoim wieku, ojczym stłukł mnie tak bardzo, że skończyłam w szpitalu.

– Czyli wiesz, jak to jest. – Laura znów pociągnęła nosem, pilnując, by nie wyschły jej oczy, i czując wyrzuty sumienia z powodu swojej wyrachowanej manipulacji.

Paula z wahaniem spojrzała na Jamesa.

– Mam kłopoty – powiedziała powoli. – Dwa tysiące dolarów rozwiązałoby większość z nich.

25. FART

Curtis zgłosił się na ochotnika do jazdy w bagażniku. Był nieprzewidywalny. W jednej chwili bystry i chętny do współpracy, w następnej przemieniał się w płaczliwego imbecyla o skłonnościach samobójczych. Owszem, zwyczajne dzieci, które nie przeszły szkolenia w CHERUBIE, miewają kłopoty z radzeniem sobie ze stresem, zwłaszcza w niebezpiecznych sytuacjach, ale odporność psychiczna Curtisa była po prostu zerowa i James martwił się coraz bardziej. Po dotarciu do Los Angeles los całej trójki miał zależeć od tego, czy Curtis zdoła wziąć się w garść na tyle, by szybko i sprawnie skontaktować się ze wspólnikami swojej matki.

Było wpół do piątej rano, kiedy natknęli się na dużą blokadę drogową ustawioną o milę przed granicą stanu. Pięć radiowozów blokowało lewą stronę jezdni i trzy długie szeregi czerwonych świateł zlewały się w jeden na pozostałym prawym pasie ruchu. Po drugiej stronie szosy czekało więcej radiowozów z kierowcami gotowymi do pościgu, a powyżej krążył policyjny śmigłowiec. James domyślał się, że na pokładzie ma kamerę termowizyjną, która zauważy każdego, kto próbowałby uciec z szosy w zarośla na pustyni.

Biorąc pod uwagę, przez co przechodziła, Paula trzymała się nadspodziewanie dobrze. Laura siedziała obok niej, z przodu, udając, że śpi. James skulił się z tyłu w kapturze naciągniętym na ogoloną czaszkę, obok niego zaś, w dzie-

cięcym foteliku, tkwiła córka Pauli, Holly, chwilowo nie-
obecna dla świata.

Minął kwadrans, nim przesunęli się na początek kolejki.
Każdy samochód był pobieżnie oglądany, podróżni ośle-
piani latarką, a kierowca odpowiadał na kilka krótkich py-
tań. Większość aut przepuszczano, a te, które wyglądały
podejrzanie, kierowano do drugiego szeregu na dokład-
niejszą inspekcję. Ta wiązała się z kolei z wyproszeniem
wszystkich z samochodu, sprawdzeniem dowodów tożsamości w policyjnych bazach danych i gruntownym prze-
szukaniem pojazdu. James wiedział, że jeśli zostaną skiero-
wani do rewizji, będzie to koniec podróży. Z Paulą za
kierownicą i trzydziestoma uzbrojonymi gliniarzami w pobliżu każda próba ucieczki byłaby krótka i krwawa.

Paula odkręciła szybę, zatrzymując się obok policjanta.

– Pani prawo jazdy i dowód rejestracyjny proszę.

Gliniarz przeglądał dokumenty, podczas gdy drugi przechadzał się wokół samochodu, świecąc do środka latarką.

– To pani dzieci?

– Tylko mała w foteliku. A tych dwoje to moje rodzeń-
stwo.

Policjant z latarką zastukał w okno obok głowy Jamesa.

– Pokaż no się, synu.

James odkręcił szybę i skrzywił się oślepiony białym sno-
pem światła.

– Ile masz lat? – zapytał policjant.

– Trzynaście.

– Ściągnij kaptur.

Z bijącym sercem James odciągnął kaptur, odsłaniając
półcentymetrową szczecinę. Policjant spojrzał na swojego
kolegę.

– Mam tu łysego blondyna. Wiek też się zgadza.

Pierwszy glina przekrzywił głowę, żeby zajrzeć na tylne
siedzenie, po czym zwrócił się do Pauli:

– Bardzo mi przykro, ale muszę poprosić, żeby dołączyła pani do tej kolejki po lewej. Przeprowadzimy dokładną kontrolę.

James bezgłośnie wyrzucił z siebie stek przekleństw. Miał tylko nadzieję, że John znajdzie sposób na wyrwanie go glinom, zanim trafi z powrotem do Arizona Max. Paula powoli podjechała do kolejki, której koniec był zaledwie o długość samochodu dalej. Laura zerknęła przez ramię, posyłając bratu zrezygnowane spojrzenie. James wzruszył ramionami.

– Zrobiliśmy, co w naszej mocy – westchnął. – Przykro mi, że bez sensu cię w to wciągnęliśmy, Paula. Powiedz glinom, że zagroziliśmy, że skrzywdzimy Holly, jeśli nam nie pomożesz.

– Ile dorzucą ci do wyroku za tę ucieczkę? – zapytała Paula takim głosem, jakby naprawdę ją to obchodziło.

– Dużo. Pięć, może dziesięć lat.

– Nie wyglądasz mi na kryminalistę – powiedziała Paula współczującym tonem. – Znałam kilku, a ty jesteś zbyt miły jak na kogoś, kto mógłby wpakować się w takie kłopoty.

Wszyscy gwałtownie odwrócili głowy, kiedy policjant energicznie poklepał dach samochodu. Następne auto w kolejce zostało skierowane do inspekcji, ale kolejka się nie ruszyła i nikt nie mógł do niej dołączyć bez blokowania ruchu za sobą. Paula jeszcze raz odkręciła szybę.

– Ściągnęliśmy na bok za dużo samochodów – wyjaśnił policjant. – Wyglądacie na nieszkodliwych, więc chyba was puszczę.

Paula uśmiechnęła się słodko.

– Jeszcze nikt nie nazwał mnie nieszkodliwą, ale przełknę i to, jeżeli w ten sposób dostanę się do Los Angeles, zanim ta mała dama z tyłu zrobi się głodna.

– Szerokiej drogi – uśmiechnął się glina, patrząc, jak Paula cofa samochód, żeby wyjechać z kolejki.

Dzięki blokadzie przepuszczającej po jednym samochodzie trzy pasy wiodące do Kalifornii były właściwie puste. Laura obejrzała się na Jamesa. Na jej twarzy groza mieszała się z ulgą.

– Było blisko – szepnęła, kręcąc głową.

James wykrzywił twarz w zmęczonym uśmiechu.

– Zbyt blisko, Laura. Zbyt blisko.

*

Zatrzymali się w McDonaldzie pięćdziesiąt mil za granicą Kalifornii. Laura weszła do środka po śniadanie. James sprawdził, czy w pobliżu nikt się nie kręci, i wypuścił Curtisa z bagażnika. Po rozruszaniu zdrętwiałych mięśni chłopiec zwrócił się twarzą ku wschodzącemu nad pustynią słońcu i rozłożył ręce.

– Ale pięknie – powiedział z zachwytem, po czym odwrócił się, by przyciągnąć Jamesa do siebie i serdecznie uścisnąć. – Byłeś świetny, wiesz? Przepraszam, że wczoraj dałem ciała... Kiedy mam taki napad deprechy, zachowuję się jak totalny palant.

– Cieszysz się teraz, że Laura nie naładowała magnum?

Curtis uśmiechnął się kącikami ust.

– Musi być moim aniołem stróżem czy coś.

Laura wyszła zza rogu, niosąc tekturową tackę z napojami i dwie papierowe torby z jedzeniem. Curtis porwał jedną z nich i wyłowił ze środka McMuffina.

– Podwójna kiełbaska i jajko – powiedział rozmarzonym tonem i odgryzł potężny kęs. – Mmm, uwielbiam je. Od roku nie jadłem czegoś takiego. Mmm... Pychota.

James zostawił Curtisa, żeby w spokoju delektował się hamburgerem, a sam nachylił się nad tylnymi drzwiami samochodu. Holly obudziła się w marudnym humorze i Paula usiadła obok, żeby namówić ją do zjedzenia śniadania.

– Dziękuję ci za to, co dla nas zrobiłaś – powiedział James. – Wiszę ci przysługę.

– Wisisz mi tysiaka – odparła Paula, tylko w połowie żartując.

James skinął głową.

– Jak dotrzemy do Los Angeles. Masz moje słowo.

– Chyba jeszcze nigdy nie miałam przy sobie tysiąca dolarów – wyznała Paula. – Jak byłam mała, marzyłam, że kiedyś pojedziemy do Disneylandu i zatrzymamy się w prawdziwym hotelu. Ale byliśmy biedni jak myszy kościelne. Kiedy was podwiozę, pojedziemy tam z Holly. To tylko trzydzieści mil.

– Dobry pomysł. – James uśmiechnął się. – Ale będzie lepiej, jeśli najpierw zadzwonisz po gliny. Za pomaganie nam grożą ci poważne kłopoty, a nikt nie uwierzy w twoją historię, jeżeli zaraz po uwolnieniu pojedziesz do Disneylandu.

Paula trochę oklapła.

– Chyba masz rację.

– Nie musisz mówić nic glinom o pieniądzach – ciągnął James. – Pojedź tam za tydzień czy jakoś tak...

Widząc zadowolenie Pauli i Curtisa, James poczuł się odprężony, jak nie był od wieków. Jednak Laura szybko popsuła sielski nastrój.

– Lepiej się stąd zabierajmy – powiedziała. – To, że przejechaliśmy przez jedną blokadę, nie znaczy, że gliny przestały nas szukać.

*

Do przedmieść Los Angeles dotarli w godzinach porannego szczytu komunikacyjnego, grzęznąc w samochodowej magmie wypełniającej szczelnie czternaście pasów ruchu i płynącej z prędkością pieszego. Kiedy dotarli do szczytu wzniesienia, oślepiło ich morze słonecznych refleksów drżących z gorąca na tylnych szybach dziesiątków tysięcy samochodów. Po nerwówce ucieczki przez bezludne pustkowia anonimowość auta tkwiącego pośród tysięcy podobnych dawała miłe poczucie bezpieczeństwa.

Musieli znaleźć miejsce, w którym rozstaliby się z Paulą. Laura wybrała na mapie trasę do Hollywood, ponieważ było to jedyne miejsce w okolicy, o jakim słyszała. Wreszcie zajechali przed szary budynek centrum handlowego Showbiz Stores na Hollywood Boulevard. Była dziesiąta rano. James zobaczył w dali słynny znak na zboczu wzgórza i mimo woli poczuł lekki dreszczyk podniecenia.

Zatrzymali się na podziemnym parkingu. James otworzył bagażnik i odliczył tysiąc dolarów z plecaka, który następnie zarzucił sobie na ramię. Paula wyjęła Holly z fotelika i wszyscy razem pojechali windą do restauracji na ostatnim piętrze. James przyniósł napoje i lody dla małej, po czym usiadł przy stoliku.

– Na zewnątrz mijaliśmy postój taksówek – powiedział, szturchając Paulę w kolano plikiem banknotów. – Posiedź tutaj i dokończ napój. Daj nam jakieś dwadzieścia minut na zniknięcie, a potem zadzwoń po gliny, zanim zrobisz cokolwiek innego, dobrze?

Paula wzięła pieniądze i kiwnęła głową.

– Mogę ci zaufać? – zapytał James.

– Jak się wam uda, to wyślijcie mi pocztówkę. – Paula uśmiechnęła się.

– Pamiętaj, jeżeli gliny dowiedzą się o pieniądzach, zabiorą ci je, ale policja ma sporą wprawę w tropieniu kłamstw, dlatego o wszystkim innym mów całą prawdę.

– Okej.

– Trzymajcie się.

James dopił swoją czekoladę i wstając od stolika, zmierzwił włosy Holly. Curtis uśmiechnął się do Pauli.

– Sorki za wczoraj.

Laura, Curtis i James zbiegli szybko po ruchomych schodach na parter. Następnie przemaszerowali przed galerią drogich sklepów i wyszli na zewnątrz tuż przy postoju taksówek. James spojrzał na Curtisa.

– Mieszkałeś tutaj. Wybierz jakieś miejsce, do którego możemy pojechać. Gdzieś, gdzie trójka dzieci nie będzie rzucała się w oczy i skąd będziesz mógł spokojnie zatelefonować.

– Plaża w Santa Monica – powiedział Curtis bez milisekundy namysłu.

Taksówka zabrała ich w piętnastomilową podróż wzdłuż Bulwaru Zachodzącego Słońca i przez Beverly Hills na brzeg Pacyfiku w Santa Monica. James i Laura wysiedli z auta w scenerię jakby żywcem wyjętą z ich wspomnień o wycieczce do Brighton, w jaką pięć lat wcześniej zabrała ich mama. Było wielkie staroświeckie molo z lunaparkiem na końcu i drewniane pomosty na piasku. Palmy, restauracje i luksusowe nadbrzeżne hotele promieniowały aurą beztroskiego dostatku.

– W takim miejscu będę mieszkać, kiedy zostanę milionerką – oznajmiła Laura.

James uśmiechnął się.

– A jak zamierzasz zarobić te miliony?

– Jako gwiazda popu, może kobieta biznesu... Pewnie jedno i drugie.

Taksówka odjechała, pozostawiając zbiegów na chodniku, wpatrzonych w załamujące się w oddali fale. Pierwszy odezwał się Curtis.

– Kawałek stąd, w Venice, moja mama miała dom na plaży, a za tamtym wzgórzem jest moja pierwsza podstawówka. Nawet po wyprowadzce przyjeżdżaliśmy tu na kilka tygodni prawie każdego lata.

– Ładnie tu – przytaknął James. – Ale nie czas teraz na podziwianie widoków. Masz telefony do wykonania.

– Telefon – poprawił Curtis. – Tylko jeden.

James ściągnął brwi.

– Mówiłeś, że musisz dotrzeć do kilku numerów. Myślałem, że to potrwa...

– Bez obrazy, James, ale musiałem cię trochę wkręcić. Nie mogłem zaufać ci całkowicie, dopóki nie przekonałem się, że ta akcja z ucieczką to na poważnie. Kiedy mieszkałem z mamą, zawsze istniała groźba, że wydarzy się coś niedobrego, gdy będę w szkole czy gdzieś. Gdziekolwiek byliśmy, zawsze mieliśmy plan zapasowy.

– No więc do kogo zadzwonisz?

– Kiedy Paula zwierzy się policji, wytropią naszą taksówkę i zapytają kierowcę, dokąd nas zawiózł. Dlatego nie chciałem jechać od razu do taty w Pasadenie. Ten mały objazd przez Santa Monica powinien zbić łapsy z tropu.

– Do taty? – James gwałtownie zaczerpnął tchu.

Zgodnie z materiałami, z którymi James i Laura musieli zapoznać się przed misją, Curtis utrzymywał, że nie ma pojęcia, kim był lub jest jego ojciec. FBI też tego nie wiedziało.

Curtis skinął głową.

– Widziałem go tylko kilka razy, ale jeśli ktoś w tym mieście wie, jak skontaktować się z moją mamą, to właśnie on.

26. TECHNIKA

Zespół FBI śledził ruchy zbiegów, namierzając sygnał z telefonu komórkowego, spoczywającego w kieszeni szortów Laury. Podczas gdy Curtis dzwonił, Laura udała, że musi skorzystać z jednej z plażowych toalet. Zamknęła się w kabinie, wyciągnęła maleńki telefon z klapką i wcisnęła klawisz szybkiego wybierania łączący ją z siedzibą FBI w Phoenix. Podała Teodorowi swoje dokładne położenie i przekazała sensacyjną wiadomość o ojcu Curtisa mieszkającym gdzieś w pobliżu.

John Jones i Marvin Teller wylądowali w Los Angeles kilka godzin wcześniej i czekali na rozwój wydarzeń na lotnisku. Drugi zespół FBI trzymał się w odległości około pół mili od dzieci.

Podczas gdy Curtis i Laura byli zajęci telefonowaniem, James wsunął pięćdziesięciocentówkę w szczelinę gabloty z gazetami i wyjął „LA Gazette". Fotografia Curtisa na pierwszej stronie wyglądała normalnie, ale ktoś z zespołu Marvina musiał dobrać się do akt Jamesa i pomajdrować przy zdjęciu, zrobionym w sądzie w Phoenix, bo chłopiec na drugiej fotografii przypominał go tylko z grubsza.

James strzepnął gazetę i zaczął czytać towarzyszący zdjęciom artykuł.

STRAŻNIK WIĘZIENNY ZAMORDOWANY
PRZEZ CZTERNASTOLETNICH UCIEKINIERÓW Z ARIZONA MAX

(Arizona, okr. Maricopa, godz. 4.00) Funkcjonariusz służby więziennej Scott Warren zginął podczas próby zapobieżenia brawurowej ucieczce dwóch chłopców osadzonych w Arizona Max. Czternastoletni James Rose i Curtis Oxford są najprawdopodobniej pierwszymi nieletnimi więźniami, jacy kiedykolwiek zbiegli z zakładu karnego o zaostrzonym rygorze.

Oxford jest synem znanej handlarki bronią Jane Oxford zajmującej obecnie drugie miejsce na liście przestępców najbardziej poszukiwanych przez FBI. Rose trafił do Arizona Max po przeniesieniu ze stanowego więzienia w Omaha, gdzie przebywał w izolatce po swojej poprzedniej nieudanej próbie ucieczki.

Tuż po ogłoszeniu alarmu dwoje policjantów z blokady na zachodniej nitce drogi I63 zostało obezwładnionych za pomocą granatów ogłuszających i paralizatora skradzionych z więzienia. Pomimo tego niepowodzenia rzecznik policji stanowej jest pewien, że młodzi zabójcy rychło zostaną schwytani.

Nowoczesny, mieszczący 6500 więźniów zakład karny Arizona Max od czasu otwarcia w 2002 r. boryka się z trudnościami związanymi m.in. z poważnymi błędami w oprogramowaniu sterującym układami zabezpieczeń, jak również niskimi płacami, będącymi główną przyczyną 30-procentowego niedoboru zatrudnienia.

Personel więzienia i przyjaciele uroczyście pożegnali Scotta Warrena, 32-letniego funkcjonariusza, który zginął, próbując powstrzymać zbiegów. Nowojorczyk, rodzina nieznana, został zaatakowany gazem pieprzowym, a następnie skrępowany i zakneblowany przez uciekinierów. Warren cierpiał na niewydolność oddechową i policja podejrzewa, że zmarł w wyniku ataku astmy wywołanego przez gaz. Młoda strażniczka pełniąca służbę wraz z Warrenem trafiła do szpitala ze wstrząśnieniem mózgu i licznymi ranami głowy wymagającymi założenia szwów. Policjanci zaatakowani przy blokadzie drogowej doznali tylko drobnych obrażeń.

Zbiegowie siedzieli na ławce zatopieni w lekturze, dopóki przy krawężniku nie zatrzymała się limuzyna, którą Curtis zamówił na koszt swojego taty. Auto zabrało ich na godzinną przejażdżkę zakończoną w dzielnicy biurowej w Pasadenie na wschodnich obrzeżach metropolii. Czarny mercedes zatrzymał się przed dużym sześciennym budynkiem ze ścianami wyłożonymi lustrzanym szkłem. Logo nad automatycznymi drzwiami przedstawiało samolot myśliwski, a napis powyżej głosił: *Etienne Doradztwo Wojskowe*. Siedzący za kamiennym blatem ochroniarz wyglądał na zaskoczonego widokiem trojga małych brudasów maszerujących w jego stronę przez hall. Był potężnie zbudowany i bardziej przypominał bramkarza z nocnego klubu niż owych podstarzałych mężczyzn, jacy przesiadują przy wejściach do biur.

Curtis oparł łokcie na wysokim blacie.

– Wykręć wewnętrzny pięć, pięć, trzy i powiedz panu Etienne'owi, że idzie do niego Curtis.

Curtis ruszył w stronę windy, ale ochroniarz zawołał go z powrotem.

– Ani kroku dalej, chłopcze – powiedział twardo, po czym podniósł słuchawkę i wystukał pięć, pięć, trzy.

Strażnik przez chwilę mamrotał coś do telefonu.

– Zdaje się, że czekają na was – oznajmił, odkładając słuchawkę.

Ochroniarz wszedł za dziećmi do windy, przejechał kartą magnetyczną przez czytnik i wyszedł, zanim zamknęły się drzwi. Kabina zatrzymała się na piątym piętrze. Zbiegowie znaleźli się w obszernym sekretariacie, gdzie powitała ich zadbana kobieta w średnim wieku, ubrana w szarą garsonkę.

Curtis roześmiał się, kiedy kobieta wzięła go w ramiona.

– Cześć, Margaret.

– Ale wyrosłeś! Kiedy cię ostatnio widziałam, miałeś dziewięć albo dziesięć lat... Niestety, twój tata jest na konferencji w Bostonie, ale oglądał wiadomości i uprzedził mnie, że możesz się tutaj zjawić.

James przesunął wzrokiem po fantazyjnych halogenowych lampach i abstrakcyjnych malowidłach na ścianach. Nie miał pojęcia, czym zajmuje się firma Etienne'a, ale jeśli jej właścicielem był tata Curtisa, to musiała mieć jakiś związek z działalnością Jane Oxford.

– Zorganizowanie dla was dokumentów i transportu w bezpieczne miejsce zajmie mi trochę czasu. Tymczasem możecie skorzystać z prysznica pana Etienne'a i przebrać się w czyste ubrania. Jeżeli jesteście głodni, zamówię wam lunch.

Pan Etienne mógł z powodzeniem zamieszkać w swoim biurze, gdyby tylko miał na to ochotę. Oprócz miejsca do pracy, z ogromnym biurkiem i rzędem ekranów systemu informacji biznesowej na ścianie, była w nim łazienka, kącik wypoczynkowy z wielkimi kanapami, a z boku nieduży pokoik z łóżkiem i szafą pełną garniturów.

Kiedy Laura, James i Curtis byli już wykąpani, Margaret przyniosła im ulotki okolicznych restauracji oferujących dostawę do biur. Po krótkiej naradzie zdecydowali się na renomowany bar z hamburgerami.

James pochłonął kanapkę ze stekiem, zagryzając cebulowymi krążkami, po czym dopchnął ją czekoladowym deserem dla dwojga, z którym uporał się sam, po tym jak Laura oświadczyła, że więcej nie może. W CHERUBIE utrzymywał ostry reżim kondycyjny i zwykle unikał obżarstwa, ale tym razem uznał, że po tygodniu na więziennej diecie zasługuje na odrobinę frajdy.

Curtis włączył telewizor w kąciku wypoczynkowym i odszukał lokalny kanał z wiadomościami. Doczekali się tylko drobnej wzmianki o ucieczce, na końcu półgodzinnego magazynu informacyjnego. Laura, w czystej koszulce i szortach, ułożyła się wygodnie u boku Jamesa i szybko zasnęła. James podczas ucieczki był zbyt spięty, by czuć zmęczenie, ale teraz, kiedy się odprężył i napełnił brzuch, uprzytomnił sobie, że nie spał od pięćdziesięciu godzin. Natychmiast zamknął oczy i odpłynął w niebyt.

27. WIEŚ

Zanim dzieci zdążyły się obudzić, Margaret pojechała do pobliskiego centrum handlowego i kupiła im nowe ubrania. Był to rozsądny krok, słusznie zakładający, że policjanci, którzy badali okoliczności ucieczki, spróbują ustalić, jakie rzeczy zbiegowie zabrali ze sobą. James i Curtis dostali po zwyczajnym dresie i parze sportowych butów, ale Laurze przypadła biała sukienka, różowe płócienne tenisówki i srebrna, błyszcząca opaska na głowę. Wzrok dziewczyny mógłby roztopić stalową sztabę. Kiedy ostatnio wystąpiła w sukience, miała siedem lat i specjalnie wlazła w błoto, żeby pozbyć się jej jak najszybciej.

– Ślicznie wyglądasz – wykrztusił James i zawył ze śmiechu, gdy Curtis i Margaret wyszli z gabinetu.

– Jeszcze słowo – wycedziła Laura, celując w brata palcem. – Jeszcze słowo i cię zgnoję.

– Mała księżniczka!

– Cicho bądź... Gdzie moje brudne szorty – zaniepokoiła się Laura, skanując wzrokiem dywan.

James wzruszył ramionami.

– Zdaje się, że Margaret zabrała nasze stare ubrania, kiedy spaliśmy.

– Kurczę. W kieszeni miałam komórkę. Mogłam ją schować w poduszce kanapy czy gdzieś...

James rozejrzał się, by sprawdzić, czy telefon po prostu nie wypadł na podłogę.

– Skoro go nie ma, to trudno – powiedział po chwili. – Możesz zgrywać niewiniątko i zapytać o niego Margaret, kiedy wróci, ale mam przeczucie, że ona jest kimś więcej niż tylko sekretarką Etienne'a. Wie, że telefon można namierzyć, i idę o zakład, że ci go nie odda.

*

John Jones i Marvin Teller spędzili popołudnie w biurze FBI na lotnisku w Los Angeles. Teo Monroe i Scott Warren – ostrzyżony na krótko i tym razem przedstawiający się swoim prawdziwym nazwiskiem: Warren Reise – właśnie przybyli rejsowym lotem z Phoenix.

John wstał i uścisnął dłoń Warrena na progu niedużego biura.

– Powstałeś z martwych, przyjacielu. Ale twój nos nie wygląda najlepiej. Złamany?

Warren skinął głową.

– James może mieć tylko trzynaście lat, ale to jeden z najmocniejszych ciosów, jakie dostałem.

– Tak ich szkolimy. – John się uśmiechnął. – Kiedy poszedłem na rozmowę wstępną do CHERUBA, pokazali mi salę do treningu walki wręcz. Niesamowity widok: ośmio-, dziewięciolatki z czarnymi pasami, używające najbardziej wyrafinowanych chwytów i ciosów... Mówię ci, nie chciałbym zadrzeć z żadnym z nich.

Marvin skinął głową.

– Rezultaty rzeczywiście macie imponujące. Kiedy niedawno widziałem się z Laurą, w ogóle nie miałem wrażenia, że rozmawiam z dziesięcioletnią dziewczynką.

– Mózgi dzieci są jak gąbki. Większość dorosłych nie docenia ich możliwości. Kiedy pracowałem dla MI5, wysyłaliśmy agentów na półroczne kursy językowe. W CHERUBIE bystry jedenastolatek osiąga taki sam poziom w dwa miesiące.

John zwrócił się do Teo.

– Zajrzałeś przed wyjazdem do Dave'a?

Teo skinął głową, wieszając kurtkę na haczyku.

– Zawiozłem mu trochę książek. Fizycznie czuje się dobrze, ale widać, że wykluczenie z akcji mocno go przygnębia. Policja stanowa przesłuchiwała go dziś rano. Podał im kilka fałszywych tropów, tak jak ustaliliśmy.

– Chyba lekarz nie odeśle go znów do celi? – zaniepokoił się John.

– W żadnym wypadku – zapewnił Teo. – Lekarz jest nasz, a szpitala to nie obchodzi, dopóki łóżko jest opłacane.

– Chciałbym wysłać Dave'a z powrotem do kraju, ale na to jest jeszcze za wcześnie – powiedział John. – Oxford jest podejrzliwa. Gdyby dowiedziała się, że chłopak wyparował, zaraz wszystko by wywęszyła.

– Jak radzą sobie James i Laura? – zapytał Warren.

– Spędzili popołudnie w siedzibie firmy doradczej Jeana Etienne'a – odpowiedział Marvin. – Dwaj miejscowi agenci obserwowali budynek. Pół godziny temu całą trójkę odebrała limuzyna. Firma, w której ją wynajęto, nie szyfruje korespondencji radiowej, dzięki czemu wiemy, że w tej chwili dzieciaki jadą na lotnisko w hrabstwie Orange.

– Czy Etienne jest pod obserwacją? – zapytał Teo.

– Nie – powiedział Marvin. – FBI nie ma niczego ani na Etienne'a, ani na jego firmę. W Pasadenie są setki małych prężnych przedsiębiorstw zajmujących się nowoczesną techniką. Kalifornijski Instytut Techniki działa na nie jak magnes. Etienne specjalizuje się w rozwoju systemów uzbrojenia. Doradzał większości największych producentów broni. Sam supernowoczesny sprzęt: bezzałogowe statki powietrzne, indywidualny pancerz reaktywny, broń elektromagnetyczna...

– Przykrywka dla Jane Oxford?

– Za wcześnie, by to stwierdzić, Teo. W tej chwili nie możemy wszcząć śledztwa przeciwko Etienne'owi, bo to wzbudziłoby podejrzenia i naraziło Jamesa oraz Laurę na niebezpieczeństwo. Ale prędzej czy później dobierzemy się do niego i gdybym był hazardzistą, założyłbym się o wszystko, co mam, że Etienne i Oxford są w jednej szajce.

Teo uśmiechnął się.

– To najlepszy trop, jaki mieliśmy, odkąd trzy lata temu dołączyłem do zespołu.

– Etienne to gruba ryba – zgodził się Marvin. – Ale on nam nie ucieknie. Na razie skupmy się na naszych cherubinkach, które dzielnie naganiają nam główną zdobycz.

Warren odebrał telefon i odbył krótką rozmowę.

– To FBI z lotniska w Orange – wyjaśnił, odkładając słuchawkę. – Na dziś wieczór zaplanowano siedemnaście odlotów. Trzy samoloty zostały wynajęte i tymi, jak sądzę, powinniśmy się zająć. Jeden złożył plan lotu do Chicago, drugi do Filadelfii, a trzeci do Twin Elks w Idaho.

– A loty rejsowe? – zapytał John.

Warren potrząsnął głową.

– Dużym maszynom nie wolno latać nad Orange po dziewiętnastej. Odprawa przed ostatnim rejsem zakończyła się piętnaście minut temu.

– Czy Laura dzwoniła? – zapytał Teo. – Przekierowałem połączenia z numeru w Phoenix na tutejszy.

– Nie – powiedział John. – Ostatni telefon był od jakiejś kobiety. Prawdopodobnie zadzwoniła na ostatni wybrany numer, żeby sprawdzić, do kogo się dodzwoni.

– Może coś podejrzewać?

– Nie sądzę. Udałem, że jestem wujem Laury. Kiedy dzieci wychodziły, obserwator powiedział, że Laura jest w białej sukience. Mieszkałem z tą dziewczyną przez dwa tygodnie i wiem, że to nie jest w jej stylu.

Teo pokiwał głową.

– Zmiana ubrań ma sens. Wygląda na to, że dziećmi zaopiekował się ktoś, kto zna zasady tej gry.

– No dobra – zawołał Marvin, klaszcząc w dłonie. – Nie traćmy czasu. Nie wolno nam ich zgubić. Zadzwonię na dół i każę zatankować samolot. Wyruszymy, kiedy tylko dowiemy się, dokąd lecą dzieciaki.

– Możemy opóźnić ich lot? – zapytał John.

Marvin skinął głową.

– Jasne. Powiem wieży w Orange, żeby przetrzymali samolot na ziemi. Dokądkolwiek lecą, przylecimy tam przed nimi.

*

Lot do Idaho na północnym zachodzie Stanów Zjednoczonych trwał trzy i pół godziny. Mały turbinowy samolot, nie pierwszej już młodości, miał na kadłubie plamę jaśniejszej farby, którą niechlujnie zamalowano logo poprzedniego właściciela, a w środku sześć mocno sfatygowanych foteli dla pasażerów. Gąbka wyłażąca z dziur w siedziskach rozpadała się w pył pod palcami. Troje młodocianych uciekinierów było jedynymi pasażerami. Po suficie pełzły smugi papierosowego dymu sączące się z otwartej kabiny pilotów.

Było już ciemno, kiedy wylądowali w Twin Elks na maleńkim lotnisku używanym głównie przez pilotów amatorów. James i Curtis, nie bacząc na przejmujący chłód, natychmiast pognali za hangar, żeby opróżnić pęcherze. Laura potoczyła wokół wystraszonym wzrokiem i odetchnęła na widok obskurnego baraku z toaletami przy budynku zawiadowcy lotniska.

Tuż przed wyjściem z toalety dobiegł ją stłumiony sygnał telefonu. Zabrzmiał trzy razy, po czym umilkł na dobre. Laura wstała i wetknęła głowę do sąsiedniej kabiny. Na plastikowym rezerwuarze leżał składany telefon komórkowy. Podniosła go i spojrzała na wyświetlacz.

LICZBA NIEODEBRANYCH POŁĄCZEŃ: 1
ODDZWONIĆ?

Laura upewniła się, że w pobliżu toalet nikt się nie kręci, po czym wcisnęła klawisz z zieloną słuchawką.

– Halo? – odezwał się głos Johna Jonesa.

– Szybcy jesteście – powiedziała Laura z podziwem.

– Nasz odrzutowiec jest szybszy od waszego grata. Ale nie było łatwo, bo tu przylatuje tak mało samolotów, że dla bezpieczeństwa lądowaliśmy na innym lotnisku. Musieliśmy wynająć samochód i gnać tu na złamanie karku.

– Skąd wiedziałeś, że tu przyjdę?

John prychnął z rozbawieniem.

– Po trzech godzinach w samolocie bez toalety? Miałem przeczucie. Siedzę w krzakach jakieś trzydzieści metrów o ciebie. A teraz słuchaj, bo mamy tylko chwilę. Nie możesz wziąć komórki, bo byłoby to zbyt ryzykowne po tym, jak zabrali ci pierwszą. Zresztą wątpię, żeby zawieźli was gdzieś, gdzie jest porządny zasięg. Ale możemy namierzać was inaczej. Pod wiekiem rezerwuaru znajdziesz woreczek z mikronadajnikami krótkiego zasięgu. Przykleja się je jak plaster. Zawsze, zanim się dokądś wybierzecie, załóż sobie jeden i mocno przyciśnij palcem przez trzy sekundy, żeby go uruchomić. Będzie wysyłał sygnał co pół minuty, aż do wyczerpania baterii. Uwaga! Ktoś do ciebie idzie.

Skrzypnęły drzwi wejściowe. Laura pospiesznie zamknęła się na zasuwkę. Głos obcego mężczyzny zagrzmiał łazienkowym echem.

– Laura, słonko, czekamy na ciebie. Musimy się uwijać, wiesz? Tutejszy szeryf lubi sprawdzać, kto ląduje tak późno na jego lotnisku.

– Och, emm... To dłuższe posiedzenie – wybąkała Laura, rumieniąc się ze wstydu. – Jeszcze sekundka, dobra?

Odczekała, aż kroki nieznajomego oddalą się, po czym podważyła wieko rezerwuaru, oderwała przyklejoną pod spodem foliową torebkę i wetknęła ją do kieszeni kurtki. Po szybkim umyciu rąk wyszła z baraku, by tuż za progiem zderzyć się z brodatym facetem w dżinsach i kraciastej koszuli.

– Jestem Vaughn Little – przedstawił się brodacz, prowadząc Laurę w stronę czarnej terenowej toyoty, w której na tylnym siedzeniu czekali już James i Curtis.

*

Przez całą godzinę jechali przez las, wspinając się serpentynami na wzgórza i mijając olbrzymie drzewa, których groźne sylwetki przesuwały się na tle białej tarczy księżyca. James otworzył okno po swojej stronie. Po piekielnych nocach w Arizona Max zimny wiatr na twarzy sprawiał mu prawdziwą rozkosz.

– Znów było o was w CNN, chłopięta. – Vaughn przemówił melancholijnie pogodnym tonem budzącym obawę, że brodacz zaraz ryknie pieśnią o tęsknym ryku bydła. – Mówią, że wasz blok oszalał, kiedy wasi kumple odkryli, że daliście nogę. Pół miliona strat. Zamieszki trwały sześć godzin, zanim oddziały interwencyjne opanowały sytuację.

– Mam nadzieję, że zgnoili paru klawiszy – wyszczerzył się Curtis.

– Były ofiary? – zapytał James.

Vaughn pokiwał głową.

– Paru kolesiów całkiem nieźle oberwało, ale obeszło się bez trupów.

James nie miał kłopotów z wyobrażeniem sobie, jak wiadomość o ucieczce mogła podziałać na umysły więźniów i przemienić napiętą sytuację w otwarty bunt. Miał tylko nadzieję, że Abe, Mark i im podobni wyszli z tego bez szwanku. Z drugiej strony nie mógł nie czuć zadowolenia, gdyż rozruchy w więzieniu były kolejnym szczegółem, pomagającym uwiarygodnić ucieczkę w oczach Jane Oxford.

– Rozmawiałeś z moją mamą? – zapytał Curtis.

Vaughn powoli skinął głową.

– Zostaniecie z nami w górach przez kilka tygodni. Jane jest za granicą i chce, żeby sprawa trochę przycichła, zanim się z tobą spotka.

– Co mówiła o Jamesie i Laurze?

– Że załatwi im dobrą rodzinę, fałszywe papiery, może też przerzut do Kanady.

– Świetnie – ucieszył się Curtis. – Byłeś kiedyś w Kanadzie, James?

– Nigdy.

– Ładnie tam. Czysto, bezpiecznie, spodoba ci się – powiedział Curtis i zwrócił się do Vaughna: – Będę mógł zadzwonić do mamy?

Brodacz potrząsnął głową.

– Wiesz, jaka ona jest, mały. Nie powie nawet cześć, jeśli rozmowa nie jest szyfrowana i przepuszczona przez pięć różnych satelitów.

Samochód zatrzymał się i Vaughn posłał Curtisa, żeby otworzył metalową bramę. Ślizgając się na błotnistej ścieżce, podjechali do dużego drewnianego domu. Na ganku w smudze światła wymykającej się przez otwarte drzwi pojawiły się dwie kobiety. Jedną z nich była Lisa, żona Vaughna, drugą zaś jego czternastoletnia córka Becky. Kiedy przybysze wysypali się z samochodu, Lisa wyszła boso na zimny żwir i unieruchomiła Curtisa w długim stęsknionym uścisku.

– Jak dobrze cię widzieć – powiedziała wreszcie, odgarniając z twarzy kosmyk włosów. – Pamiętasz Becky, prawda? Kiedy mieszkaliśmy w starym domu, tak słodko się razem bawiliście. W albumach mam pełno twoich zdjęć.

– Pamiętam – mruknął Curtis takim tonem, jakby wolał nie pamiętać.

James podszedł bliżej i spojrzał na śliczną nastolatkę stojącą w skarpetkach na ganku. Była ubrana w dżinsy i kraciastą koszulę, niczym mały klon swoich rodziców.

– No hej – powiedziała zalotnie Becky. – Ty pewnie jesteś James.

Becky zaprowadziła gości do kuchni, gdzie unosiły się
nader smakowite zapachy.

– Chcecie ciepłej zupy? – zapytała, otwierając kredens
i wyjmując stertę głębokich talerzy. – Mama gotowała.
W dzbanku jest kawa, jakbyście chcieli się rozgrzać.

Aromat zupy jarzynowej przypomniał Jamesowi i Laurze, jak bardzo są głodni. Bez słowa przysunęli sobie krzesła i zasiedli przy stole.

28. HOBBY

DWA TYGODNIE PÓŹNIEJ

Ponoć przestępstwo nie popłaca, jednak Lisa i Vaughn Little'owie zdawali się nieźle na nim wychodzić. W latach 70. Vaughn przemycał broń na dużą skalę. Odsiedział za to sześć lat w więzieniu w Nowym Meksyku. Kiedy minął okres zwolnienia warunkowego, kupił małe ranczo w Idaho, przeprowadził się tam i spłodził cztery córki. Tylko najmłodsza – Becky – wciąż mieszkała z rodzicami.

Lisa hodowała konie rasy arabskiej, a Vaughn trudnił się remontowaniem i przerabianiem motocykli. Jednak zajęcia te bardziej przypominały hobby niż pracę zarobkową. Rodzina Little'ów wiodła beztroskie i dostatnie życie głównie dzięki dobrze zainwestowanym zyskom z nielegalnych transakcji sprzed trzydziestu lat.

Zbiegowie szybko wpadli w rytm codziennego życia. Laura najchętniej towarzyszyła Lisie, od której uczyła się doglądać koni. Nigdy przedtem nie interesowała się jeździectwem, ale teraz zapałała uczuciem do zwierząt, a jeszcze większym do Lisy.

Curtis brał szkicownik i znikał w lesie na długie godziny. Czasem wracał z rysunkiem liścia albo zardzewiałego samochodu, innym razem przynosił całe pejzaże wyrysowane niemożliwie krótkimi pociągnięciami ołówka. Był kimś więcej niż tylko dzieciakiem, który ładnie rysuje. Jego prace mogły z powodzeniem uchodzić za dzieła zawodowego artysty. Kiedy padało, Curtis leżał na dywanie przed telewizorem i oglądał Discovery obrażony na świat i ludzi.

James trzymał się Vaughna i było tak, jak gdyby obaj czekali na siebie nawzajem przez całe życie. Vaughn zawsze chciał mieć syna, a James nie miałby nic przeciwko takiemu tacie jak on. Brodacz miał ciekawą przeszłość i mówił o niej w sposób, jaki niezawodnie wywoływał uśmiech na twarzy Jamesa – czy opowiadał, jak pobił dyrektora swojej podstawówki, czy o dzikich przygodach w gangu motocyklistów, mrocznych interesach z handlarzami bronią, czy o swoich przeżyciach z czasu odsiadki.

James pomagał Vaughnowi w drobnych pracach na ranczu, takich jak naprawianie płotów lub starych rynien. Popołudnia na ogół spędzali przy motocyklach. Vaughn był cierpliwy i chętnie objaśniał, jak działają różne podzespoły i do czego służą poszczególne części. Zwykle kiedy ojciec prosi syna o pomoc, dzieciak kończy uziemiony przy skrzynce z narzędziami, gdzie przez trzy godziny sterczy jak kołek z kluczem w garści, zachodząc w głowę, co tu właściwie robi. Vaughn nie pozwalał Jamesowi się nudzić i okazywał mu zaufanie, powierzając niektóre proste prace. Parę razy pozwolił mu nawet poszaleć na błotnistych ścieżkach rancza na małym, crossowym kawasaki, ale pozostał głuchy na błagania o przejażdżkę jednym z harleyów.

*

James i Laura spali na podwójnym łóżku w pokoju gościnnym. Oboje udawali, że spanie razem jest dla nich straszną i niesprawiedliwą torturą, ale w rzeczywistości bardzo to lubili.

Laura chrapała już od godziny, podczas której zdążyła nawinąć na siebie większą część gigantycznej kołdry. James rozebrał się cicho, umył zęby we wnęce łazienkowej, po czym odciągnął skraj kołdry i wśliznął się pod nią, uważając, by nie obudzić siostry. Przez kilka chwil rozkoszował się ogarniającym go ciepłem, patrząc na rozpostarte na poduszce długie włosy Laury i wsłuchując się w jej oddech. Przed śmiercią mamy James nie poświęcał ani sekundy na refleksję nad swoją miłością do siostry. Teraz nieustannie torturował się myślą, że jej także może nieoczekiwanie przytrafić się coś złego. Laura mogła wpaść pod samochód, zachorować na raka, ulec wypadkowi podczas misji albo nawet... Kilka razy takie myśli doprowadziły Jamesa do płaczu, ale o tym wiedział tylko on. Nie przyznał się nawet psychologowi, z którym od czasu do czasu spotykał się w kampusie.

James zamknął oczy i zaczął marzyć o niesamowitym japońskim motorze, o jakim czytał w jednym z pism Vaughna. Czas spędzony w warsztacie na dłubaniu przy jednośladach i słuchaniu opowieści byłego gangstera przekonał go, że tym, czego pragnie najbardziej na świecie, jest motocykl. Nie był pewien, od jakiego wieku można starać się o motocyklowe prawo jazdy w Wielkiej Brytanii. Jeżeli od siedemnastu lat, tak jak prawo na samochody, to znaczy, że musi poczekać jeszcze trzy i pół roku. Mógłby kupić motor za pieniądze, które zostawiła mu mama. Pewnie trzeba by poszukać jakiejś pracy, żeby mieć na ubezpieczenie i benzynę...

Właśnie mknął sto sześćdziesiąt na godzinę z dziewczyną wtuloną w plecy, kiedy Laura dźgnęła go palcem pod żebro.

– Śpisz? – spytała kwaśno.

– Praaawie – ziewnął James i zamrugał oczami. – O co chodzi?

– Co u Becky?

– Wszystko dobrze. A co?

– Wieczorem zajrzałam do jej sypialni, żeby powiedzieć dobranoc.

– Ach... – James nagle zbystrzał. – No wiesz, zaczęliśmy rozmawiać i tak jakoś wyszło... Zresztą całowanie się to nie przestępstwo. Mam prawie czternaście lat. Znam kolesiów w moim wieku, którzy posuwają się o wiele dalej.

– Co powie Kerry, kiedy się dowie, że ją zdradzałeś?

– Jest dziesięć tysięcy mil stąd.

– Całowaliście się pierwszy raz?

– Tak – skłamał James, wiedząc, że słowo „dziewiąty" lub „dziesiąty" byłoby bliższe prawdy. – Jeden raz to jeszcze nie zdradzanie.

– Nie sądzę, żeby Kerry myślała w ten sposób. Przysięgnij, że dasz sobie spokój z Becky, to nic nie powiem. Nie mam zamiaru siedzieć i patrzeć, jak puszczasz Kerry kantem. Jest także moją przyjaciółką.

– Dobra, przysięgam. – James starał się, by zabrzmiało to bardzo poważnie.

– Na grób naszej mamy – dodała Laura.

– Na grób naszej... Nie! – ocknął się James. – Nie możesz po prostu się odczepić? Masz dziesięć lat. Jesteś za młoda, żeby to zrozumieć.

– Może i jestem, ale i tak wiem, że Kerry byłoby bardzo przykro!

– Trochę ciszej, dobrze? Po prostu nie wtykaj nosa w nie swoje sprawy.

Laura odwróciła się gniewnie i skryła twarz w kołdrze.

– Jesteś totalną świnią, James. Dobranoc.

29. KWIK

Sumienie przez pół nocy nie pozwalało Jamesowi zasnąć, a przy śniadaniu oskarżycielskie spojrzenia Laury zepsuły mu humor jeszcze bardziej. Lisa zapytała, co się stało, ale oboje odparli, że nic.

James wiedział, że robi Kerry świństwo, ale nie widział jej od miesięcy, a Becky była po prostu obłąkańczo ładna. Dotąd tłumaczył sobie, że małym skokiem w bok nikomu nie zaszkodzi, ale to, że został nakryty przez Laurę, poważnie skomplikowało sytuację.

Kiedy Becky wróciła ze szkoły, James pobiegł za nią do jej pokoju.

– Laura wie – sapnął. – Widziała nas.

– I co? – Becky wzruszyła ramionami.

James nie mógł jej wyznać, że jest tajnym agentem, na którego w domu czeka dziewczyna. Spędził pół dnia, głowiąc się, jak wytłumaczyć Becky, dlaczego chce przystopować.

– Laura wiele przeszła – powiedział cicho. – Najpierw śmierć taty, potem wujek sadysta i bracia w więzieniu. Nic dziwnego, że przez jakiś czas chce mnie mieć tylko dla siebie.

– To znaczy, że nie możesz mieć dziewczyny, bo twoja siostra jest zazdrosna? Musi dorosnąć i tyle – powiedziała Becky, przeczesując swoje krótkie, brązowe włosy poplamionymi tuszem palcami.

– Myślę, że powinniśmy dać sobie spokój. Za parę dni wyjeżdżam do Kanady czy gdzieś tam, więc...

– James, milutki z ciebie chłopak. Wiedziałam, że to nie będzie trwało wiecznie, ale zawsze to większa frajda niż spędzanie wieczorów na kanapie na dole.

James nie był zachwycony degradacją do zwykłej alternatywy dla telewizji, ale Becky uleczyła jego zranioną dumę słodziutkim całusem w policzek.

– Wiesz, na czym polega twój problem, James? – Becky się uśmiechnęła. – Za dużo myślisz.

Odwzajemniając pocałunek, James starał się nie myśleć o ciężkich obrażeniach, jakie zadałaby mu Kerry, gdyby go teraz zobaczyła.

*

Na kolację Lisa przyrządziła spaghetti z klopsikami. Wieczorny posiłek Little'owie zawsze jadali wspólnie, przy stole w kuchni, po czym przenosili się do salonu, żeby zjeść deser przed telewizorem.

James napełnił zmywarkę, a Vaughn i Becky napalili w kominku. Wszyscy byli gotowi do delektowania się ciastem orzechowym przy drugiej części miniserialu, kiedy w sieni zadzwonił telefon.

– Curtis! – wrzasnął Vaughn.

Pozostali spojrzeli po sobie podekscytowani, wiedząc, że do Curtisa mogła zadzwonić tylko jedna osoba.

– Mama? – Curtis roześmiał się i porwał słuchawkę. – Cześć, mama! Co u ciebie...? Nie możesz mi powiedzieć, dokąd lecę...? No dobra, ale tam się już spotkamy...? Świetnie! No to do jutra... Tak, jest tutaj. Już proszę... James, mama chce z tobą pogadać.

James wziął słuchawkę, niemal słysząc walenie własnego serca. Odchrząknął i odezwał się niepewnie:

– Pani Oxford? Dzień dobry.

– Cześć – odpowiedział energiczny głos. – Syn opowiada mi o tobie same dobre rzeczy, James. Prawdopodobnie jest to pierwsza i ostatnia okazja, kiedy możemy bezpiecznie porozmawiać. Musiałam podziękować ci osobiście za to, co zrobiłeś.

James uśmiechnął się.

– Drobiazg. Co będzie ze mną i Laurą?

– Załatwiłam wam nowe tożsamości. Dzisiejszą noc spędzicie w hotelu w Boise, a jutro rano lecicie do Kanady. Czeka tam na was naprawdę miła rodzina. Finansowo wszystko jest załatwione. Nic wam nie grozi, dopóki będziecie się trzymać właściwej strony prawa.

– Brzmi rewelacyjnie. Dzięki.

– Mijają moje cztery minuty. Powiedz Vaughnowi, że wzięłam Comfort Lodge.

Połączenie nagle się urwało. James odwiesił słuchawkę i wytarł spoconą dłoń o spodnie.

– Z nią nie ma ckliwych pożegnań – powiedział Vaughn. – Im krótsza rozmowa, tym mniejsze ryzyko, że FBI ją namierzy.

– Daleko stąd do Boise? – zapytał James, wciąż wstrząśnięty po rozmowie z jednym z najpilniej poszukiwanych przestępców świata.

– Trzy godziny jazdy.

– Kiedy ruszamy?

– Kiedy tylko się spakujecie.

Laura spojrzała smutno na Lisę.

– Mogę pożegnać się z konikami?

– Jeśli chcesz, to cię spakuję – zaofiarował się James. – To tylko trochę ciuchów.

Lisa poklepała Laurę po plecach.

– Ale szybciutko, dobrze? I załóż płaszcz.

James ruszył na górę, przestępując po dwa stopnie naraz. W głowie kłębiły mu się niespokojne myśli. Skoro on i Laura lecieli do Kanady, a Curtis w jakieś nieznane miejsce, szanse na spotkanie z Jane Oxford spadły do zera. Wszystko, co jeszcze można było zrobić, to spróbować dowiedzieć się, dokąd zmierza Curtis, żeby zespół FBI mógł go przechwycić, kiedy spotka się z matką.

James wszedł do swojego pokoju i zaczął wpychać rzeczy do plecaka. Po chwili stanęła za nim Becky.

– No to chyba po wszystkim – powiedział, czując smutek, a jednocześnie ulgę, że między nimi nie doszło do niczego więcej.

Na łóżko upadł pistolet, a następnie kilka dużych magazynków.

– Może ci się przydać – oznajmiła Becky.

James osłupiał.

– Pistolet twojego taty? Będziesz miała kłopoty.

– Nie ufaj Jane Oxford. Słyszałam różne rzeczy o tym, co zdarzało jej się robić, i wierz mi, lepiej, żebyś miał to przy sobie.

– Powiedziała, że znalazła dla nas rodzinę – James zerknął niezdecydowanie w stronę broni.

Becky wzięła pistolet i wprawnym ruchem wsunęła w rękojeść magazynek.

– Jaki miałeś układ z Curtisem? Wyciągasz go z paki, a Jane załatwia ci nowe życie, tak?

James skinął głową.

– No, ale Curtis jest już wolny – ciągnęła dziewczyna. – Czym jesteście teraz dla Jane Oxford, jeśli nie parą kosztownych problemów?

Ta myśl nachodziła Jamesa już wiele razy, choć we wprowadzeniu do zadania zapewniano go o lojalności Jane wobec ludzi, którzy jej pomogli.

Becky przykucnęła obok Jamesa.

– Trzeba odciągnąć zamek, żeby wprowadzić pierwszy nabój do komory, o tak. Bezpiecznik to ta mała dźwigienka. To automatyczny glock. W każdym magazynku masz po dwadzieścia pięć nabojów i możesz strzelać seriami jak z karabinu maszynowego. Wystarczy przerzucić to na auto.

– Naprawdę uważasz, że nie powinniśmy jej ufać?

Becky wzruszyła ramionami, po czym odciągnęła gumkę spodni Jamesa i zatknęła za nią pistolet.

– A bo ja wiem? Strzeżonego Pan Bóg strzeże, tyle ci powiem.

Kiedy ostatnio James znalazł się w groźnej sytuacji, mając przy sobie broń, skończyło się to zabiciem człowieka. Za nic nie chciał, by to się powtórzyło, i tylko o tym mógł myśleć, kiedy Becky lekko pocałowała go w policzek na pożegnanie.

– Decyduj sam, Jamesie Rose – powiedziała smutno dziewczyna. – Włóż bluzę, żeby nikt nie zobaczył gnata. I uważaj na siebie.

James zmusił się do uśmiechu.

– Postaram się.

Laura minęła się z Becky na progu. Wyglądała na bliską płaczu.

– Co tak szybko? – zdziwił się James.

– Nie dałam rady... – Laura pociągnęła nosem. – Uciekłam z powrotem do domu.

James był zaskoczony, widząc, jak bardzo Laura przywiązała się do koni. Przytulił ją na chwilę.

– Masz, przyklej to sobie – powiedział, wręczając jej jeden z nadajników. – Na wypadek, gdyby nas rozdzielono.

Laura rozpięła dżinsy i przykleiła nadajnik – niczym nieróżniący się od plastra z opatrunkiem – nad udem, gdzie nikt nie mógł go zobaczyć. W tej samej chwili od strony sypialni Curtisa dobiegł ich głośny łomot. James wypadł na korytarz i wparował do pokoju czternastolatka, prosto w morze papierowych strzępów. Curtis podarł dziesiątki swoich szkiców i rysunków, wyrwał drzwi garderoby, po czym zakopał się w wąskiej szczelinie między łóżkiem a ścianą.

– Co się dzieje? – wydyszał James.

– Nie chcę stąd wyjeżdżać – zaszlochał Curtis. – Mama mnie ochrzani za to, że zabiłem tamtych ludzi, a potem znowu będziemy uciekać. Ona lubi ryzyko, a ja się boję i to mnie dobija! Ja chcę tylko żyć, mieszkać w jakimś spokojnym miejscu, gdzie mógłbym rysować, chodzić do szkoły...

James zastanawiał się, co odpowiedzieć, kiedy do pokoju wszedł Vaughn.

– Pobiliście się? – zapytał gniewnie. – Co tu się dzieje?

– Dostał doła – powiedział James niepewnie. – Ktoś powinien z nim pogadać.

James spojrzał na Curtisa szlochającego żałośnie w ścianę i żałował, że nie potrafi mu pomóc.

– Ja nie chcę znów do więzienia! – wył Curtis. – Nie chcę znowu uciekać! Wolałbym nie żyć, ale jestem za kiepski nawet na to, żeby się zabić!

James usiadł na krawędzi łóżka i dotknął dłoni chłopca.

– Wiesz, te napady zawsze w końcu mijają – powiedział cicho. – Kiedy spotkasz się z mamą, porozmawiasz z nią i wszystko wytłumaczysz. Założę się, że wszystko będzie dobrze.

– Ona mnie nie słucha – chlipnął Curtis.

– Za pięć minut widzę was na dole gotowych do drogi – powiedział szorstko Vaughn. – James, przynieś mu jakąś chusteczkę, żeby otarł sobie twarz. Przed nami długa droga. Będzie musiał wziąć się w garść.

30. TELEFONY

John Jones i jego trzyosobowy zespół nie mogli skontaktować się z Jamesem i Laurą podczas ich dwutygodniowego pobytu na ranczu. Agenci kompensowali brak bezpośredniego dostępu, obserwując wejścia i wyjścia z bezpiecznej odległości i ustawiając wśród drzew laserowe mikrofony. Niewidzialne promienie światła wykrywały wibracje szyb w oknach, laptop zaś przekładał je na przytłumione dźwięki mowy.

Teo rozpoczął swoją sześciogodzinną zmianę. Usadowił się wśród drzew, pięćdziesiąt metrów od bramy rancza, kiedy usłyszał, że dzieci szykują się do wyjazdu. Natychmiast ściągnął rękawicę narciarską i złapał radio, żeby skontaktować się z Marvinem.

John, Warren i Marvin jedli kolację w pizzerii przy ich motelu, piętnaście mil od rancza. Podczas rozmowy z Teo przez krótkofalówkę Marvin wyłowił z kieszeni kurtki popiskującą komórkę i podał ją Warrenowi. Dzwoniła ekipa podsłuchowa FBI z potwierdzeniem zarejestrowania telefonicznej rozmowy Jane Oxford.

– No dobra... – westchnął Marvin, wstając i odgryzając ostatni kęs pizzy. – Zadzwonię w parę miejsc i sprawdzę, jakie siły możemy od razu pchnąć do Boise. Obstawię kimś Comfort Lodge i pojadę przodem. Ruch jest tutaj tak mały, że jeśli wsiądziemy im na ogon, zorientują się w trzy sekundy. John, weźcie z Warrenem drugi wóz i spróbujcie pojechać za sygnałem od dzieciaków. Tylko trzymajcie dystans. Teo nie może się ruszyć, dopóki nie wyjadą, a potem nas dogoni.

*

Wielka toyota Vaughna sunęła w ciemności w stronę Boise. Samochód miał trzy rzędy siedzeń, a Laura zajęła jeden tylko dla siebie. Leżała z zamkniętymi oczami, wyciągnięta na całej długości kanapy, walcząc z powracającymi falami żalu.

Nawiązywanie i zrywanie bliskich relacji było tym elementem pracy tajnego agenta, który świeżo upieczeni członkowie CHERUBA znosili najgorzej. Laura wiedziała, że James wyśmiałby ją za lamentowanie za jakimiś końmi, ale nic nie mogła poradzić na smutek, jaki ogarniał ją za każdym razem, gdy o nich pomyślała. Dobrze pamiętała pierwszy poranek na ranczu, kiedy Lisa podsadziła ją na siodło i poprowadziła konia za uzdę wokół małego padoku. Wtedy Laura była sztywna z przerażenia, ale czas przemienił przygodę w rozrzewniające wspomnienie.

Curtis był kupką nieszczęścia oklapłą smętnie pod oparciem kanapy. Nie chciało mu się nawet zapiąć pasów. Wilgotne smugi na jego twarzy połyskiwały w światłach mijanych samochodów. Przed misją wszystko, co James o nim wiedział, pochodziło z policyjnych raportów sporządzonych w związku z morderstwem oraz z obserwacji, jakie Warren poczynił w Arizona Max. Teraz, kiedy chłopcy zdążyli się poznać, James nie mógł oprzeć się wrażeniu, że taka wrażliwa dusza nie przemieniłaby się w mordercę, gdyby dorastała w normalnym domu, zamiast wiecznie uciekać w ślad za żądną wrażeń matką.

James siedział z przodu obok Vaughna. Nudził się, ale był zbyt spięty, by robić cokolwiek innego oprócz gapienia się na drogę przed sobą. Rękojeść glocka uwierała go w brzuch. Kiedy za oknem mignął znak „Boise 15 mil", Vaughn wręczył Jamesowi telefon komórkowy.

– Zadzwoń do informacji i poproś o numer Comfort Lodge.

James zapisał cyfry na rogu mapy, trzymając telefon ramieniem. Następnie wystukał numer i przekazał komórkę Vaughnowi.

– Halo, Comfort Lodge? – powiedział Vaughn. – Nazywam się Herman. Mam u was rezerwację na dziś, ale najpierw muszę się spotkać z kolegą. Powiedział, że zostawił w recepcji wiadomość, gdzie będzie na kolacji... Byłaby pani tak uprzejma i przeczytała mi ją?

Vaughn czekał, aż kobieta po drugiej stronie linii wyjmie złożoną kartkę z przegródki za sobą i odczyta wiadomość na głos.

– A zatem Star Plaza – powiedział po dłuższej chwili. – A wie pani może, gdzie to jest...? Nie, nic nie szkodzi. Mój kolega zaraz sprawdzi na planie... Do widzenia.

Vaughn zakończył połączenie i odłożył telefon pod przednią szybę.

– Z kim się spotykamy? – zapytał James, rozkładając na kolanach plan Boise.

– Z nikim. To taka zmyła, na wypadek gdyby telefon Jane był na podsłuchu. Każe ci jechać do hotelu, a tam zostawia wiadomość pod fałszywym nazwiskiem. W wiadomości podaje nazwę hotelu, w którym masz się zatrzymać naprawdę.

James liczył na to, że FBI zdąży z obstawieniem pokoju w Comfort Lodge, ale teraz nie miało to już znaczenia. Odtąd mógł polegać wyłącznie na mikronadajnikach na swojej i Laury skórze – urządzeniach znanych ze swojej zawodności.

– Chyba nie sądzisz, że FBI mogło dotrzeć za nami aż tutaj? – zapytał James.

Vaughn wzruszył ramionami.

– Wątpię, ale mama Curtisa musi naprawdę uważać. Federalni, jak już wciągną cię na listę poszukiwanych, to nie popuszczą. Widzisz tę komórkę?

James kiwnął głową.

– Przyszła do mnie FedEksem dwa dni temu z poleceniem, żeby jej nawet nie włączać, dopóki nie wyjedziemy z rancza. Jane może przesadza, ale więzienia są pełne ludzi, którzy nie byli wystarczająco ostrożni.

*

Star Plaza, położony o kilka minut jazdy od lotniska w Boise, okazał się typowym hotelem dla biznesmenów, ze standardowymi marmurami i pseudoantykami w hallu. Vaughn wyglądał na nieco spiętego, kiedy maszerował przez recepcję, prowadząc za sobą troje dzieci. Podszedł do dwóch starszych mężczyzn rozpartych w fotelach przy ozdobnym stoliku. Ubrani byli w tandetne garnitury, a ich długie siwe brody sugerowały związek z subkulturą gangów motocyklowych.

– Bill... Eugeniuszu – Vaughn powitał mężczyzn dwoma powściągliwymi skinieniami głowy. – Nie spodziewałem się zobaczyć was w tej okolicy.

– No to masz niespodziankę – burknął Bill, marszcząc czoło, jakby już samo istnienie Vaughna napełniało go głębokim niesmakiem.

Vaughn machnął ręką w stronę dzieci.

– To jest James, Curtis i Laura.

– Co ty powiesz? – zaskrzeczał stary. – Szefowa mówi, że twój przelew przyjdzie za parę dni. Przejmujemy dzieciaki. Nie ma potrzeby, żebyś się tu dłużej kręcił.

Bill dźwignął się z fotela, rozsiewając wokół siebie woń pomady. James zauważył, że drugi staruszek – Eugeniusz – nosi aparat słuchowy.

– No to ja już pójdę – powiedział Vaughn, patrząc ciepło na Jamesa. – Normalnie widzę cię, jak zasuwasz po Kanadzie na swoim harleyu. Może za parę lat...

– Tak. – James uśmiechnął się. – Mam nadzieję.

– Przynamniej moja córka będzie bezpieczna.

Jamesowi zamarło serce, ale Vaughn parsknął śmiechem.

– Myślałeś, że Lisa i ja nie wiemy, co wyprawiacie?

– Znaczy, emm... – wybełkotał James i zamilkł, napotkawszy lodowate spojrzenie Laury.

– Kiedy moja najstarsza zaczęła chodzić ze swoim pierwszym chłopakiem, miałem ochotę go zabić. Przy czwartej córce człowiek nabiera dystansu.

James uśmiechnął się, kiedy Vaughn uścisnął go i poklepał po plecach. Laura i Curtis zostali potraktowani tak samo.

– Jak rany boskie! – zdenerwował się Bill, robiąc krok w stronę windy. – Już cały świat się na nas gapi.

James poczuł ukłucie żalu, kiedy Vaughn Little zniknął w mroku za obrotowymi drzwiami. Może i był przemytnikiem i przestępcą, ale był także jednym z najsympatyczniejszych ludzi, jakich James kiedykolwiek spotkał.

Mieli przenocować w dwóch połączonych pokojach na piątym piętrze, z dwoma podwójnymi łóżkami w każdym z nich. W jednym z pomieszczeń Bill i Eugeniusz zdążyli już rozrzucić swoje starcze akcesoria: fiolki z pigułkami, piersiówki, porozciągane slipy i najbardziej niemodne trampki znane ludzkości, z wetkniętymi w nie kulami szarych skarpet. Drzwi pomiędzy pokojami były otwarte na oścież i podparte torbą. Eugeniusz włączył telewizor tak głośno, że można by go słuchać z Księżyca.

Dzieci rozejrzały się po apartamencie i rozłożyły się na swoich łóżkach. Po chwili w drzwiach między pokojami pojawił się Bill.

– Możemy iść na basen? – zajęczał James, który rozpaczliwie szukał sposobu na wydostanie się z pokoju i nawiązanie kontaktu z FBI, na wypadek gdyby zespołowi nie udało się ustalić ich nowego adresu.

– A w życiu – mruknął Bill, drapiąc się pod pachą i przy okazji odsłaniając fragment ukrytej pod kurtką kabury. – Jest po dziesiątej. Zresztą w telewizji ciągle o was gadają i lepiej, żebyście się nie wychylali. Zamówcie żarcie z recepcji, jak jesteście głodni, a potem spać. Eugeniusz walnął w kimę. Jak się obudzi, powiedzcie mu, że poszedłem na dół na kielicha.

Nie minęło pół minuty od wyjścia Billa, kiedy Curtis przyskoczył do minilodówki, by wygarnąć stamtąd puszkę piwa i naręcze malutkich buteleczek z mocniejszym alkoholem.

– Imprezka! – zawołał wesoło, rzucając Jamesowi małego jacka danielsa. Drugiego wlał sobie do ust.

James zesztywniał. Kiedy ostatnim razem Curtis się upił, dostał dożywocie. Z drugiej strony śpiący Eugeniusz, Bill w barze i pijany Curtis stwarzali znakomitą okazję do skontaktowania się z Marvinem. Skorzystanie z telefonu w pokoju byłoby zbyt ryzykowne, ponieważ rozmowę odnotowano by na hotelowym rachunku, ale James pamiętał, że w hallu na dole widział telefony na kartę.

– Słuchajcie – rzuciła Laura entuzjastycznym tonem. – A może spróbujemy sprawdzić, dokąd jutro lecimy?

– Dobry pomysł.

James był pod wrażeniem. Laura coraz częściej zaskakiwała go swoją bystrością. On sam był tak skupiony na kwestii zawiadomienia FBI o miejscu ich pobytu, że zupełnie zapomniał o najważniejszym zadaniu: ustaleniu, gdzie Curtis miał się spotkać ze swoją nieuchwytną matką.

– Niby gdzie chcesz to sprawdzić? – zapytał Curtis.

James wzruszył ramionami, ale Laura bez namysłu zanurkowała do drugiego pokoju wypełnionego głośnym chrapaniem Eugeniusza, by wrócić z szykowną skórzaną paszportówką, którą najwyraźniej wypatrzyła już wcześniej.

– Założę się, że wszystko jest tutaj – powiedziała wesoło.

James pojął jej sposób rozumowania. Elegancka paszportówka kompletnie nie pasowała do dziadkowatego stylu pozostałych rzeczy Billa i Eugeniusza. Musieli ją od kogoś dostać.

Laura wskoczyła na łóżko i otworzyła suwak paszpor-
tówki. W środku była brązowa koperta wypchana kanadyjskimi i amerykańskimi dolarami oraz trzy podrobione
paszporty. Jeden z nich – brazylijski – zawierał fotografię
Curtisa i nazwisko Eduardo Santos. Był też komputerowy
wydruk z wypunktowanymi szczegółami lotów rejsowych
z Boise do Dallas i z Dallas do Rio de Janeiro.

– Eduardo Santos – wyrecytował uroczyście Curtis, nieudolnie imitując hiszpański akcent. – Brzmi całkiem nieźle,
hombres?

Curtis zajął się małą butelką dżinu, a Laura pomachała
Jamesowi dwoma następnymi paszportami. Kanadyjskimi.

– Uważaj z tą wódką, dobra? – przestrzegł James, trzymając w dłoni wciąż nieotwartego jacka danielsa. – No to
dokąd lecimy?

Paszporty wystawiono na nazwiska Scott i Ellen Parks.
James nie znał się na fałszowaniu dokumentów, ale odniósł
wrażenie, że te podrobione są doskonałe. Musiały kosztować tysiące dolarów.

– Dobra, odłóż to na miejsce, zanim Bill nas nakryje –
powiedział James.

Curtis zwalił się na łóżko i rozerwał paczkę prażonych
nerkowców. James i Laura weszli do sąsiedniego pokoju.
Upewniwszy się, że Eugeniusz wciąż śpi, zaczęli szeptać do
siebie przez ryk telewizora.

– Zajmij czymś Curtisa – powiedział James. – Zacznij bitwę na poduszki czy coś. Ja się wymknę się i spróbuję skądś
zadzwonić.

– A jak Curtis zapyta, gdzie jesteś? Albo wróci Bill?

– Jesteśmy dziećmi. – James rozłożył ręce. – To normalne, że mamy różne głupie pomysły. Powiedz, że poszedłem
po lód czy coś takiego.

Laura wróciła do Curtisa, a James otworzył drzwi wejściowe i wytknął głowę za próg. Zobaczył tylko kilka po-

rzuconych wózków służby hotelowej. Pokój znajdował się na końcu długiego korytarza, w pobliżu wyjścia ewakuacyjnego. James skorzystał z niego i zszedł wąską klatką schodową na czwarte piętro, gdzie nie musiał się obawiać, że wpadnie na Billa. Początkowo zamierzał skorzystać z jednego z telefonów w hallu, ale teraz zauważył staroświecki aparat zawieszony na ścianie przy drzwiach schowka na szczotki. Był przeznaczony wyłącznie do rozmów wewnętrznych personelu hotelowego, ale James wiedział, że większość centralek programuje się tak, by na numery alarmowe można było dzwonić z każdego telefonu w sieci. Zdjął słuchawkę z wieszaka i wykręcił 911.

– Centrum powiadamiania ratunkowego. Z kim mam połączyć?

James uśmiechnął się z ulgą.

– Z FBI proszę. Numer komórki trzy, dwa, cztery, sześć, kod zgłoszenia T jak Tomasz.

W ciągu sekundy od chwili przekonfigurowania łączy przez operatora sygnał trafił do biura FBI w Phoenix, skąd został przekierowany do komórki Marvina Tellera.

– Przepraszamy, ale wybrany numer jest zajęty. Proszę spróbować później lub poczekać na sygnał i nagrać wiadomość.

James zaklął pod nosem.

– Marvin, to ja. Jesteśmy w Star Plaza, pokój numer pięć, trzy, cztery. Curtis leci rejsem American Airlines zero, dziewięć, trzy, zero do Dallas, a tam przesiada się do Rio. Ma paszport na nazwisko Eduardo Santos...

31. BRAZYLIA

James wrócił do pokoju. Bill, Eugeniusz i Curtis nawet nie zorientowali się, że go nie było. Był prawie pewien, że Marvin odsłuchał wiadomość, ale cień wątpliwości mocno działał mu na wyobraźnię, gdy leżał w ciemnym pokoju, słuchając grzmiącego chrapania Eugeniusza.

O wpół do szóstej rano James był już na wpół rozbudzony, ale nie poruszył się, kiedy Bill podkradł się do Curtisa i zbudził go potrząsaniem za ramię.

Curtis usiadł na łóżku, mocno sponiewierany przez efekty szturmu na minibarek.

– Myślałem, że lot jest później – jęknął, dłubiąc w załzawionym oku.

– Ciszej – syknął Bill. – Właśnie dzwoniłem do twojej matki, tak jak było ustalone. Ten cały cyrk bardzo ją niepokoi. Mamy zmianę planu, ale tamte dwa szczyle nie mogą się o niczym dowiedzieć.

– Całe jej życie to ciągłe zmiany planów – poskarżył się Curtis. – Nie mogę się nawet pożegnać?

– Niech śpią. Sam wiesz najlepiej, jak to działa: im mniej wiedzą o tym, kiedy wyjechałeś i dokąd, tym lepiej.

Jamesowi zdrętwiała szyja, ale nie śmiał się poruszyć, żeby staruch nie zorientował się, że nie śpi. Curtis ześliznął się z łóżka i pospiesznie podreptał do łazienki. Kliknęła zasuwka. Chwilę później dało się słyszeć ciurkanie strumienia moczu, a potem odgłos gwałtownych torsji wzmocniony przez muszlę klozetową. James zacisnął zęby, żeby nie parsknąć śmiechem. Bill zapukał cicho w zamknięte drzwi.

– Wszystko w porządku, chłopcze? – zapytał scenicznym szeptem.

Z łazienki dobiegały teraz odgłosy mycia zębów i płukania gardła.

– Jezu... – sapnął Curtis, wchodząc do pokoju. – Musiałem zjeść coś niedobrego. Mam nadzieję, że nie pochoruję się w samolocie.

– Raczej wypić – burknął Bill. – Cuchniesz jak gorzelnia.

Curtis potoczył wokół siebie półprzytomnym wzrokiem i zaczął zbierać swoje rzeczy.

– Zostaw te śmiecie – powiedział Bill. – Wciągnij spodnie, buty i zjeżdżamy.

James myślał gorączkowo. Zastanawiał się, czy powinien pójść za Billem i Curtisem. Wiedział, że jeżeli Marvin nie odsłuchał wiadomości albo jeśli agenci spodziewają się, że Curtis poleci późniejszym samolotem i są jeszcze w łóżkach, trop Jane Oxford urwie się na dobre. Z drugiej strony, gdyby został nakryty na śledzeniu Curtisa, byłby spalony.

– Gotowy? – zapytał niecierpliwie Bill, kiedy Curtis uporał się ze sznurowadłem i wstał.

– Chyba tak.

Chłopiec podszedł do drugiego łóżka i spojrzał na Jamesa.

– Miłego życia, stary – wyszeptał miękko.

Curtis i Bill wyszli przez drugi pokój.

Kiedy tylko trzasnęły drzwi, James zerwał się na równe nogi. Szybko sprawdził, czy Eugeniusz wciąż śpi, po czym błyskawicznie wciągnął spodnie od dresu, buty i zgarnął ze stołu kartę do drzwi.

Wytknął głowę na korytarz w samą porę, by ujrzeć Curtisa i Billa znikających za rogiem w drodze do wind. Niewiele myśląc, pognał po schodach, mając nadzieję, że dogoni śledzonych w recepcji. Niestety, na parterze nie było pokoi dla gości. James znalazł się na zapleczu centrum konferencyjnego, gdzie gwałtownie zahamował przed szarymi drzwiami wyjścia ewakuacyjnego otwieranymi tylko od drugiej strony. Wystraszywszy się, że zgubi Curtisa na dobre, wyłamał drzwi i wypadł na hotelowy parking. Słońce dopiero co wyłoniło się znad horyzontu, a koszulka Jamesa nie chroniła w najmniejszym stopniu przed przejmująco chłodnym wiatrem hulającym nad asfaltowym placem.

James szybko rozejrzał się, sprawdzając, czy w pobliżu nikogo nie ma, po czym pomknął pomiędzy szeregami samochodów w stronę głównego wejścia do hotelu. Kiedy był już niedaleko, dostrzegł kolejkę ludzi wsiadających do niedużego autobusu z napisem „Star Plaza – Lotnisko". Wśród wsiadających byli Curtis i Bill.

James przycupnął między dwoma samochodami. Chciał pobiec do hallu i zawiadomić zespół FBI o tym nagłym zwrocie akcji, ale nie mógł ruszyć się z miejsca, dopóki autobus stał na parkingu. Wreszcie wsiadł ostatni pasażer i drzwi zamknęły się z sykiem. Autobus zaczął się toczyć i wtedy ktoś rozpaczliwie załomotał w blaszany bok. Kierowca wdusił hamulec, żeby wpuścić spóźnionego pasażera. Był nim wielki czarnoskóry mężczyzna w kowbojskim kapeluszu i marynarce koloru czerwonego wina. James uśmiechnął się z ulgą. Nie musiał się już martwić. Marvin Teller odebrał wiadomość.

*

Laura obudziła się w panice. Przez pół sekundy jej pole widzenia wypełniały bezzębne usta starego człowieka, a potem świat pogrążył się w czerni. Eugeniusz dociskał poduszkę tak mocno, że czuła sprężyny materaca uwierające ją w tył głowy. Odruchowo wygięła grzbiet w łuk i spróbowała uwolnić się z uścisku, ale starzec zarzucił kolano na łóżko i przygniótł nim uda dziewczyny.

W płucach Laury nie było wystarczającej ilości powietrza, by mogła krzyczeć. Spróbowała zaczerpnąć tchu, ale przez poduszkę na twarzy było to niewykonalne – jak próba wciągnięcia mokrego betonu przez słomkę do napojów. Dzięki kursom nurkowania wiedziała, ile ma czasu: pięć minut do uduszenia, ale tylko trzy do momentu, w którym niedobór tlenu spowoduje nieodwracalne uszkodzenia mózgu.

„Gdzie jest James?!".

Przyszło jej do głowy, że jej brat może już nie żyć, i w tej samej chwili uświadomiła sobie, że jej prawa ręka jest swobodna. W nagłym przypływie nadziei sięgnęła na ślepo ku stolikowi nocnemu i zaczęła obmacywać blat w poszukiwaniu jakiejkolwiek broni. Kiedy palce trafiły na wrzecionowaty kształt, pamięć natychmiast przywołała obraz reklamowego długopisu z logo Star Plaza na boku. Laura zacisnęła na nim dłoń i kciukiem zrzuciła skuwkę. Nie było to wiele, ale tylko na tyle mogła liczyć.

Na ułamek sekundy straciła koncentrację – pierwsza oznaka zbliżającej się utraty przytomności. Ugryzła się w język dla otrzeźwienia i uderzyła na oślep. Trafiła w ramię, ale długopis ześliznął się, nie wyrządzając Eugeniuszowi żadnej krzywdy oprócz niebieskiej krechy na rękawie. Zirytowany perspektywą prania koszuli starzec pochylił się do przodu, próbując chwycić długopis wolną ręką. Czując, że nacisk na jej biodra zelżał, Laura z całej siły grzmotnęła napastnika z obu kolan w tylną część ciała. Eugeniusz wystrzelił do przodu, zmniejszając nacisk na poduszkę na dość długą chwilę, by Laura zdążyła obrócić głowę na bok i zaczerpnąć haust powietrza. Staruch natychmiast przeniósł cały ciężar ciała z powrotem do tyłu i dodatkowo przyszpilił Laurę, wtłaczając kolano w jej brzuch.

Laura nie pozwoliła, żeby rozdzierający ból przeszkodził jej w rozpaczliwych próbach wywinięcia się spod napastnika.

Pomiędzy prześcieradłem a poduszką powstała luka, w którą wcisnęła się smuga światła. Eugeniusz szarpnął, usiłując wyprostować głowę dziewczyny i szczelniej okryć jej twarz poduszką. Wtedy dostrzegła czubek jego palca. Naprężyła mięśnie.

– Waleczna z ciebie bestyjka – zaśmiał się Eugeniusz, najwyraźniej traktując przedłużające się zmagania z dziesięciolatką jako zaledwie drobne niepowodzenie.

Laura zdołała przesunąć głowę o kilka centymetrów do przodu. Kiedy poczuła paznokieć staruszka przyciśnięty do warg, zagryzła go z całej siły. Rozległ się wrzask i kolano ześlizgnęło się z jej brzucha. Na razie odpuszczając sobie próbę morderstwa i skupiając się na swoim palcu, Eugeniusz zerwał poduszkę z twarzy Laury. Nie wypuszczając palca spomiędzy zębów, dziewczyna wciągnęła powietrze przez nos, po czym – tym razem widząc, co robi – wycelowała ostry koniec długopisu w miękką tkankę na gardle staruszka. Długopis cmoknął jak przepychaczka do zlewu, kiedy metalowa końcówka wniknęła w pomarszczone ciało.

Eugeniusz runął na łóżko, skamląc z bólu. Laura wypuściła palec spomiędzy zębów i pozbawiła napastnika przytomności wściekłym obunożnym kopniakiem w głowę.

Dygocąc ze strachu i trzymając się za obolały brzuch, Laura stoczyła się z łóżka i uniosła róg materaca, chcąc wydobyć spod niego glocka – widziała, jak James chował go tam wieczorem. Odbezpieczyła pistolet i szybko zajrzała do łazienki, a potem za drugie łóżko, drżąc z obawy, że znajdzie tam ciało swojego uduszonego brata. Trzymając pistolet oburącz na wysokości twarzy, zakradła się do drugiego pokoju i tam ostrożnie sprawdziła między łóżkami. Wciąż nie mogła otrząsnąć się z szoku po tym, co zobaczyła w łazience: Eugeniusz starannie rozłożył tam noże i foliowe płachty, przygotowując się do usunięcia zwłok.

Czas mijał, a Laura wciąż nie miała zielonego pojęcia, co mogło się przytrafić Jamesowi. Może Eugeniusz ogłuszył go, kiedy spał, i zawlókł do innego pokoju, żeby tam udusić? A może James zszedł na dół, zaproszony na wczesne śniadanie z Billem i Curtisem: „Zostaw Laurę, niech śpi, skoro jest zmęczona. Eugeniusz się nią zaopiekuje".

Skoro Eugeniusz był nieprzytomny, a los Jamesa pozostawał zagadką, nie miała innego wyjścia, jak tylko zadzwonić do Marvina. Podniosła słuchawkę i wtedy usłyszała, że ktoś wchodzi do sąsiedniego pokoju. Wiedząc, że ma po swojej stronie element zaskoczenia, zaczęła podkradać się do drzwi, ale przez nieuwagę kopnęła bosą stopą nogę stołu. Trafiła palcem. Stłumiony syk bólu wystarczył, by postać w sąsiednim pokoju zanurkowała w cienie między łóżkami, zanim Laura zdążyła się jej dokładnie przyjrzeć.

– Mam broń! – zawołała dziesięciolatka, przypadając do ściany przy framudze i ściskając spust, by oddać strzał ostrzegawczy.

Laura nie wiedziała, że jej glock jest zdolny do prowadzenia ognia ciągłego ani że odbezpieczając go, niechcący przerzuciła dźwigienkę przełącznika na auto. Poczuła się, jakby trzymała wąż strażacki, kiedy odrzut połowy tuzina wystrzałów poderwał jej ręce do góry. Pociski wbiły się w ścianę, strzaskały lustro na drzwiach garderoby i odłupały garść tynku z sufitu. Laura wylądowała na plecach na jednym z łóżek.

Przez chmurę pyłu przedarł się głos:

– Nie strzelaj. To ja.

James zakaszlał, wchodząc do pokoju z rękami w górze.

– Gdzieś ty, do diabła, zniknął, nie racząc mnie nawet obudzić?! Ten wariat omal mnie nie zabił!

James podszedł do Laury i wyjął jej z rąk pistolet.

– Obłędna armata, co? SAS tego używa. Trzeba podpierać się jedną nogą z tyłu, żeby odrzut cię nie odepchnął...

– Gdzie Curtis?

– W drodze do...

Zanim dokończył zdanie, w obojgu drzwiach wejściowych jednocześnie kliknęły zamki. James odwrócił się gwałtownie, gotowy puścić kolejną serię pocisków.

– FBI! – krzyknął Warren, wpadając do pokoju z wycelowaną przed siebie bronią.

– Teren czysty! – odkrzyknęli pospiesznie Laura i James.

John i Teo szybko sprawdzili drugi pokój, po czym stanęli z opuszczoną bronią, wpatrując się w Jamesa przez otwarte drzwi.

– Słyszeliśmy strzały. Co się stało? – zapytał John.

– Ten nieprzytomny koleś z długopisem w szyi właśnie próbował mnie udusić – wyjaśniła rzeczowo Laura.

– Bez sensu – burknął James. – To po co te kanadyjskie paszporty, które znaleźliśmy wczoraj.

Laura wyciągnęła palec w stronę łazienki.

– Jak mi nie wierzysz, to idź sobie zobacz – powiedziała oburzona. – Nie mam w zwyczaju dźgać ludzi długopisami dla zabawy, wiesz?

James, John, Warren i Teo obejrzeli sprzęt przygotowany w łazience. James poczuł mdłości, kiedy wyobraził sobie to, do czego omal nie doszło.

– A podobno Jane Oxford dba o ludzi, którzy jej pomagają – powiedział z przekąsem.

– Najwyraźniej przeceniliśmy poziom jej lojalności – powiedział Teo. – Ale paszporty to klasyczna sztuczka Jane. Zawsze wymyśla trzy albo cztery plany, a o zmianie informuje ludzi dopiero w ostatniej chwili. Bardzo możliwe, że Bill dostał paszporty i szczerze wierzy, że lecicie do Kanady, podczas gdy Eugeniusz otrzymał od niej polecenie, żeby was uśmiercić.

– To przebiegła taktyka – dodał Warren. – Zdarzało się nam już rozpracować jakąś akcję Jane i dokonać aresztowań tylko po to, żeby znaleźć tony zaprzeczających sobie nawzajem dowodów. Kiedy sprawa trafia do sądu, adwokaci wyciągają te sprzeczności i rozrywają nimi oskarżenie na strzępy: „Skoro Jane Oxford zamierzała zabić Jamesa i Laurę Rose'ów, po co miałaby wydawać tysiące dolarów na fałszywe tożsamości, bilety lotnicze i organizowanie im nowego życia u państwa Jakichśtam w Toronto?". I tak dalej w tym stylu.

– Ale dlaczego postanowiła nas zabić? – zdenerwowała się Laura. – Nie zrobiliśmy jej nic złego.

– Jak sądzę, uznała, że gdyby kiedykolwiek was złapano, stanowilibyście dla niej zagrożenie – powiedział Teo. – Przecież wiecie o Etiennie i rodzinie Little'ów. Najwyraźniej mieliście zginąć jak najszybciej, ale dopiero po rozstaniu z Curtisem, żeby chłopak niczego się nie domyślił.

– Podła suka – mruknął James, kręcąc głową. – Wyciągnęliśmy jej syna z więzienia, a ona dziękuje, próbując nas zabić.

– To cała ona – westchnął Warren. – Widzisz, Oxford nie daje się schwytać od dwudziestu lat nie dlatego, że jest sentymentalna.

– Dobra, pogadamy sobie, jak to wszystko się skończy – powiedział John. – Teraz proponuję, żebyśmy się skupili i pomyśleli, co dalej.

– Sądzę, że powinniśmy zacząć od wezwania karetki. Wokół Eugeniusza robi się trochę lepko – zauważył Teo.

– Poza tym wszystko, co możemy zrobić, to postarać się nie zgubić Curtisa – powiedział Warren. – Nasi agenci czekają w gotowości w Dallas i Brazylii. Miejmy nadzieję, że Jane zamierza się pojawić, gdziekolwiek ostatecznie wyląduje Curtis. Kłopot w tym, że kiedy tylko zorientuje się, że tutaj jej plan nie wypalił, przepadnie jak kamień w wodę.

Zadzwoniła komórka Teodora. Wyjął ją z kieszeni kurtki i odbył krótką rozmowę z Marvinem.

– Nie uwierzycie – jęknął. – W drodze na lotnisko Bill odebrał telefon. Kiedy dojechali, Marvin wysiadł i marudził w pobliżu, czekając na Curtisa i Billa, ale Bill powiedział kierowcy, że zostawił coś w hotelu i że obaj zostają na kurs powrotny.

– Czy Marvin wciąż jest z nimi? – zapytał John.

Teo potrząsnął głową.

– Gdyby wsiadł z powrotem, byłoby to zbyt podejrzane. Curtis i Bill będą tu lada chwila.

32. MOTEL

Drogę między lotniskiem a hotelem autobus pokonywał w piętnaście minut.

– Oto, co zaszło – zaczął John, mówiąc i myśląc jednocześnie. – Eugeniusz usiłował zabić Jamesa i Laurę, ale dzieci poradziły sobie z tym mordercą. Kiedy zorientowały się, że Jane Oxford zamierza je zabić, zgarnęły pieniądze i kosztowności, po czym opuściły hotel w wielkim pośpiechu.

Warren wskazał palcem wciąż nieprzytomnego Eugeniusza.

– A co z nim? Potrzebuje pomocy.

John wzruszył ramionami.

– Z zimną krwią próbował zamordować dziecko, zatem wybacz, ale trudno mi zdobyć się na współczucie.

Teo pochylił się nad łóżkiem i obejrzał ranę starca.

– Nie ma uszkodzonej tchawicy i nie traci krwi zbyt szybko – orzekł po chwili. – Z długopisem zatykającym dziurę powinien wytrzymać kilka godzin. Co najmniej.

– W porządku. Zabierajmy cenne rzeczy i wynośmy się stąd czym prędzej – powiedział John.

Teo zabrał Eugeniuszowi portfel, a Laura kopertę z pieniędzmi i paszporty. Już zabierali się do wyjścia, kiedy zadzwonił telefon. John zastanawiał się tylko przez chwilę.

– James, odbierz.

James podbiegł do telefonu i złapał słuchawkę, z rozpędu przewracając się na łóżko.

– Halo?

– Eugeniusz? To ty?

– Mówi James.

– Och...

Bill zamilkł, najwyraźniej niezmiernie zaskoczony.

– Nie spodziewałem się, że jeszcze tu będziecie – podjął po chwili. – Jest Eugeniusz?

– Siedzi w kiblu chyba od stu lat. Nie wiem i chyba nie chcę wiedzieć, co on tam wyrabia – powiedział James, siląc się na beztroski ton.

John nagrodził Jamesa za szybkość myślenia uśmiechem i uniesionym kciukiem. Bill wydawał się czymś rozzłoszczony.

– Powiedz mu, żeby brał ten swój smętny tyłek w troki i zabierał się stamtąd. Powiedz mu, że odprawiłem Curtisa, ale musiałem wrócić, żeby znaleźć taki jeden samochód i że spotkamy się wieczorem w motelu.

– Dobra, przekażę – powiedział James. – A tak w ogóle to dzięki, że nam pomogliście.

Bill chrząknął z zakłopotaniem.

– Nie ma sprawy, James... To była przyjemność.

Połączenie zostało przerwane.

– Co powiedział? – zapytał John.

– Że musi odszukać jakiś samochód. Ale powiedział, że zostawił Curtisa na lotnisku.

John wzruszył ramionami.

– Myślę, że to była wersja dla ciebie.

– To klasyczny manewr Jane Oxford – dodał Teo. – Kupuje Billowi paszport i bilet lotniczy, po czym w ostatniej chwili zmienia plan i posyła go w podróż samochodem.

– Ale po co wysłała go na lotnisko, żeby go stamtąd zawrócić? – zdziwiła się Laura. – Nie byłoby lepiej posłać go po samochód gdzieś indziej?

– Pewnie Bill się pospieszył. Jane myślała, że wciąż jest tutaj – powiedział Teo.

– Sądząc po tym telefonie, Bill i Curtis nie zamierzają wrócić do pokoju, co nieco ułatwia nam życie – powiedział John. – Musimy zejść na dół i spróbować ich nie zgubić, kiedy wysiądą z autobusu i zaczną szukać samochodu.

– Ktoś musi tu zostać i zająć się Eugeniuszem. Nie może tutaj tak leżeć, żeby znalazła go jakaś nieszczęsna pokojówka.

– W porządku, Teo, zostań i zajmij się tym, ale nie dzwoń po karetkę, dopóki nie zobaczysz, że odjeżdżamy. Warren i ja zejdziemy na parking, sprawdzimy, do czego wsiądą Bill i Curtis, i ruszymy za nimi.

– A co z Laurą i ze mną? – zapytał James.

John zastanawiał się przez chwilę, po czym wyjął z kieszeni kluczyki.

– Możecie nawigować i obsługiwać radio. Mój to czarny chrysler. Stoi w sektorze F. Włącz silnik, żeby wóz był gotowy do jazdy, kiedy tylko wsiądę, a potem przypnij się pasami na miejscu pasażera.

Warren zadzwonił swoimi kluczykami przed nosem Laury.

– Niebieskie volvo obok chryslera Johna. Tylko uważaj, żeby Bill i Curtis cię nie zauważyli.

James i Laura pobiegli tylnymi schodami na parter i wyjściem ewakuacyjnym wydostali się na parking. Znaleźli sektor F i zdążyli zatrzasnąć za sobą drzwi samochodów, kiedy przed hotelem zatrzymał się autobus z lotniska. James uruchomił silnik i przeniósł się na miejsce dla pasażera. Z głośnika policyjnego radia wydobywał się jednostajny szum.

Curtis i Bill zniknęli w głównym wejściu hotelu. James odszukał wzrokiem Laurę w sąsiednim aucie i wzruszył ramionami. Mógł mieć tylko nadzieję, że nie jest to kolejna zmiana planów.

Nagle głośnik zawarczał głosem Warrena.

– Jestem w hallu, na razie wszystko w porządku. Obaj pobiegli do toalety. Curtis wydaje się nieco pozieleniały na twarzy.

Kilka minut później obrotowe drzwi wypluły Billa i Curtisa z powrotem na parking. James i Laura zapadli się w fotelach, żeby nie było ich widać. Bill wprowadził chłopca pomiędzy szeregi samochodów. Zatrzymał się przy poobijanym żółtym nissanie wyglądającym jak emerytowana taksówka. Przeczytał tablicę rejestracyjną, po czym wetknął rękę pod przedni błotnik i wymacał kluczyki.

James siedział jak na szpilkach. Prawie wyskoczył ze skóry, kiedy drzwi po stronie kierowcy nagle się otworzyły.

– Otwórz schowek – polecił John, sadowiąc się w fotelu i zapinając pas. – Weź najlepszą mapę, jaką znajdziesz, i śledź naszą pozycję. Postaraj się nie stracić orientacji. Zapamiętuj nazwy mijanych sklepów i punktów charakterystycznych. Podczas pościgu musisz być w każdej chwili gotów do podania swojego dokładnego położenia innym samochodom.

James kiwał głową, przetrząsając zawartość schowka w poszukiwaniu mapy. Odjeżdżając, John minął Warrena maszerującego żwawo w stronę drugiego auta. Z radia dobiegł głos Teodora.

– Wyglądam przez okno. Żółty nissan wyjeżdża z parkingu w prawo.

John ruchem głowy wskazał mikrofon.

– Zajmij się radiem, James.

James zdjął plastikową kostkę z uchwytu i obejrzał ją niepewnie.

– Powiedz po prostu, że go mamy – westchnął John.

*

Zanim Marvin zdążył na lotnisku złapać taksówkę i wrócić do hotelu, była tam już karetka, która przyjechała po Eugeniusza. Marvin cisnął pieniądze kierowcy i pobiegł na parking, nie czekając na wydanie reszty. Wyjeżdżając swoim samochodem na ulicę, poprosił przez radio o namiar na Billa i Curtisa.

– Tu samochód F. Jesteśmy osiem mil przed tobą. Jedziemy szesnastką na południowy zachód.

Nie chcąc ryzykować spotkania z policją, Bill pilnie trzymał się ograniczenia prędkości, dzięki czemu Marvin bez trudu dogonił Johna i Warrena. Marvin i Warren uczyli się technik prowadzenia pościgu po innej stronie Atlantyku niż John, ale podstawowa zasada była taka sama bez względu na miejsce szkolenia. Wóz prowadzący utrzymywał żółtego nissana w zasięgu wzroku. Drugi trzymał się ćwierć do połowy mili za pierwszym, gotowy do kontynuowania akcji, gdyby ścigany wykonał nagły manewr i zgubił prowadzącego. Trzeci wóz jechał kolejne pół mili za pierwszymi dwoma. Dla niepoznaki samochody zamieniały się miejscami co piętnaście do dwudziestu minut.

Półtorej godziny po opuszczeniu Boise korowód wjechał do stanu Oregon i pomknął szosą międzystanową na północny zachód w stronę Baker City. Laura jadąca w wozie prowadzącym odezwała się przez radio:

– Żółty nissan zatrzymał się przy Rouge Court Motor Inn. Powtarzam: Rouge Court Motor Inn. Minęliśmy zjazd, ale w razie potrzeby możemy zawrócić.

Profesjonalne brzmienie jej głosu wywarło na Jamesie duże wrażenie.

– Lepiej nie – odpowiedział Marvin. – Schowajcie się gdzieś przy drodze parę mil dalej i nie wyłączajcie silnika. Możecie przydać się później. John, potrzebuję wsparcia. Podjedź blisko i spróbuj osłaniać mnie z boku.

Półtorej mili brzmi jak spory dystans do pokonania, ale przy siedemdziesięciu milach na godzinę dotarcie do Rouge Court zajęło Johnowi zaledwie minutę. Motel był częścią kompleksu zawierającego ponadto fast food, bar i stację benzynową. John i James zaparkowali przed barem, wyskoczyli z samochodu i ukryli się w zaroślach, otaczających parking. James, którego koszulka zupełnie nie chroniła przed zimnem, skulił się i wcisnął sobie dłonie pod pachy.

– Masz przy sobie tego glocka? – zapytał John.

James skinął głową i wyciągnął pistolet zza gumki spodni od dresu. John wymienił go na swój rewolwer.

– Siły ognia nigdy za mało – rzucił tonem wyjaśnienia.

Bill stał tuż za rogiem, przed zamkniętymi szklanymi drzwiami, i torturował dzwonek, próbując dostać się do recepcji motelu. Marvin nie wysiadał z samochodu, bo Bill mógłby rozpoznać w nim współpasażera z lotniskowego autobusu. Curtis siedział na przednim siedzeniu żółtego nissana z łokciem wystawionym przez otwarte okno.

James usłyszał odgłos zamykanych drzwi jednego z motelowych pokojów. Spojrzał w tamtą stronę i ujrzał kobietę w różowej koszulce i w wielkich okularach, z włosami owiniętymi ręcznikiem, jakby dopiero co je umyła. Jej rozdeptane kapcie szurały miarowo po mokrym chodniku.

Kobieta prawie zrównała się z żółtym nissanem, kiedy James rozpoznał okulary. Widział je na fotografii, którą oglądał w sali widzeń Arizona Max.

– To ona – szepnął w podnieceniu, trącając Johna łokciem. – Jane Oxford!

– Nie sądzę.

John jeszcze kręcił przecząco głową, kiedy Curtis wyskoczył z samochodu, by z okrzykiem radości rzucić się kobiecie na szyję.

– Ożeż w mordę! – zaklął John, wyrywając krótkofalówkę z kieszeni kurtki. – Warren, Marvin, właśnie gapię się na Jane Oxford. Biegiem do mnie!

– Hej, co się tam chowacie!? – dobiegł zaczepny okrzyk zza Johna i Jamesa.

To był kucharz z baru, tłusty koleś w jeszcze tłustszym fartuchu. Curtis i Jane jednocześnie odwrócili się w stronę mężczyzny. John nie miał innego wyjścia – musiał wkroczyć natychmiast.

– Pilnuj drzwi jej pokoju – rzucił do Jamesa. – Może mieć wsparcie.

James odbezpieczył rewolwer. John wyskoczył z zarośli i oddał strzał w tył nissana, dając do zrozumienia, że nie żartuje.

– FBI! Stać!

John wziął Curtisa i Jane na muszkę, trzymając pistolet w wyciągniętych przed siebie rękach i zerkając nerwowo na boki.

Na strzał zareagowali Bill i Marvin. Bill wyrwał broń z kabury i popędził za róg na ratunek Jane, nie zdając sobie sprawy, że w tej samej chwili z samochodu za nim wysiadł agent FBI. Marvin zawsze wydawał się Jamesowi człowiekiem, który nie lubi tracić czasu na ceregiele, a teraz dowiódł tego, dwukrotnie strzelając Billowi w plecy bez żadnego ostrzeżenia.

Przestępując nad krwawiącym ciałem, Marvin zgarnął broń Billa i ruszył za róg motelu w stronę żółtego nissana.

– Zapowiada się bardzo udany dzień w pracy. – Marvin uśmiechnął się, odpinając od pasa kajdanki i podchodząc do Jane od tyłu.

James nerwowo zerkał to na drzwi pokoju Jane, to na Curtisa, próbując wyczytać coś z jego twarzy. Żaden normalny człowiek nie próbowałby głupich sztuczek pod dwiema lufami wycelowanymi w niego z bliska, jednak takie założenie nie uwzględniało samobójczych skłonności chłopca.

Podczas gdy John osłaniał go glockiem, Marvin zdjął dłonie Jane z jej głowy i zatrzasnął jej kajdanki na nadgarstkach.

– No proszę – uśmiechnął się, zaciskając obrączki. – Pasują jak ulał.

Jane szarpnęła się i odwracając głowę, splunęła Marvinowi na klapę marynarki. Marvin w złości poderwał ją w górę i cisnął na maskę nissana. Jedną ręką przycisnął ją do blachy, a drugą wyszarpnął zza paska puszkę gazu pieprzowego.

– Nie zmuszaj mnie, bym tego użył – wycedził przez zęby, przysuwając spray do jej twarzy.

Rozwścieczony tym, co się dzieje z jego mamą, Curtis nagle skoczył w stronę Johna. Jamesowi zamarło serce. Wiedział, że jeśli tylko Anglik pociągnie za spust, odstrzeli Curtisowi głowę. Ale John nie miał zamiaru używać broni przeciwko nieuzbrojonemu czternastoletniemu chłopcu. Zamiast tego złapał go wpół i cisnął na mokry asfalt. Curtis szarpał się i wył, podczas gdy John spinał mu nadgarstki plastikową opaską.

Nim do motelu dojechał Warren, Jane i Curtis siedzieli już skuci na tylnej kanapie wozu Marvina. Podczas gdy Warren nachylał się nad Billem, dzwoniąc po ambulans, James przekradł się przez zarośla i chyłkiem wśliznął się do volvo, siadając za swoją siostrą.

Laura obejrzała się za siebie.

– Jane chyba płacze.

– I dobrze – powiedział James ponuro. – Kazała nas zabić. Mam nadzieję, że spali się w piekle.

– Ale Curtisa trochę mi szkoda.

– Biedny frajer, ma trochę nawalone pod czapką, co? Te jego rysunki były niesamowite.

Laura przecisnęła się między przednimi fotelami i opadła na kanapę obok Jamesa. Oparła mu głowę na ramieniu, a on objął ręką jej plecy. Po wszystkim, co przeszli do tej pory, scena wokół nich prezentowała się raczej mało efektownie: pusty parking, trzej gliniarze, dwoje podejrzanych na tylnym siedzeniu samochodu i człowiek leżący bez życia na ziemi. Kierownik motelu, kiedy w końcu wyłonił się z recepcji, miał zrezygnowany wyraz twarzy człowieka, który widzi to nie pierwszy raz.

– Wszystko w porządku? – zapytał James, przytulając swoją posmutniałą siostrę trochę mocniej.

– Ciągle boli mnie brzuch – poskarżyła się Laura. – Wiesz, mimo wszystko jestem trochę zawiedziona.

James zrobił zdziwioną minę.

– Złapaliśmy Jane Oxford. Czego jeszcze chcesz?

– Sama nie wiem... Chyba spodziewałam się innego finału. Jakiejś strzelaniny czy coś...

– Brakuje ci krwi i flaków, co? – James uśmiechnął się. – Śmigłowców z rakietami, serii z karabinów maszynowych, żujących cygara najemników z pasami amunicyjnymi na szyi...

– Właśnie – zachichotała Laura. – A wszystko powinno się skończyć w górskiej kryjówce Jane Oxford, gdzie znajdujemy skradzioną broń i wysadzamy ją w powietrze. Oczywiście w ostatniej chwili uskakując przed kulą piekielnego ognia wylatującego z wejścia jaskini.

James skinął głową.

– A ja ratuję całą drużynę napalonych cheerleaderek, które Jane więziła w roli zakładniczek. Dwie najładniejsze dają mi swój numer telefonu...

– Zbereźnik – zacmokała Laura. – Rzecz jasna, moja wypieszczona fryzura pozostanie nienaruszona do samego końca.

– Ech, gdyby życie było jak film – westchnął James, poważniejąc. – Ale na serio to naprawdę liczy się tylko to, że złapaliśmy Jane Oxford i nikomu z naszych nic się nie stało.

Laura przytaknęła.

– Myślisz, że skoro już ją mają, to znajdą te rakiety?

– Mam nadzieję. – James wzruszył ramionami. – My swoje zadanie wykonaliśmy. Nie mogę się doczekać, kiedy wrócimy do domu i będzie można trochę wyluzować. Kerry pewnie już wróciła.

– Powiesz jej o Becky?

– Nie, jeśli nie będę musiał. Wiesz, jaki ona ma temperament. Połamałaby mi nogi.

– Ach tak...

James nagle się zaniepokoił.

– Chyba nie zamierzasz zepsuć wszystkiego, donosząc na mnie, co?

– Chyba nie – westchnęła Laura. – W końcu jesteś moim bratem. Ale i tak uważam, że jesteś świnia i podlec. Nie zasługujesz na tak fajną dziewczynę jak Kerry.

33. KAMPUS

Po dwudziestu godzinach spędzonych w samochodach, samolotach, lotniskowych terminalach, a potem jeszcze w pociągu i mikrobusie, jadącym do kampusu, James czuł się jak wrak. Bolały go stawy. Miał wrażenie, że z jego ciała wyssano każdą kroplę płynu i zastąpiono gumą do żucia. Zamiast oczu miał dwie piekące ołowiane kule.

Przez Laurę zniósł podróż jeszcze gorzej, niż mógł. Jak zwykle, odstawiła swój numer z błyskawicznym zasypianiem, podczas gdy on skręcał się w męczarniach, w kabinie klasy ekonomicznej, oglądając dwie straszliwe komedie romantyczne z rzędu.

Do kampusu przybyli tuż po południu. James zignorował błagania siostry o pomoc w rozpakowaniu pudeł piętrzących się w jej nowej kwaterze prawie od miesiąca, pobiegł do swojego pokoju, zrzucił bokserki, zanurkował pod kołdrę i w ciągu dwóch minut odpłynął w sen.

*

Cztery godziny później Jamesa obudziły czyjeś ubłocone palce gładzące go po policzku.

– Pomyślałam, że lepiej cię obudzę – powiedziała miękko Kerry, siadając na krawędzi łóżka. – Jak będziesz spał za długo, nie będziesz mógł zasnąć wieczorem i jutro wciąż będziesz przesunięty w fazie.

James usiadł na łóżku i ziewnął.

– Która godzina?

– Za kwadrans piąta. Właśnie wracam z treningu piłkarskiego.

James przetarł oczy i nie zdołał powstrzymać uśmiechu, gdy po raz pierwszy od trzech miesięcy porządnie przyjrzał się swojej dziewczynie. Kerry trochę urosła i nawet w nagolennikach i cała w błocie, w oczach Jamesa wyglądała po prostu ślicznie. Nachylił się ku niej i wymienili długi pocałunek.

– Czekaj, śmierdzę potem. – Kerry przerwała sielankę, odpychając Jamesa od siebie.

– Nie szkodzi. Lubię twój zapach – oznajmił James, przysuwając się po ciąg dalszy.

– Może, ale twój jest paskudny – powiedziała Kerry, przyprawiając swój głos nutką oschłości. – Jedzie od ciebie tym paskudnym odświeżaczem powietrza, który rozpylają w samolotach.

– Powaga? – James podniósł rękę i powąchał swoją pachę. – O matko, obrzydliwe.

Kerry wstała i przekrzywiła głowę z uśmiechem.

– Czasem mnie dobijasz, wiesz? Ach... Niczego nie zauważyłeś? – dodała i pociągnęła w dół brzeg koszulki.

James pozwolił, by na chwilę zahipnotyzowały go piersi prężące się pod materiałem.

– Jasne, że zauważyłem – zawołał po chwili. – Są znacznie większe niż przedtem.

Kerry puściła koszulkę i walnęła go w ramię.

– Boże, czy wy naprawdę myślicie tylko o jednym?

James wyszczerzył zęby w uśmiechu.

– Na ogół tak.

– A moja koszulka? – naciskała Kerry. – Kolor mojej koszulki?

– Och... – wykrzyknął James. – Dostałaś granatową koszulkę. Gratuluję.

– Dziękuję. – Kerry dygnęła słodko i skierowała się ku drzwiom. – Idę wziąć prysznic. Spotkamy się na kolacji.

Stołówka była pełna ludzi. James minął Laurę i Bethany dokazujące wraz z hałaśliwą grupką najmłodszych szarokoszulkowców i stanął w kolejce do bufetu. Wziął sobie spaghetti po bolońsku, sałatkę i kawałek tortu czekoladowego, po czym skierował się w stronę stolika, przy którym zwykle siadał z przyjaciółmi. Zastał tam tylko Gabrielle i Kerry.

– Gdzie podziali się wszyscy? – zapytał, siadając naprzeciw dziewcząt.

– Callum, Connor i Shakeel nie wrócili jeszcze z misji werbunkowej, Bruce jest na akcji w Norfolk, a Kyle nurza się w błocie na tyłach kampusu – wyjaśniła Gabrielle.

– A ja mam z tobą do pogadania – powiedziała Kerry poważnym tonem, krzyżując ręce na piersi.

– Chcesz mi coś wyznać? – James uśmiechnął się i włożył do ust wielką kulę spaghetti.

– Chodzą słuchy, że zdradzałeś mnie pod moją nieobecność.

James wciągnął do płuc co najmniej dwieście nitek spaghetti. Nie mógł uwierzyć, że to się dzieje. Przecież Laura obiecała, że nikomu nie powie.

– Posłuchaj... – James zakaszlał. – Cokolwiek ci powiedziała, to nieprawda.

Kerry powoli pokręciła głową, podczas gdy James wykrztuszał na wpół przeżuty makaron w serwetkę.

– Tylko nie próbuj mnie okłamywać, James. Widział cię Bruce i z pół tuzina chłopaków. Wiem wszystko.

James był już kompletnie zbity z tropu: Bruce?

– Chcę, żebyś wiedział, że mnie to nie przeszkadza – ciągnęła Kerry. – Jeżeli kiedykolwiek zechcesz posłuchać gejowskiej strony swojej duszy...

– Posłuchać czego? – wykrztusił James, potrząsając głową. – Co ty bredzisz?

– Posłuchaj – zachichotała Kerry. – Chcę tylko powiedzieć, że jeśli znów poczujesz potrzebę obściskiwania się z Kyle'em, nie będę ci miała tego za złe.

Trybiki w głowie zaskoczyły i James poczuł się, jakby zdjęto mu z piersi miliontonowy ciężar. Kerry wcale nie chodziło o Becky. Nabijała się z niego, bo ktoś jej opowiedział, jak wtedy, po treningu, dla żartu pocałował Kyle'a.

– Ach tak, ja i Kyle – odetchnął James, w duchu dziękując opatrzności, że nie zdążył się zdradzić. Prawdopodobnie ocaliło go spaghetti. Wolał nie myśleć, co mógłby palnąć, gdyby się nie zakrztusił. – To naprawdę śmieszne... Dobrze słyszałem, że Kyle znowu czyści rowy za karę?

Gabrielle skinęła głową.

– Ten chłopak jest taki głupi.

– Ale dlaczego? – James uśmiechnął się szeroko. – Co zrobił tym razem?

– Pamiętasz tę jego małą wytwórnię DVD?

James skinął głową, mając zbyt pełne usta, by mówić.

– Myślę, że kadra przymykała na to oko, póki od czasu do czasu nagrywał jakiś film dla kolegi. Ale Kyle zrobił się chciwy.

– Jak to?

– Zaczął zbierać więcej zamówień, niż był w stanie zrealizować, więc zatrudnił Jake'a Parkera do pomocy przy nagrywaniu płyt i przyklejaniu etykiet.

James kiwnął głową.

– Znam Jake'a. To młodszy brat Bethany.

– Jake pomyślał, że będzie śmiesznie, jak pomiesza naklejki.

James rozciągnął usta w uśmiechu.

– Paskudny numer.

– Owszem, zwłaszcza kiedy banda sześciolatków na piżamowym przyjęciu kończy z *Teksaską masakrą piłą mechaniczną* zamiast *Harry'ego Pottera*.

– Super! – wrzasnął James, waląc pięścią w stół i wyjąc
ze śmiechu.

Kerry kopnęła go pod stołem.

– To nie jest śmieszne, James. Jeden biedny maluch zsi-
kał się w majtki.

– Masz rację, to nic śmiesznego – powiedział James, poważniejąc tylko po to, by po chwili znów parsknąć histe-
rycznym śmiechem.

Kerry także miała kłopoty z zachowaniem powagi. Nachyliła się nad stołem, by spojrzeć swojemu chłopcu
w oczy. James szybko otarł wargi serwetką i pocałował
Kerry w usta. Dobrze było znowu być przy niej.

EPILOG

JANE OXFORD nie chciała współpracować z FBI. Odmówiła odpowiedzi na jakiekolwiek pytania poza potwierdzeniem swojej tożsamości. Oskarżona o morderstwa, wymuszenia i przemyt broni może się spodziewać, że resztę życia spędzi w więzieniu. Zawiłość jej sprawy oznacza, że do procesu prawdopodobnie nie dojdzie wcześniej niż za kilka lat. Czas ten Jane spędzi w federalnym więzieniu klasy supermax we Florence w stanie Kolorado.

Po aresztowaniu Jane dzięki dokumentom znajdującym się w jej posiadaniu FBI dotarło do domów i kontrolowanych przez nią aktywów rozrzuconych po całym świecie. W miarę odsłaniania kolejnych sekretów było coraz bardziej oczywiste, że Jane zrezygnowała z rabowania broni na rzecz rabowania stojącej za nią technologii. Tę sprzedawała firmom zbrojeniowym za pośrednictwem przedsiębiorstw przykrywek, takich jak Etienne Doradztwo Wojskowe.

Przy obrotach światowego przemysłu zbrojeniowego przekraczających pół biliona dolarów rocznie nowy biznes Jane okazał się znacznie bardziej lukratywny od sprzedawania granatów organizacjom terrorystycznym i rządom nękanego biedą Trzeciego Świata. Wartość aktywów Jane, do jakich zdołało dotrzeć FBI, przekraczała miliard czterysta milionów dolarów. Kwota ta nie tylko znacznie przekraczała wszelkie przewidywania zespołu śledczego. Było to znacznie więcej, niż wymagał stosunkowo skromny tryb życia kryminalistki. Wygląda na to, że zgodnie z jej profilem psychologicznym Jane Oxford prowadziła swoją przestępczą działalność przede wszystkim dla dreszczyku emocji.

Jak dotąd nie uzyskano żadnych konkretnych informacji na temat pocisków PGSLM. FBI podejrzewa, że rakiety skradziono na zlecenie konkurencyjnego producenta uzbrojenia. Dopóki jednak nie pojawią się twarde dowody, pozostanie to tylko przypuszczeniem. Nie można wykluczyć, że groźna broń trafiła w ręce terrorystów ani nawet że Jane Oxford wcale jej nie ukradła.

CURTIS OXFORD został zaklasyfikowany jako więzień stwarzający zagrożenie ucieczki i trafił do izolatki w Arizona Max, spędziwszy przedtem czterdzieści osiem godzin w karcerze. Kilka miesięcy później rzekomi wujowie Curtisa – znajomi jego matki z Las Vegas – odkryli, że psychiatrę, który zalecił posłanie go do szkoły wojskowej, oskarżono o przyjmowanie od szkoły pieniędzy w zamian za wystawianie podobnych opinii. Wujowie polecili adwokatowi wnieść wniosek o ponowne rozpatrzenie sprawy Curtisa z uwzględnieniem faktu, że morderstwa, jakie popełnił, były wynikiem niewłaściwej porady lekarskiej udzielonej przez skorumpowanego psychiatrę.

Na rozprawie apelacyjnej sędzia uznał argumenty prawników Curtisa i orzekł, że: „Curtis Oxford ma za sobą długą historię problemów ze zdrowiem psychicznym. Choć to oczywiste, że Curtis musi ponieść konsekwencje swoich wyjątkowo niegodziwych czynów, nowe dowody wskazują, że sądzenie go i skazanie jak dorosłego mężczyzny było niewłaściwe”.

Decyzję sądu uznającą Curtisa za winnego morderstwa pierwszego stopnia unieważniono. Zrezygnowano także z zarzutów dotyczących śmierci Scotta Warrena i ucieczki z więzienia. Trzy tygodnie później przed stanowym sądem dla nieletnich w Arizonie Curtis przyznał się do czterech zabójstw. Po przeprowadzeniu szczegółowych badań psychiatrycznych skazano go na siedem lat pozbawienia wolności w oddziale dla nieletnich zakładu karnego o średnim rygorze. Rodziny jego trzech ofiar pojawiły się w lokalnym programie telewizyjnym, w którym stwierdziły, że decyzja sądu była dla nich wstrząsem.

Wkrótce okazało się, że Jane Oxford założyła dla swojego syna fundusz powierniczy wyceniany na ponad trzydzieści milionów dolarów. Pieniądze starannie wyprano, przepuszczając przez światowy system bankowy i zdaniem FBI udowodnienie ich nielegalnego pochodzenia będzie niemożliwe. Kiedy w 2012 roku Curtis Oxford wyjdzie na wolność, będzie szalenie bogatym młodym człowiekiem.

Niedługo po ucieczce Curtisa ELWOOD, a potem KIRCH skończyli osiemnaście lat i zostali przeniesieni do bloku dla dorosłych. Bracia STANLEY i RAYMOND DUFFOWIE odzyskali zdrowie i powrócili do celi T4, kiedy tylko usunięto zniszczenia po buncie.

Stanowy Departament Więziennictwa hołduje tradycji nazywania bloków więziennych na cześć funkcjonariuszy, którzy polegli na służbie. W nowo wybudowanym kompleksie więziennym na wschód od Phoenix ma niebawem zostać otwarty blok im. SCOTTA WARRENA. Inspektorzy prowadzący dochodzenie w sprawie ucieczki wydali listę zaleceń dotyczących zaostrzenia środków ochrony w Arizona Max, proponując m.in. wymianę zanadto czułych drzwi i wyposażenie wszystkich funkcjonariuszy w osobiste alarmy włączające się automatycznie w wypadku napadu na strażnika. Zalecenia te najpewniej nie zostaną wprowadzone w życie ze względu na brak funduszy.

WARREN REISE (vel Scott Warren) porzucił pracę agenta specjalnego FBI, by móc spędzać więcej czasu z żoną i trojgiem dzieci. TEODOR MONROE i MARVIN TELLER nadal pracują w zespole badającym spuściznę przestępczej działalności Jane Oxford.

PAULA PARTRIDGE została przesłuchana przez stanową policję Kalifornii i Arizony. Nikt nie znalazł powodu, by podać w wątpliwość prawdziwość jej opowieści. Później otrzymała od Stanowego Departamentu Więziennictwa rekompensatę w nieujawnionej kwocie oraz siedem tysięcy dolarów od agencji informacyjnej za wywiad o „wstrząsających przejściach zakładniczki bezwzględnych nastolatnich morderców". Artykuł pojawił się w ponad stu gazetach i magazynach w Stanach Zjednoczonych i na świecie. Pieniądze pozwoliły Pauli na wyniesienie się z przyczepy i wpłacenie zaliczki na nieduży dom. Córka Pauli HOLLY PARTRIDGE była zachwycona dwudniową wycieczką do Disneylandu, na którą zabrała ją mama.

Ranczo VAUGHNA LITTLE'A zostało przeszukane przez FBI. Agenci znaleźli dużą ilość nielegalnej broni, w tym pistolety Glock, pociski moździerzowe i karabiny snajperskie. Vaughn i jego żona LISA zostali oskarżeni o udzielenie pomocy uciekinierom i posiadanie nielegalnej broni z intencją sprzedaży. Vaughna skazano na osiem lat więzienia, Lisę na cztery. Ranczo i hodowane przez Lisę araby sprzedano na pokrycie kosztów sądowych. REBECCA LITTLE (Becky) zamieszkała ze swoją najstarszą siostrą w Kalifornii.

EUGENIUSZ DRISCOLL, kiedy lekarze wyjęli mu z szyi długopis, szybko doszedł do zdrowia. WILLIAM BENTLEY (Bill) wylizał się z ran postrzałowych, zadanych mu przez Marvina Tellera. Policja ustaliła, że obaj pracowali razem jako płatni zabójcy od ponad czterdziestu lat. Poszukiwano ich w związku z trzydziestoma morderstwami w jedenastu stanach USA i dwóch prowincjach Kanady.

Kiedy starcy wyzdrowieli, FBI przetransportowało ich do Teksasu. Po trzytygodniowym procesie sąd uznał ich za winnych sześciu morderstw i skazał na śmierć przez zastrzyk trucizny. Rozwlekłe procesy apelacyjne sprawią, że minie kilka lat, nim wyrok zostanie wykonany.

DAVE MOSS został potajemnie wywieziony ze strzeżonej sali szpitala w Arizonie i wrócił do kampusu kilka dni po Jamesie i Laurze. Wkrótce po powrocie podjął lekki trening kondycyjny, a dwa miesiące później uznano go za całkowicie zdrowego, kiedy badanie ultrasonograficzne jego klatki piersiowej wykazało, że skrzep w płucach się rozpuścił.

Każdą operację CHERUBA podsumowuje się szczegółowym raportem. W raporcie z ucieczki gratulowano wszystkim uczestnikom wspaniałego sukcesu misji. Jednakże JAMES ADAMS został ostro skrytykowany za bezmyślność, która doprowadziła do rozbicia samochodu, a Dave Moss za zaśnięcie na posterunku, co omal nie skończyło się zadźganiem Jamesa przez Stanleya Duffa. Tylko LAURA ADAMS wywinęła się od nagany. W raporcie opisano ją jako „odważną, jasno myślącą, świetnie pracującą w zespole" oraz nazwano „młodą agentką o olbrzymim potencjale". Po przeczytaniu raportu doktor McAfferty zdecydował, że jej wkład w sukces operacji usprawiedliwia nagrodzenie jej granatową koszulką CHERUBA. Laura została jedną z najmłodszych agentek, jakie kiedykolwiek nosiły tę barwę.

Podczas gdy kadra CHERUBA miała pewne zastrzeżenia co do poczynań swoich agentów, CIA i FBI były zachwycone schwytaniem Jane Oxford. Cztery tygodnie po po-

wrocie Jamesa do kampusu doktor McAfferty otrzymał paczkę z siedziby głównej CIA. Zawierała trzy pudełka wykonane z wypolerowanego na wysoki połysk szlachetnego drewna: po jednym dla Jamesa, Dave'a i Laury.

James zdziwił się, kiedy wróciwszy po lekcjach do swojego pokoju, znalazł na poduszce drewniane pudełeczko. Uchylił umocowane na zawiasach wieko i jego wzrok padł na złoty krążek z głową amerykańskiego orła na środku pięcioramiennej gwiazdy. Napis pod krążkiem głosił:

Gwiazda Służb Wywiadowczych
jest medalem przyznawanym przez rząd
Stanów Zjednoczonych
za dobrowolny akt szczególnej odwagi
lub wybitne osiągnięcia
dokonane w obliczu zagrożenia
zdrowia i życia.

James nie zdołał powstrzymać uśmiechu, kiedy odwrócił medal i ujrzał swoje nazwisko, wygrawerowane na rewersie.

W serii **CHERUB** ukazały się:

Rekrut
Kurier
Ucieczka
Świadek
Sekta
Bojownicy
Wpadka
Gangster
Lunatyk
Generał

wrocie Jamesa do kampusu doktor McAfferty otrzymał paczkę z siedziby głównej CIA. Zawierała trzy pudełka wykonane z wypolerowanego na wysoki połysk szlachetnego drewna: po jednym dla Jamesa, Dave'a i Laury.

James zdziwił się, kiedy wróciwszy po lekcjach do swojego pokoju, znalazł na poduszce drewniane pudełeczko. Uchylił umocowane na zawiasach wieko i jego wzrok padł na złoty krążek z głową amerykańskiego orła na środku pięcioramiennej gwiazdy. Napis pod krążkiem głosił:

Gwiazda Służb Wywiadowczych
jest medalem przyznawanym przez rząd
Stanów Zjednoczonych
za dobrowolny akt szczególnej odwagi
lub wybitne osiągnięcia
dokonane w obliczu zagrożenia
zdrowia i życia.

James nie zdołał powstrzymać uśmiechu, kiedy odwrócił medal i ujrzał swoje nazwisko, wygrawerowane na rewersie.

CHERUB

W serii **CHERUB** ukazały się:

Rekrut
Kurier
Ucieczka
Świadek
Sekta
Bojownicy
Wpadka
Gangster
Lunatyk
Generał

wrocie Jamesa do kampusu doktor McAfferty otrzymał paczkę z siedziby głównej CIA. Zawierała trzy pudełka wykonane z wypolerowanego na wysoki połysk szlachetnego drewna: po jednym dla Jamesa, Dave'a i Laury.

James zdziwił się, kiedy wróciwszy po lekcjach do swojego pokoju, znalazł na poduszce drewniane pudełeczko. Uchylił umocowane na zawiasach wieko i jego wzrok padł na złoty krążek z głową amerykańskiego orła na środku pięcioramiennej gwiazdy. Napis pod krążkiem głosił:

Gwiazda Służb Wywiadowczych
jest medalem przyznawanym przez rząd
Stanów Zjednoczonych
za dobrowolny akt szczególnej odwagi
lub wybitne osiągnięcia
dokonane w obliczu zagrożenia
zdrowia i życia.

James nie zdołał powstrzymać uśmiechu, kiedy odwrócił medal i ujrzał swoje nazwisko, wygrawerowane na rewersie.

CHERUB

W serii **CHERUB** ukazały się:

Rekrut
Kurier
Ucieczka
Świadek
Sekta
Bojownicy
Wpadka
Gangster
Lunatyk
Generał